SOULEVER LES MONTAGNES

ABEL AGANBEGUIAN

SOULEVER
LES MONTAGNES

*Pour une révolution
de l'économie soviétique*

traduit du russe par Michèle Kahn
avec la collaboration de Marie-Laure Adam

ÉDITIONS ROBERT LAFFONT
PARIS

Traduction française : Éditions Robert Laffont, S.A., Paris, 1990.
ISBN 2-221-06474-7

PRÉFACE

L'ouvrage que nous proposons aux lecteurs est consacré aux problèmes de la perestroïka de l'économie de l'URSS. Si le déroulement de notre réforme économique est lent et difficile, on peut l'expliquer en partie par les difficultés qu'il y a à appliquer des transformations révolutionnaires à l'économie d'un pays aussi immense, à l'absence d'expérience, au fardeau des erreurs accumulées tout au long des années qui ont précédé la perestroïka, et où régnait l'économie administrée. Nous avons également été gênés par la conjoncture sur le marché mondial, la baisse des prix du pétrole et des autres marchandises traditionnellement exportées par l'URSS.

Et pourtant ce n'est pas là que réside la cause essentielle de nos difficultés. Les erreurs commises au cours de ces deux ou trois dernières années ont conduit au creusement du déficit budgétaire, à la détérioration de la situation sur le marché intérieur, et à l'accroissement de la dette extérieure du pays. En d'autres termes, nous sommes en pleine crise financière. C'est le rôle des experts d'analyser les tendances négatives apparues au cours de la perestroïka. En effet, seule une analyse objective pourra permettre d'éviter de les répéter.

Malgré toute la complexité et le caractère contradictoire des processus qui se déroulent actuellement dans notre pays, les gens ont pris conscience qu'il n'existait pas d'alternative à la perestroïka, et qu'il était impossible de revenir en arrière. La perestroïka, c'est le destin et la vie de notre peuple. Et il ne s'agit pas de savoir si elle continuera ou non, qui est pour et qui est contre ;

la question fondamentale c'est de définir quelle voie elle empruntera.

A la suite de la réforme politique en cours dans le pays, deux façons d'aborder la perestroïka se sont fait jour. L'une consiste à ne voir dans celle-ci qu'un changement venu d'en haut, placé sous le contrôle total de l'appareil, ce dernier conservant tout son pouvoir lors de ce processus. C'est justement la prédominance de cette tendance, les tentatives de résoudre les problèmes en petit comité, sans justification économique, sans l'avis de la population, de laisser à l'appareil tout le pouvoir de décision, qui ont conduit à des erreurs dans la réglementation du fonds de salaires, dans la politique budgétaire, dans l'investissement, au fonctionnement excessif de la planche à billets, etc.

L'autre voie de mise en place de la perestroïka est démocratique, elle se déroule sous la pression des masses. Elle est favorisée dans une très grande mesure par la réforme politique. On a organisé pour la première fois des élections véritablement démocratiques, avec en général plusieurs candidats pour un seul siège. La première session du Congrès des Soviets, qui s'est déroulée en juillet-août 1989, ainsi que la première session du Soviet suprême élu par ce Congrès, qui s'est tenue en juillet-août de cette même année, ont été marquées par un esprit de démocratie et de transparence. On a fixé des limites précises entre le législatif et l'exécutif, et le rétablissement d'un État de droit s'est amorcé.

Les débats qui ont suivi les rapports présentés par le président du Soviet suprême Mikhaïl Gorbatchev et le président du Conseil des ministres Nikolaï Ryjkov au Congrès et au Soviet suprême se sont concentrés pour l'essentiel sur les problèmes économiques non résolus. Le mécontentement à l'égard de la situation actuelle s'est exprimé à la quasi-unanimité. Les élus ont affirmé la nécessité de prendre sans plus tarder des mesures fondamentales pour surmonter la crise financière, rééquilibrer le marché de la consommation, et améliorer le niveau de vie des catégories défavorisées de la population.

Lors de la formation du nouveau gouvernement, tous les titulaires des portefeuilles économiques ont changé, à l'exception du président du Gosplan, qui avait été nommé à ce poste environ un an auparavant. On a créé auprès du Conseil des ministres une

Commission chargée de la réforme économique, à laquelle a été confiée la tâche d'accélérer et d'approfondir la restructuration de l'administration économique. Les nouveaux ministres sont effectivement plus compétents que les anciens. Beaucoup d'entre eux sont des économistes. Je mets personnellement beaucoup d'espoir dans ce gouvernement, qui en deux ou trois ans doit surmonter la situation de crise, normaliser le marché de la consommation, et mettre en place une véritable réforme économique. Tout cela est possible, mais il faudra y employer de grands efforts.

Nous traversons actuellement une étape difficile de notre histoire. La nuit est particulièrement sombre avant l'aube. Et j'espère que cette aube poindra, et que les Soviétiques connaîtront de nouveaux fruits de la perestroïka : non plus seulement la transparence, le développement de leurs droits, la démocratisation, mais aussi l'amélioration de leurs conditions matérielles de vie.

I.

UNE NOUVELLE ÉTAPE
DE LA PERESTROÏKA

Période critique : ça passe ou ça casse

L'Union soviétique aborde une phase décisive – certains diraient : critique – de la restructuration de son économie. Les années 1985-1987 ont été consacrées à l'élaboration d'un nouveau système de gestion et d'un programme de réformes économiques radicales. Pour cela, il nous a fallu analyser notre propre passé et ce qui s'est fait à l'étranger, mais aussi nous livrer à toute une série d'expériences destinées à tester divers points de ce système, touchant à l'administration et à la gestion de notre économie.

Notre tâche est de faire en sorte que notre pays puisse passer d'une économie administrée à coups de diktats – celle qu'il a connue depuis cinquante ans – à un système entièrement différent, axé sur l'utilisation des leviers économiques, et s'accompagnant d'une démocratisation de la société et de la mise en place progressive de l'autogestion.

Le fondement de ce changement dans notre gestion est l'accès à l'autonomie économique des entreprises, qui sont les principaux maillons de l'économie nationale. L'État n'en sera plus responsable sur le plan financier, et les entreprises, quant à elles, ne répondront pas des dettes de celui-ci. On reconnaît désormais le pluralisme de la propriété : à côté des entreprises d'État se crée un important secteur coopératif, et l'initiative privée se développe, pénétrant toutes les branches d'activité.

Trois textes législatifs sont à la base de cette refonte : la loi sur l'entreprise d'État, en vigueur depuis le 1er janvier 1988, celle sur les coopératives, depuis le 1er juillet 1988, et celle sur l'activité économique privée, appliquée dès le 1er mai 1987.

Ces lois ont servi de point de départ à une série d'arrêtés du Comité central du Parti communiste et du Conseil des ministres de l'URSS, prévoyant la transformation complète de notre gestion de l'économie socialiste et de tous les rouages qui la font fonctionner. En particulier, en juillet 1987, ont été adoptés des textes concernant la restructuration de la planification, des finances, de l'activité bancaire et de la politique de formation des prix. Qu'il s'agisse de l'approvisionnement en matériaux et en équipements, des organismes ayant en charge les problèmes du travail et les questions sociales, ou qui gèrent la recherche et les technologies, des directions sectorielles, de la gestion territoriale, de l'établissement de statistiques par l'État, etc., tout cela sera profondément modifié. Auparavant, déjà, d'autres décisions avaient permis la restructuration de nos relations économiques extérieures. Cet ensemble normatif, qui doit servir de base à une refonte radicale de notre économie, s'étend peu à peu à tout son système d'administration et de gestion. Il s'appuie sur la nouvelle conception globale adoptée par le Comité central lors du plénum de juin 1987, dont l'exposé s'intitule *Fondements de la réforme radicale de la gestion de l'économie*.

L'étape décisive que nous abordons aujourd'hui peut être définie en quelques mots : il nous faut passer de la parole à l'acte.

Depuis le début de 1989, toutes les entreprises et organisations du secteur productif fonctionnent selon les principes de l'autonomie comptable intégrale, de l'autofinancement et de l'autogestion. Environ 75 000 coopératives se sont créées ; en 1988, leur chiffre d'affaires s'est élevé à plus de 4 milliards de roubles. Environ 2 millions de personnes travaillent dans le cadre de ces coopératives d'un type nouveau ou dans celui de l'activité économique privée.

Compte tenu des nécessités qu'implique cette transformation de notre gestion, la perestroïka se fait déjà sentir au niveau de la planification : le nombre des objectifs fixés par le Plan a été considérablement réduit, priorité étant donnée à l'élaboration de nouvelles normes économiques pour les entreprises. Le système de financement a été régularisé, et des banques spécialisées ont été créées, afin de mieux répondre aux besoins de celles-ci. On a également amorcé la réorganisation des organes de direction : allégement des structures, suppression des sections inutiles, réduction des effectifs – au niveau fédéral comme à celui des républiques – de 30 à 50 %.

En résumé, nous sommes au début d'une période transitoire entre l'ancien système de gestion économique et le nouveau, les deux cohabitant pour le moment. L'ancien mode de formation des prix persiste encore, mais on prépare une réforme globale en la matière pour 1990. A la suite de la restructuration des rouages financiers et du crédit, et de la réforme des prix, on assistera, à partir de l'année d'après, à un grand mouvement d'innovation, sur le plan de la distribution des moyens de production – laquelle s'effectue, jusqu'à présent, de façon centralisée –, mouvement qui se traduira par l'apparition d'un commerce de gros, utilisant des canaux multiples, sous forme de liens directs entre le fournisseur et le consommateur ou par le biais d'intermédiaires fonctionnant en autonomie comptable. L'année suivante s'achèvera également la réforme du système bancaire, avec l'introduction, dans les établissements spécialisés, de l'autonomie comptable intégrale et de l'autofinancement ; ceux-ci assumeront dès lors une vaste activité commerciale. Conformément aux décisions de la XIXe Conférence du Parti, les mécanismes économiques, au niveau des républiques et des régions, seront totalement remaniés, et cela se répercutera sur l'ensemble de notre économie nationale. Ces dernières, accédant à l'autonomie économique, pourront mettre en œuvre les principes d'autogestion et d'autofinancement, et bénéficieront de la liberté de choix en ce qui concerne leur mode d'approvisionnement.

On le voit, 1989 et 1990 sont des années cruciales : l'objectif fixé par la XIXe Conférence du Parti est que nous entrions dans la décennie 90 en ayant totalement réorganisé l'administration et la gestion de notre économie.

Comment, dans la pratique, les entreprises s'adaptent-elles à ces nouvelles conditions ? Le passage n'est pas facile, on constate quelque tirage, et les choses vont plus lentement qu'on ne le souhaiterait. Des difficultés objectives sont liées au fait que nous sommes dans une période de transition. Tant que le mode de formation des prix n'aura pas été revu et qu'il n'existera pas de commerce de gros des moyens de production, les possibilités économiques des entreprises seront inévitablement limitées. Que la mise en place du nouveau système ait commencé en plein déroulement du XIIᵉ Plan quinquennal – dont les objectifs, fixés dans le cadre de l'ancien système de gestion, sont maintenus – constitue un frein supplémentaire.

Ce qui, toutefois, est le plus à déplorer, ce sont non pas ces difficultés, réelles, mais de lourdes erreurs qui ont été commises, dès le début de l'application de la réforme économique, par les administrations centrales.

Tout d'abord, lors de l'élaboration du plan pour 1988, la notion de commandes d'État [1] aux entreprises a été mal définie. Sous le couvert de telles opérations – une pratique nouvelle, engendrée par l'instauration des méthodes de gestion fondées sur la logique économique –, on est revenu au vieil usage qui consiste à imposer le Plan d'en haut. Les administrations centrales ont abandonné aux ministères de branche la charge de formuler ces commandes, et ceux-ci, en y incluant presque toute la nomenclature des produits, ne laissent aux entreprises aucun champ pour une activité économique autonome.

Deuxième erreur, on a également confié à ces mêmes instances ministérielles le soin de fixer les normes déterminant les quotas des prélèvements à effectuer sur les profits des entreprises, destinés à alimenter le Budget et les diverses caisses des ministères ; de même, ceux-ci disposent du pouvoir de décision en ce qui concerne l'utilisation des provisions d'amortissement et la répartition du profit restant entre les différents fonds de stimulation à la production. Aussi, nombreux sont ceux qui se sont tout bonnement empressés de traduire les anciens objectifs du Plan quinquennal en normes nouvelles, appliquées individuellement à chaque entreprise, ce qui, d'une manière générale, aboutit à prendre sur les profits de celles qui sont rentables au bénéfice de celles qui fonctionnent mal.

---

1. Selon le texte de la loi sur l'entreprise d'État de 1987, ces commandes, à prix imposé, devaient se limiter à « garantir la satisfaction des besoins prioritaires du pays » et ne concerner, donc, qu'une partie de la production de l'entreprise. Dans la pratique, cependant, on constate qu'elles portent à peu près sur toutes les catégories de produits, recouvrant parfois la totalité de la production de l'entreprise. En outre, les défaillances au niveau de l'approvisionnement mettent souvent cette dernière dans l'impossibilité d'y satisfaire (NDT).

Troisièmement, on a conservé – et, à mon avis, ce n'était pas souhaitable –, comme critère servant à déterminer le salaire, l'accroissement de la production marchande ou celui de la valeur ajoutée brute normée, critère adopté lors de notre « expérience de grande envergure[1] ». En conséquence de tout cela, bien des aspects de nos réformes n'ont pas été perçus par la base.

Mais le pire est sans doute que, en trois ans de perestroïka, nous n'avons pas avancé dans la voie de l'assainissement financier de notre économie : le niveau des revenus monétaires de la population est supérieur à celui de la production de biens de consommation et de services, et le fossé entre la demande solvable et sa couverture en biens, loin de se combler, s'élargit.

En nous inspirant de l'esprit de la XIXᵉ Conférence du Parti, qui a fourni une analyse critique du chemin – important, et dans l'ensemble fructueux – déjà parcouru par la perestroïka, il nous faut examiner les causes de nos erreurs et nos lacunes.

D'une part, nous avons visiblement sous-estimé la force d'inertie et de résistance d'une partie de l'appareil au sein des instances économiques centrales et des ministères concernés, et également celle de certains cadres. Et, l'ayant sous-estimée, nous avons accepté des compromis dans la rédaction des articles traitant des commandes d'État et des normes économiques, dans la loi sur l'entreprise et d'autres textes réglementaires : nous avons adopté, lors de la rédaction du Plan pour 1988, non pas les mesures fondamentales qui auraient pu aboutir à instaurer un système de gestion répondant à la logique économique, mais des demi-mesures qui ont permis au secteur administratif de maintenir ses diktats envers les entreprises.

D'autre part, nous n'avons pas conduit à son terme la démocratisation dans la discussion et la prise de décision au niveau de la base. C'est ainsi que l'attribution des commandes d'État et l'établissement de normes économiques se sont effectués, pour une grande part, de façon bureaucratique, sans la participation des représentants des collectifs de travailleurs ; et que des questions intéressant chacun de nos concitoyens, telles que le prix des

---

1. Cette expression désigne une opération expérimentale menée pendant les années 1984-1986, dans un nombre limité de secteurs et dans quelques régions seulement, et ayant pour objet de tester le nouveau système de gestion de l'économie *(NDT)*.

boissons alcoolisées, l'utilisation des chèques libellés en devises [1], le volume des importations de biens de consommation, ont été tranchées par un nombre de personnes encore plus restreint. Et, tandis que le débat autour de la loi sur les coopératives, à travers tout le pays, battait son plein, le ministère des Finances et les organismes responsables préparaient en catimini un décret sur l'imposition desdites coopératives, lequel, sous beaucoup d'aspects, réduisait la loi à néant. Ce n'est que grâce à la discussion ouverte à ce propos, lors de la session de mai 1988 du Soviet suprême, que ce texte a pu être repoussé. A l'heure actuelle, on met au point, avec une participation plus large de l'opinion, un nouveau projet de décret en la matière, qui sera sans doute bien meilleur.

Ces exemples montrent clairement l'importance exceptionnelle des mesures adoptées par la XIXe Conférence du Parti pour que se développent réellement la démocratie, la transparence, la lutte contre la bureaucratie dans toutes les sphères de notre vie sociale, et, en premier lieu, dans l'administration.

Je me risquerai à exprimer une idée paradoxale : c'est peut-être une bonne chose que nos efforts, en 1988, pour réorganiser le fonctionnement de notre vie économique aient connu quelques ratés. Nous avons ainsi pu constater combien les pratiques administratives étaient difficiles à éliminer, ce qui nous renforce dans l'idée que tout retour au passé serait inconcevable. Et, surtout, qu'il nous faut prendre nos précautions pour rendre impossible, à l'avenir, toute récidive de ces usages administratifs. Je ferai là un parallèle avec la parution d'un article de Nina Andréeva, dans *Sovietskaïa Rossia,* qui présentait une plate-forme anti-perestroïka. Je pense que ce texte a, en réalité, fait avancer les affaires de cette dernière : un regard attentif permet d'y découvrir, sous une prose démagogique traitant des grands principes socialistes, les idées conservatrices qui veulent nous

---

1. Ces chèques étaient remis, en échange de devises, aux Soviétiques ayant travaillé à l'étranger, principalement dans des pays du Tiers Monde où ils n'avaient pu dépenser l'argent qu'ils avaient gagné. Rentrés en URSS, ils pouvaient, munis de ces chèques, faire des achats dans des magasins spécialisés. Cette possibilité a été brutalement supprimée, ce qui a aggravé les pénuries dans le commerce d'État ordinaire, vers lequel se sont alors tournées ces personnes *(NDT).*

tirer en arrière. Le tollé, à sa parution, nous a encore mieux fait prendre conscience de la nécessité de progresser rapidement. Aussi repoussons-nous, aujourd'hui, toute tentative visant à maintenir les anciennes méthodes administratives ou à laisser perdurer, sous des apparences nouvelles, des conceptions du passé (notamment en ce qui concerne les commandes d'État ou les normes économiques).

Qu'a-t-on fait concrètement? On a préparé d'urgence un règlement provisoire s'appliquant aux commandes d'État, pour 1989-1990, qui limite strictement leur volume. D'après mes estimations, selon ce texte, elles ne représenteront plus, en 1989, qu'environ 60 % du volume de la production et, en 1990, moins de 50 % (contre 90 à 100 %, en 1988). En outre, ces commandes sont dorénavant de la compétence du gouvernement, du Comité d'État au Plan et du Comité d'État à l'approvisionnement, et non plus de celle des ministères ou des directions sectorielles. On a également pris certaines mesures pour encourager davantage les entreprises qui fonctionnent bien, en leur permettant de disposer d'une partie de leur profit plus importante que celle que leur laissaient les ministères lors de la fixation des normes économiques. Il a été décidé que, dans le XIIIe Plan quinquennal, les normes seraient unifiées, ce qui placera les entreprises rentables dans une meilleure position, face à celles dont le fonctionnement n'est pas satisfaisant, en créant de forts stimuli à l'augmentation de la rentabilité.

Il est également prévu de déterminer l'importance du fonds de salaires en fonction de la valeur ajoutée et, surtout, d'appliquer de façon plus large un second modèle d'autonomie comptable des entreprises, dans lequel ce fonds n'est pas évalué suivant une norme, mais correspond à la masse financière disponible une fois que l'entreprise a réglé toutes ses autres dépenses. Comme on l'a déjà constaté, cela constitue une puissante incitation à la productivité et à la croissance. Ainsi, dans les unions de production dépendant du ministère de la Géologie, où ce dernier modèle a été préféré, l'augmentation de la productivité a atteint 25 % en un an, soit le double de celle des salaires, avec une amélioration considérable de tous les autres indicateurs qualitatifs. Dans les unions qui dépendent du ministère de l'Industrie électrotechnique, au cours du premier semestre 1988, le taux d'accroissement de la production a doublé.

Afin que la perestroïka, dans le cadre de la vie économique, ne touche pas seulement l'administration des entreprises et le corps des ingénieurs, mais atteigne l'ensemble des travailleurs, on a opté pour un recours plus large au système du contrat collectif en autonomie comptable, en particulier sous sa forme la plus élaborée, le contrat-bail, lié à une incitation globale à la rentabilité, avec utilisation de toutes les ressources, en conservant, néanmoins, la priorité à la qualité de la production. Pour que l'entreprise ne soit plus limitée quant à l'emploi des sommes qu'elle a gagnées, la XIXe Conférence du Parti a choisi d'accé- · lérer la mise en place d'un commerce de gros. Soulignons, une fois encore, qu'il nous faut d'abord, pour y parvenir, élaborer et réaliser de toute urgence un programme spécifique d'assainissement financier de notre économie nationale.

Toutes ces mesures, qui, sans aucun doute, feront déjà sentir leurs effets pendant la période de transition, nous permettront d'aboutir à un système de gestion totalement nouveau, fondé sur des données économiques réelles.

Le succès dépendra pour beaucoup de la façon dont nous saurons utiliser le marché socialiste. A côté de celui des biens de consommation apparaîtra bientôt, dans notre pays, un marché des biens de production. A la suite de la réforme sur la formation des prix, la part de ceux qui resteront fixés de manière centralisée sera considérablement réduite, ne concernant plus que les marchandises de première importance – en particulier celles qui déterminent le niveau de vie des travailleurs –, et la part des prix libres ou contractuels augmentera. Il est donc important de juguler les tendances inflationnistes et, pour cela, de créer des conditions favorisant le développement de la concurrence, de supprimer les monopoles, d'instaurer un système de financement et de crédit qui aille contre l'inflation, en mettant la circulation monétaire en conformité avec celle des biens matériels. Il convient également de s'assurer que les organes économiques au niveau de l'État peuvent fonctionner de manière souple et opérationnelle, afin de permettre, par les moyens budgétaires appropriés, l'adéquation de l'offre et de la demande, et le maintien de l'équilibre sur le marché. En un mot, nous devons apprendre à travailler avec un marché socialiste. Cela est d'autant plus nécessaire que celui-ci est appelé à se développer.

Dès à présent, certaines entreprises émettent des actions pour leurs salariés, et des textes destinés à réglementer le fonctionnement de ces sociétés par actions sont en préparation. Processus qui, à mon avis, fera tache d'huile, pour s'étendre à l'émission d'obligations pouvant être acquises par chaque citoyen comme par les organisations économiques. Ainsi, on assistera peu à peu à la formation d'un marché d'actions, à côté de celui des biens et des services.

Lors de son plénum de juin 1987, consacré à la refonte de l'économie en URSS, le Comité central s'est fixé pour mission d'œuvrer à la convertibilité du rouble. Ce qui signifie que, à terme, on verra naître dans notre pays un marché des devises. Un pas important dans cette voie sera accompli avec la réforme des prix, prévue pour 1990, qui rapprochera les niveaux et les rapports des prix pratiqués à l'intérieur de nos frontières de ceux en vigueur sur le marché mondial, compte tenu des tarifs douaniers introduits conformément aux recommandations du GATT. Nous nous efforcerons ensuite, selon toute vraisemblance, de remplacer la multitude de cours qui régissent les rapports du rouble avec les monnaies étrangères par un cours unique, conduisant à ce que l'on appelle la convertibilité interne, dans le cadre de laquelle les entreprises pourront changer des roubles en devises et vice versa, selon le cours instauré dans le pays (une variante est le change en fonction d'un cours flottant, compte tenu de l'offre et de la demande). Pour commencer, la convertibilité sera introduite sur les marchés des pays socialistes, puis une fois que les exportations soviétiques seront devenues plus rentables et que des liens plus étroits se seront instaurés avec les organismes financiers occidentaux, sur le marché mondial.

Nous comprenons que l'instauration de la convertibilité du rouble est une affaire complexe, qui, bien évidemment, ne dépend pas seulement de nous. Mais elle est absolument indispensable au développement des relations économiques de l'URSS avec tous autres pays. Et notre ligne consiste à développer plus rapidement les relations économiques extérieures que la production interne, et à augmenter la part de l'URSS sur le marché mondial. Il ne suffit pas que ces relations soient mutuellement avantageuses – avantage qui se traduit non seulement en argent ou en marchandises, mais aussi par l'échange de cadres, leur formation à la pratique du marketing, la fabrication de produits compétitifs. Il faut aussi renforcer la coopération et la confiance entre les pays et entre les peuples, afin de favoriser le règlement de questions politiques en litige et le désarmement dans le monde.

En conclusion, essayons de voir vers quoi nous tendons en restructurant la gestion de notre économie. En effet, la perestroïka n'est pas un but en soi : c'est un moyen pour venir à bout des problèmes urgents qui se posent dans le domaine socio-économique. Voyons aussi quels résultats nous avons obtenus en trois ans de perestroïka, notamment au cours de l'année 1988, où un grand nombre d'entreprises et d'organisations ont enfin adopté l'autonomie comptable, l'autofinancement et l'autogestion.

La tâche première et essentielle, dans le cadre de notre nouveau système de gestion, est d'en finir avec le diktat du producteur envers le consommateur et avec la pénurie, et de faire en sorte que la production soit mieux adaptée aux besoins de la société comme à la demande du consommateur.

Il est particulièrement important de satisfaire ces besoins sur le plan social. Depuis le début de la perestroïka, nous avons déjà rompu avec l'ancienne pratique consistant à ne destiner au social qu'une part résiduelle du Budget[1], et nous avons réorienté le développement économique en donnant priorité à la satisfaction des besoins de la population. On enregistre maintenant un renversement de la tendance à la stagnation en ce qui concerne la construction de logements, la production par habitant de biens alimentaires, l'espérance de vie, les services sociaux. Mais, pour l'instant, il est trop tôt pour parler d'un tournant décisif. La plupart des familles soviétiques n'ont toujours pas réellement bénéficié des fruits de la perestroïka. Sur le plan de la consommation, le seuil à atteindre paraît encore assez loin, en raison de la pénurie de nombreux biens matériels. En revanche, au niveau des esprits, on peut noter, avec la glasnost – transparence –, un changement radical, même si, là aussi, il reste bien des problèmes à résoudre.

---

1. Ce secteur était en effet considéré, lors de l'élaboration du Budget, comme secondaire, et il ne recueillait que les miettes laissées par les secteurs prioritaires – industrie militaire, biens de production, etc. *(NDT)*.

Le nouveau système de gestion introduit au début de 1988 a permis, cette année-là, une croissance de 50 %, par rapport à 1987, de la production des biens de consommation, du chiffre d'affaires du commerce de détail et des services payants. Dans le même temps, les salaires ont bénéficié d'une augmentation plus importante que dans le passé. Pour la première fois depuis 1978, le PNB s'est élevé de plus 5 % et la consommation de biens et de services, de 7 %.

La satisfaction des besoins de la société, et en particulier de ceux des individus, dépend en fin de compte de l'efficacité de la gestion et de la qualité de la production. Dorénavant, notre économie doit se développer selon une logique non plus extensive, comme c'était essentiellement le cas auparavant, mais intensive, en mettant l'accent sur la qualité et une meilleure utilisation des ressources. Nous ne pouvons réussir dans cette voie qu'en mobilisant toutes nos réserves, tant sur le plan de l'organisation que sur le plan social, et en encourageant le progrès scientifique et technique. Actuellement, des améliorations ont déjà été obtenues grâce aux nouvelles conditions dans lesquelles évolue notre économie, et nous nous efforçons, en même temps, de rénover divers secteurs sur le plan technique. Depuis le début de la perestroïka, on est parvenu à accélérer sensiblement la croissance de la productivité au travail. Fait nouveau dans notre histoire, toute l'augmentation de la production est aujourd'hui due à une plus grande productivité. En 1988, celle-ci a augmenté de 4,7 % dans l'industrie, de 6,4 % dans les entreprises fonctionnant selon le nouveau système de gestion, pour 4,2 % dans celles qui ne se sont pas encore adaptées. Et le bâtiment comme les transports ont enregistré des taux de croissance encore plus importants. Dans les années passées, il y avait trop de gaspillage concernant les ressources. Mais, là aussi, en 1988, on a pu constater des progrès sensibles. La dynamique de la rentabilité des investissements et du capital s'est également améliorée de façon considérable, bien qu'il reste beaucoup à faire pour stabiliser, dans un premier temps, puis relever ces indicateurs qualitatifs.

Les progrès sont certes bien plus modestes en matière d'amélioration de la qualité et de la compétitivité des produits. On a réussi à stopper la tendance à la baisse des exportations, et, pour la première fois depuis trois ans, le volume de celles-ci, en 1988, s'est même accru de 4 %.

Comme on le voit, nous avons déjà pas mal avancé, mais, répétons-le, de tels changements ne se font pas de manière radicale, et la restructuration de notre économie n'est pas encore irréversible. Je pense que, si nous réalisons ce que nous avons projeté et que nous progressons fermement sur la voie de cette refonte économique, les impulsions positives et les succès s'accentueront d'année en année. Et il est vraisemblable que nous aurons réllement franchi le pas en arrivant au seuil des années 90, lorsque nous entamerons le nouveau quinquennat.

Un point clé : l'assainissement financier de l'économie

Les problèmes que soulève la restructuration du système financier et du crédit, dans le cadre de cette refonte de notre économie, sont parmi les plus importants, car c'est par l'intermédiaire de ces activités que l'État agira désormais sur l'évolution des entreprises et sur celle de l'économie nationale dans son ensemble.

A ce propos, notons que, lorsque l'économie était dirigée de manière administrative, le rôle dévolu aux finances et au crédit était insuffisant, et que ces secteurs fonctionnaient non selon les lois qui leur sont propres, mais en obéissant à des directives volontaristes. Cela ne pouvait qu'entraîner de graves dérèglements sur le plan financier, ainsi qu'une coupure entre la circulation monétaire et celle des marchandises. Mais ce déséquilibre de la balance financière a également des répercussions néfastes sur tous les aspects de la vie économique et sociale dans notre pays : engendrant un déficit et encourageant l'inflation, il provoque le désintéressement à l'égard des incitations matérielles (n'oublions pas que salaires et primes sont payés en argent) et fournit des arguments économiques à la naissance de comportements antisociaux : spéculation, utilisation d'une position hiérarchique privilégiée pour des desseins personnels, recours à un réseau parallèle de distribution, etc. L'assainissement financier est donc une affaire de première nécessité. Je pense que c'est le facteur clé dont dépendra le déroulement de toute notre réforme

22

économique. Malheureusement, on n'y accorde pas autant d'attention qu'il le faudrait. Bien sûr, en trois ans de perestroïka, certaines mesures ont été adoptées – par exemple, en vue de mieux répondre à la demande –, mais elles ont été prises de manière dispersée et ne revêtent aucunement un caractère fondamental. On a tenté de résoudre à l'aide de quelques retouches et améliorations ce problème extrêmement grave, que nous avons reçu en héritage de la période de stagnation, alors qu'il ne peut être réglé que grâce à des transformations véritablement révolutionnaires. Au plénum de juin 1987, on en a enfin reconnu la gravité : dans sa résolution finale, le Comité central avait alors consacré un point particulier à l'urgence d'élaborer et de réaliser un programme destiné spécifiquement à l'assainissement financier de notre économie.

Un an plus tard, néanmoins, celui-ci n'avait toujours pas vu le jour ; aussi a-t-on continué d'appliquer au coup par coup des mesures que l'on ne saurait considérer comme une véritable solution du problème.

Au contraire, une série de décisions n'ont fait qu'aggraver le déséquilibre de la balance. Quelques-unes, certes, étaient justifiées et, dans un certain sens, inévitables – notamment en ce qui concerne la distribution des allocations, dont la répartition a été revue au profit du secteur social, avec, plus particulièrement, une importante réévaluation à la hausse du fonds de salaires, liée à l'augmentation moyenne des traitements des enseignants, de 40 %, et de ceux du personnel médical, de 30 %.

Malheureusement, des erreurs ont été commises, et de nombreuses lacunes demeurent. A mon avis, il n'était sûrement pas souhaitable de restreindre les importations de biens de consommation alimentaires, à la suite de la baisse des prix du pétrole et d'autres matières premières sur le marché mondial, sous prétexte que cela entraînait une baisse de 10 % de nos recettes à l'exportation. On aurait pu faire en sorte que cette perte touchant à nos ressources en devises soit répercutée sur les achats de produits courants dans la métallurgie ou sur les acquisitions d'équipements industriels standards. On aurait également pu, en outre, geler certains chantiers, à la réalisation desquels nous étions mal préparés – entre autres, ce fameux complexe de production de gaz et de condensat de gaz d'Astrakhan. Il était ainsi possible d'éviter de réduire les importations de biens de consommation, ou, du moins, de maintenir ces restrictions dans des limites beaucoup plus acceptables.

Plus néfaste encore, selon moi, a été la méthode employée pour tenter de lutter contre l'alcoolisme. Il ne fait aucun doute qu'il s'agit là d'un problème d'envergure, et que sa solution générerait, sur les plans social, moral et économique, un bénéfice inestimable. Ce sont, en réalité, la santé de la nation – celle des jeunes, en particulier –, le bonheur familial et l'éducation de nos enfants qui sont en jeu. On sait que des succès non négligeables ont déjà été remportés : si, en 1984, ont été vendus l'équivalent de 8,4 litres d'alcool pur par habitant, ce chiffre n'était plus que de 7,2, en 1985, et de 4,3, en 1986.

En même temps, dans la première moitié de 1986, la consommation de sucre par individu diminuait, en moyenne, de 2 kilos, ce qui, indirectement, confirme que la fabrication clandestine d'alcool avait elle aussi baissé. Nous aurions alors dû consacrer tous nos efforts à un patient travail d'éducation, mettre sur pied une Société de tempérance qui fût véritablement un levier de la lutte contre l'alcoolisme, alors que ce n'est toujours pas le cas aujourd'hui. Au lieu de cela, on a imposé une nouvelle augmentation, très importante et à mes yeux injustifiée, des prix des spiritueux, en supprimant, simultanément, de plus en plus de points de distribution et en limitant dans de nombreuses régions la fréquence des ventes. Aussi a-t-on aussitôt vu se multiplier et s'allonger les files d'attente, faisant naître le mécontentement chez une partie de la population et favorisant l'apparition de nouveaux bouilleurs de cru. A la suite de quoi la consommation de sucre par habitant est remontée de 42 kilos à 46, en 1987, signe d'une fabrication clandestine massive d'alcool, dépassant même le niveau qu'elle atteignait avant qu'on s'attaque au problème. Parallèlement, la vente de boissons alcoolisées par le canal du commerce d'État tombait, elle, en 1987, à 3,26 litres d'alcool pur par personne : l'État perd donc annuellement, dans cette opération, de 8 à 10 milliards de chiffre d'affaires. Qui plus est, cette perte n'est pas pour autant due à une réduction de la consommation, ce qui aurait au moins eu le mérite d'améliorer la santé de la population. Ce serait d'ailleurs plutôt le contraire : le monopole d'État sur la production des spiritueux ayant disparu, le commerce de détail n'a pu faire face à la demande. L'écart entre celle-ci et l'offre allant s'agrandissant, on a enregistré un accroissement inhabituel de la consommation de sucre dans plusieurs villes et régions, si bien que les Soviétiques ont fini par connaître des difficultés d'approvisionnement. Il a fallu en venir à un rationnement de cette denrée, ce qui n'a abouti qu'à renforcer la pénurie et la spéculation.

A quoi doit-on des erreurs de ce genre ? Pour moi, il faut en chercher les racines dans l'absence de procédure démocratique lors de l'élaboration des solutions à apporter aux grands problèmes économiques. La décision d'augmenter de nouveau les prix des spiritueux a été préparée en petit comité, sans aucune argumentation théorique, sans tenir compte de l'opinion publique – on en voit le résultat. Par cet exemple, auquel pourraient s'ajouter beaucoup d'autres, nous pouvons constater encore une fois combien le Parti a raison de vouloir développer la démocratie dans tous les domaines de la vie sociale, afin que ce soit le peuple qui détienne réellement le pouvoir, en accord avec la réforme politique adoptée par la XIXe Conférence du PCUS.

Mais revenons à la question de l'équilibre financier. Il s'agit là, certes, d'un point très difficile à traiter, et on ne saurait trouver une réponse immédiate et définitive. La situation, toutefois, n'est pas désespérée, et il me semble que, en trois ou quatre ans d'un travail bien orienté et acharné, avec un programme cohérent, prévoyant la mise au point et l'application de tout un appareil de mesures radicales, on pourrait accélérer le mouvement vers un approvisionnement satisfaisant du marché, pour parvenir à un certain équilibre entre l'offre et la demande et voir ainsi disparaître peu à peu les files d'attente.

Beaucoup de pays socialistes ont obtenu d'importants résultats dans ce domaine. Je n'étudierai pas l'expérience de la RDA ni celle de la Tchécoslovaquie, qui jouissent toutes deux d'un développement de haut niveau et du taux de productivité au travail le plus élevé. Je m'arrêterai sur la Hongrie, qui, dans la réalisation de sa réforme économique, depuis le 1er janvier 1968, c'est-à-dire depuis vingt ans déjà – même si elle a connu de grandes difficultés et quelques échecs –, maintient l'équilibre sur le marché des biens de consommation et des services. Ceux qui ne connaissent pas en détail les conditions de l'activité économique en Hongrie répondent en général, quand on leur parle de cela, que les camarades hongrois ne réussissent à préserver cet équilibre que parce qu'ils ont largement emprunté à l'Ouest. Raisonnement inexact, pourtant : c'est à la fin des années 60 et dans la première moitié des années 70, alors qu'elle n'avait pas encore contracté sa dette extérieure, que la Hongrie a réalisé au mieux cet équilibre du marché, avec des prix relativement bas. Si l'on examine la nature de cette dette, en outre, on s'aperçoit facilement que les emprunts concernent pour l'essentiel non pas le secteur des biens de consommation, mais celui des biens de production, et qu'ils ont été destinés, pour leur plus grande part, au développement de l'industrie lourde. Bien plus, la présence d'une importante dette extérieure porte atteinte à l'équilibre du marché des biens de consommation, puisque des sommes considérables, au lieu d'être consacrées à l'amélioration du niveau de vie des habitants, servent à payer les intérêts de la dette. C'est là d'ailleurs l'un des facteurs qui expliquent la hausse des prix de détail enregistrée en Hongrie depuis des années (les revenus monétaires augmentent, bien entendu, parallèlement, mais, pour certaines catégories, pas dans les mêmes proportions que les prix).

Bien sûr, l'URSS n'est pas la Hongrie. Les problèmes que nous avons accumulés en Union soviétique sont incomparablement plus complexes et plus graves ; cependant, l'expérience de l'État hongrois, et aussi celle d'autres pays socialistes, témoigne que l'on peut faire beaucoup de choses dans des délais relativement brefs. Je me risquerai à présent à faire référence à un autre exemple, qui n'offre peut-être pas beaucoup de similitudes avec la situation que nous connaissons chez nous, celui de la Chine. On sait que, là-bas, sont mises en œuvre, depuis 1978, plusieurs réformes économiques. Notamment dans le secteur agraire, où les Chinois ont connu des succès : leur production agricole a doublé. Et d'autres changements sont intervenus dans les villes. Mais analyser ces réformes serait hors de notre propos ; ce qui nous intéresse ici n'en est qu'un aspect : le fait que, au cours de ces transformations économiques, la Chine ait réussi, pour une large mesure, à approvisionner le marché en ce qui concerne tant les biens de consommation que les services. Ce processus ne s'est évidemment pas déroulé de façon indolore : les prix de beaucoup de marchandises ont augmenté. Les rémunérations ayant toutefois progressé, elles aussi, le niveau de vie de la population, dans l'ensemble, s'est tout de même sensiblement amélioré. Or le problème n'était sûrement pas plus facile à résoudre en Chine que dans notre pays.

Que peut-on faire, pour ce qui est de l'assainissement financier de notre économie, si on le considère sous son angle le plus concret, à savoir la nécessité d'établir l'équilibre entre la demande solvable, d'une part, et l'offre de biens de consommation, de l'autre ?

On pourrait certes prendre une série de mesures – qui ne seraient pas, loin de là, les plus importantes – pour contenir la croissance du volume global des revenus monétaires de la population. Il ne s'agit pas de freiner l'évolution des salaires des individus, mais de contenir celle de la masse monétaire en circulation dans des limites qui permettent à ceux qui travaillent correctement de gagner leur vie de façon satisfaisante.

Nous comprenons que ne pas augmenter la masse monétaire, c'est également freiner les activités de toutes sortes que les gens rémunèrent : par exemple, les services des coopératives ou la vente de leurs marchandises. En outre, il faut prendre dans le pays toute une série de mesures liées à l'augmentation des paiements : il faudrait, par exemple, mettre en place une nouvelle loi sur les retraites qui introduise une majoration sensible de celles-ci, surtout pour les kolkhoziens. Il me semble que l'on peut trouver une formule selon laquelle une partie de ces allocations, peut-être même importante, serait financée grâce à des prélèvements effectués sur le fonds d'encouragement matériel et le fonds de salaires des entreprises. Il nous faudrait élaborer une forme de stimulation destinée à toute personne, cadre ou non, qui œuvrerait en faveur d'une gestion économe du fonds de salaires ou de toutes les autres sommes destinées à couvrir divers besoins. Il serait souhaitable, selon nous, d'introduire une échelle progressive de prélèvements sur la part de profit destinée au fonds d'encouragement matériel. Cette progression pourrait s'accentuer dans une certaine proportion, selon que le fonds de salaires plus le fonds d'encouragement matériel (soit la totalité des rémunérations) augmenterait ou non au-delà de la norme fixée. Il va de soi que ces prélèvements ne doivent pas être dissuasifs et qu'une part importante de l'accroissement du fonds de salaires doit rester à la disposition du collectif de travailleurs, même si l'on doit écrêter cet accroissement en cas d'augmentation excessive. Dans un tel système, on pourrait donner aux entreprises le droit de décider de façon autonome de l'imputation des bénéfices restants en diverses allocations, et réglementer par des normes la répartition des prélèvements sur les fonds de stimulation. Cette formule est d'ailleurs utilisée dans de nombreux pays. Il est très important, ce faisant, de lier la croissance du fonds de salaires à un indicateur réel. Celui-ci serait non pas la production marchande ni la valeur ajoutée brute normée, comme cela se pratique aujourd'hui, mais la production nette, déduction faite de la taxe sur les ressources. Cela, d'une part, constituerait une stimulation économique non négligeable pour les entreprises et, de l'autre, permettrait de mieux contrôler la croissance du fonds de salaires.

Nous devons également réfléchir sur notre système d'imposition. Actuellement, on élabore un barème applicable aux membres des coopératives. Jusqu'à 700 roubles de revenu mensuel, l'impôt demeurera au même niveau que celui des ouvriers et des employés, et, au-dessus de cette somme, il sera progressif. Nous ne saurions considérer comme normal que les citoyens soviétiques soient soumis à différents barèmes d'imposition. Les autres pays, généralement, ne disposent que d'un seul, qu'ils appliquent à tous leurs contribuables. Il faudrait donc que, chez nous, celui qui a été adopté pour les coopérateurs concerne aussi les ouvriers et les employés dont le salaire dépasse 700 roubles. D'autant plus que cela ne toucherait, pour le moment, qu'un petit nombre de personnes. La population accueillerait favorablement cette mesure, ainsi que toutes celles qui s'attaquent aux hauts revenus. De plus, comme on le sait, les salaires vont augmenter, et le nombre d'individus gagnant plus de 700 roubles grandira assez rapidement. Aussi, à l'avenir, une telle mesure participerait-elle, en outre, à freiner l'augmentation de la masse monétaire en circulation[1].

---

1. Un projet de loi allant dans le sens souhaité par Aganbeguian a été publié dans la *Pravda* du 16 avril 1989 (*NDT*).

28

Cependant, comme je l'ai déjà dit, toutes ces dispositions, non exhaustives, ne permettraient pas, à elles seules, de restructurer l'économie. Ce qui sera déterminant, ce seront les innovations qui viseront à un meilleur approvisionnement du marché, en biens comme en services.

Quelques chiffres, pour mieux mesurer l'ampleur du problème : le volume global du chiffre d'affaires du commerce d'État coopératif et kolkhozien, y compris la restauration, se montait en 1987 à 350 milliards de roubles, et celui des services, à 54 milliards. Soit, au total, 404 milliards de roubles. Je rappellerai que le montant des revenus disponibles s'élevait, cette même année, à 586 milliards de roubles, dont 441 ont été à la consommation (75 % du produit matériel net PMN). Pour se faire une idée du volume des revenus monétaires de la population, déduction faite des impôts et autres cotisations, il faut également prendre en considération la croissance des dépôts effectués par la population dans les établissements de la Caisse d'épargne de l'URSS. De 1986 à 1987, celle-ci atteignait environ 24 milliards de roubles. En outre, le volume des bas de laine a augmenté. Afin de résoudre le problème de l'équilibre entre la demande solvable et sa couverture matérielle, il faut donc que nous puissions mettre sur le marché des marchandises et des services correspondant à une somme extrêmement importante, de plusieurs dizaines de milliards de roubles. Quel est le chiffre de ce que l'on appelle la demande différée de la population ? Celle-ci est représentée à la fois par la partie mobile des dépôts de la population dans les caisses d'épargne et par les sommes gardées dans les bas de laine. Selon nos calculs, pour satisfaire totalement la demande de marchandises en tenant compte du niveau des revenus au cours de ces dernières années, et en ne prenant en considération que le facteur quantitatif, il faudrait fournir pour 70 milliards de marchandises et de services par an. Je pense que d'ici trois à quatre ans nous pouvons trouver une telle somme. Tout d'abord, nous avons la possibilité de recourir plus largement à la vente de logements, à condition, toutefois, que cela corresponde à une amélioration de la qualité de vie des familles. En d'autres termes, il ne serait sûrement pas juste d'encourager une telle pratique si elle devait conduire à une détérioration des conditions existantes. Dans les prochaines années seront construits, en URSS, 2,5 millions d'appartements ou de maisons individuelles, d'une surface moyenne de 60 mètres carrés. Par ailleurs, les familles qui occuperont les appartements libérés par celles qui s'installeront dans les maisons neuves bénéficieront, elles aussi, de meilleures conditions de logement. Si l'on vend d'abord la moitié, puis les deux tiers des logements aux nouveaux occupants, on peut obtenir, au minimum, de 10 à 15 milliards de roubles, même si les sommes versées comptant ne représentent que de 20 à 25 % du total. On peut en outre largement recourir à l'aide des entreprises et des organisations envers leurs salariés, mais avec, pour contrepartie, une réduction du fonds des rémunérations, et en particulier du fonds d'encouragement matériel. On pourrait ainsi accorder à nos concitoyens de larges possibilités de combiner le logement social et le logement payant. Par exemple, si une famille, habitant dans deux pièces, en a besoin de trois, on peut lui vendre un trois pièces, en ne lui faisant payer que la pièce supplémentaire, car elle risque de ne pas posséder les moyens suffisants pour s'acquitter du total, et elle aura en outre remis à la disposition de l'État le deux pièces qu'elle occupait. On pourrait, dans deux ou trois ans, au maximum, arriver ainsi à ce que chaque personne prête à dépenser de l'argent pour améliorer ses conditions de logement puisse le faire facilement. Nous devrions donc parvenir à couvrir la demande en logements. En même temps, il conviendrait de multiplier les efforts pour stimuler la construction de maisons individuelles, principalement de type cottage, en faisant en sorte que des terrains soient disponibles, en mettant en place les infrastructures appropriées et en apportant des solutions plus efficaces aux problèmes qui se posent (matériaux de construction et autres).

Intervient également la question de l'augmentation des loyers, lorsque la surface du logement dépasse une norme établie. Compte tenu du fait que les conditions de logement vont s'améliorer de façon relativement rapide, plus tôt nous établirons cette norme, au-delà de laquelle les loyers seront relevés, moins le processus sera douloureux. A l'heure actuelle, la surface habitable moyenne par individu dépasse légèrement 16 mètres carrés. On pourrait faire passer la norme à 20 ou même à 22, mais il ne semble pas souhaitable d'augmenter le loyer d'une personne seule habitant un studio. Ceux qui disposent d'un logement dont la surface n'excède pas cette norme, qui est relativement ambitieuse, continueraient de payer l'ancien loyer. En ce qui concerne la surface excédentaire, il faut fixer un loyer qui reflète totalement le coût de celle-ci pour l'État (parité entre l'État et la population). Les calculs doivent être effectués de façon que, pour le moment, ce loyer supplémentaire ne touche que de 10 à 15 % de la population. Peut-être que chaque république devrait disposer en la matière de sa propre législation, en cohérence avec la législation fédérale ; l'initiative de l'instauration de ce supplément de loyer pourrait alors émaner des républiques et les sommes ainsi obtenues demeurer à la disposition des instances locales, qui les utiliseraient à la remise en état des locaux ou à la gestion du fonds locatif.

Un autre levier important d'équilibrage de l'offre et de la demande pourrait être représenté par des mesures visant à une augmentation importante de la production d'automobiles et d'autres biens de consommation durables. L'URSS produit, à l'heure actuelle, 1 330 000 automobiles de tourisme, et ce chiffre ne s'est pas accru depuis 1980. La vente des automobiles rapporte aujourd'hui à l'État environ 8 milliards de roubles, et environ 10 milliards si l'on comptabilise en plus les ventes de carburants et de pièces détachées. Ces sommes constituent 3 % du chiffre d'affaires du commerce de détail. Avec 16 voitures pour 100 familles, l'URSS se situe au dernier rang des pays très ou moyennement développés. Alors que, pour ce qui est de l'Europe occidentale seulement, c'est le Portugal qui se place en dernier, avec, tout de même, 60 automobiles pour 100 familles. Le volume de la production automobile en URSS n'est pas seulement inférieur à celui des États-Unis, du Japon, de la RFA, mais même à celui de la Grande-Bretagne, de la France, de l'Italie, pays dont la population ne représente qu'un cinquième de la nôtre. En outre, les voitures que nous fabriquons actuellement (la plus répandue, la Jigouli, a un prix d'achat moyen de 8 000 roubles, et un coût d'exploitation moyen de 100 roubles par mois), ne peuvent pas être considérées comme des voitures populaires : le salaire moyen étant de 200 roubles, une famille soviétique moyenne ne peut se permettre une telle acquisition, qui nécessite un niveau de vie deux, voire trois fois supérieur. La quantité infime de voitures moins chères, comme la Zaporojets, ou, bientôt l'Oka, ne change pas le tableau général, qui est tout à fait anormal.

La question de l'équipement des Soviétiques en automobiles doit être traitée sur une grande échelle : il nous faut créer au moins 7 usines, qui puissent produire, par an, environ 2 000 voitures de 700 à 1 100 centimètres cubes, d'un coût moyen de 4 000 à 5 000 roubles et consommant de 4 à 5 litres de carburant aux 100 kilomètres. Cette classe de véhicules est très répandue dans le monde : il s'agit de voitures très confortables, comme la Ford Fiesta, en Espagne ; la Fiat Uno ou la Fiat Panda, en Italie ; la Renault 5, en France ; les Mini, en Grande-Bretagne, etc. En même temps, il conviendrait d'augmenter d'environ 50 % la production de Jigouli, qui atteindrait 1,2 million d'unités. Afin de parvenir à de telles solutions, il serait envisageable de fonder, avec des firmes occidentales, plusieurs sociétés à capital mixte, en prévoyant une compensation partielle de l'apport financier étranger, laquelle pourrait s'élever à 20 ou 30 % du coût total de production.

En même temps, l'État devrait encourager la création massive, sur tout le territoire, de parcs de stationnement et de stations-service pour répondre à la demande ; compte tenu d'une augmentation des ventes de carburants et de pièces détachées, des réparations et autres services qui en résulterait, on peut supposer que cette mesure rapporterait plus de 20 milliards de roubles supplémentaires par an. Si la construction des usines dans ce secteur est bien organisé, il faudra sans doute de trois à quatre ans pour qu'elles sortent leur première production, et de cinq à sept ans pour qu'elles atteignent leur capacité nominale. Mais ceux qui désireraient acheter une voiture pourraient en verser une partie du prix dès l'annonce de la mise en chantier de ces usines, sous forme d'emprunts d'État, avec la garantie que, s'ils ont acquis des obligations pour un montant supérieur à la moitié du prix du véhicule, ils seront livrés en priorité. Cette procédure existe, on le sait, dans de nombreux pays socialistes, sans lancement d'emprunt, il est vrai.

En dehors des automobiles de tourisme, il existe, en URSS, un vaste marché potentiel pour les magnétoscopes et les ordinateurs personnels. En ce qui concerne la fabrication des magnétoscopes, il serait également possible de favoriser la constitution d'une série d'entreprises à capital mixte avec des sociétés occidentales qui apporteraient leur expérience dans la production de masse de tels appareils. On pourrait fixer le prix de vente de ces articles entre 500 et 1 000 roubles (sans compter le téléviseur), avec une production annuelle de 1,5 à 2 millions d'unités. Si l'on admet, en outre, que la demande de magnétoscopes fera sensiblement augmenter celle des téléviseurs couleurs, très onéreux, on peut escompter un mouvement important pour ces marchandises.

Le marché des ordinateurs personnels, surtout pour les enfants, est lui aussi énorme. Il justifierait la production de plusieurs millions d'appareils, dont le prix devrait, pour un ordinateur simple, s'établir entre 300 et 500 roubles, et, pour une machine plus complexe, à 1 000 roubles ou plus. Et pourquoi ne pas envisager le reclassement d'une partie des usines d'armement dans ces deux derniers secteurs de production ?

Il existe d'immenses possibilités d'augmenter la production des biens de consommation, tant dans les branches de l'industrie textile que dans toutes les autres branches de l'économie nationale. Et pour cela, il ne faut qu'une chose : intéresser les gens, aussi bien les producteurs que les sous-traitants. Si, par exemple, un bien de consommation est vendu au détail au prix de 100 roubles, et que le salaire de ceux qui l'ont produit y entre pour 20 roubles, 30 au maximum – je cite des données réelles –, cela veut dire que 80 ou 70 roubles du chiffre d'affaires vont couvrir le déséquilibre financier. On peut utiliser une partie substantielle de cette somme, disons 10 roubles, pour encourager efficacement ceux qui produisent des marchandises faisant l'objet d'une demande forte, et en développer ainsi la production. L'État ne dépensera pas davantage – au contraire, il y gagnera. Dans un premier temps (c'est-à-dire les années à venir), il faudra privilégier la fourniture de biens de consommation et de services par rapport à celle des biens de production. Les entreprises de l'industrie lourde devront être incitées à fabriquer des biens de consommation plutôt qu'à livrer leur production de base. A charge pour chacune de trouver un article répondant à la demande et de commencer à le fabriquer, production qui devra permettre au collectif de l'entreprise elle-même et aux sous-traitants de percevoir des gratifications. A l'heure actuelle, on prépare une série de mesures incitatives allant dans ce sens. Mais nous avons déjà pris du retard, et de telles mesures auraient pu être mises en place dès 1985, ou au moins en 1986. Or, en 1989, nous ne faisons encore qu'en parler.

On pourrait développer sensiblement, pour une durée de deux ou trois ans, les importations de biens de consommation, d'autant plus que ces importations sont très rentables : pour 1 rouble-devise dépensé à l'achat de ces denrées, nous touchons plusieurs roubles à la vente au détail.

Il conviendrait d'autoriser les entreprises et les organisations disposant de devises à utiliser celles-ci non seulement pour l'acquisition d'équipements et de matériaux nécessaires à la production, mais aussi pour l'achat à l'étranger de biens de consommation destinés aux travailleurs de l'entreprise, du district, de la région et aux sous-traitants. Cela pourrait constituer un complément important au réseau habituel chargé de la vente de ces produits. A l'heure actuelle, la part des biens de consommation d'origine industrielle ne représente que 13 % du total (données de 1987), et celle des machines et des équipements plus de 41 %. A titre de comparaison, la proportion des marchandises d'origine industrielle dans les importations était de 18 % en 1970. A notre avis, on pourrait, dans les trois ans à venir, doubler les importations de biens de consommation, ce qui permettrait d'augmenter d'au moins 30 milliards de roubles le volume du chiffre d'affaires concernant les denrées faisant l'objet d'une demande importante.

Afin que l'on n'assiste pas à un simple transfert des sommes déposées sur les comptes d'épargne vers l'achat de marchandises nouvelles mises sur le marché, il faut en même temps prendre des mesures susceptibles de renforcer l'intérêt de la population pour une épargne à plus long terme, mais mieux rémunérée qu'elle ne l'est aujourd'hui. Outre une réorganisation au niveau des dépôts, on pourrait développer sérieusement la pratique des obligations d'État, ainsi que la vente d'actions, en donnant priorité aux travailleurs des entreprises émettrices.

Il serait envisageable que les Soviétiques puissent acquérir des devises à un cours dépassant celui qui est appliqué pour les achats de biens de consommation à l'extérieur, et on devrait démocratiser les voyages touristiques à l'étranger.

Les vacances deviennent un poste de plus en plus important parmi les dépenses de la population. Pour éviter de trop puiser dans le fonds de salaires, il faut trouver d'autres manières d'accroître la productivité au travail, et accorder plus souvent, par exemple, à ceux qui le désirent, quelques jours de congé sans solde. Par ailleurs, un important train de mesures devrait être mis en œuvre en vue d'améliorer les conditions dans lesquelles les gens prennent leurs vacances, afin qu'ils puissent, avec l'argent qu'ils ont gagné, les rendre plus attrayantes et davantage conformes à leurs goûts personnels. Grosso modo, actuellement, de 10 à 15 % du total des revenus monétaires de la population y sont consacrés, proportion qui pourrait s'accroître, d'ici trois à quatre ans, de 50 %, pour peu que le nécessaire soit fait.

Nous n'avons pu aborder ici toutes les questions liées au rétablissement de l'équilibre financier ; en particulier, l'épineux problème des prix de détail a été laissé de côté : nous préférons le traiter à part.

Néanmoins, pour conclure, nous réaffirmerons que, à l'étape présente de la perestroïka, les mesures les plus urgentes à prendre sont celles qui permettront à notre économie nationale de recouvrer cet équilibre. Si nous assainissons le marché et parvenons à couvrir la demande solvable en biens de consommation et en services variés, nous aurons en gros résolu la moitié de nos problèmes, car l'équilibre du marché, c'est, d'une part, une élévation réelle du niveau de vie, puisque les gens peuvent choisir ce qui leur plaît, et, d'autre part, une incitation au travail ; c'est aussi une entrave à un excès d'inflation, ainsi qu'un frein contre la spéculation et autres comportements antisociaux. C'est, enfin, un facteur de stabilité des plus importants pour le développement de toute notre économie. En outre, seul l'équilibre financier peut nous permettre de réaliser avec succès la réforme des prix. C'est ce que nous allons examiner à présent.

La réforme des prix et de la formation des prix

Parvenir à établir un rapport convenable entre la circulation de l'argent et celle des biens, éliminer tous les canaux générant des surplus monétaires sont des conditions nécessaires pour parvenir à l'équilibre du marché socialiste et à l'instauration de liens directs entre la production et la demande solvable, mais n'y suffisent pas : les prix sont un autre levier important.

Dans un système de gestion fondé sur la logique économique, le prix est un facteur essentiel dans la prise de décision : le producteur (l'entreprise) décide de façon autonome de ce qu'il doit produire et en quelle quantité, compte tenu de la demande et de la rentabilité ; or demande et rentabilité dépendent directement du prix du produit en question. Si ce prix n'assure que peu de rentabilité, ou pas du tout, l'entreprise ne fabriquera pas celui-ci. Au contraire, s'il garantit une rentabilité élevée, ce sera avantageux de le fabriquer, pour peu qu'il soit l'objet d'une demande. Il sera alors souhaitable, même, qu'on en augmente la production.

Pour assurer l'équilibre et une bonne rentabilité de l'économie, il faut déterminer les prix de manière que ce qui est profitable à la société le soit également à l'entreprise.

Les prix que nous avons hérités du système administratif de gestion ne satisfont pas à ces exigences. Dans ce système, ils ne fonctionnaient pas comme des régulateurs, puisque le choix du produit et le volume de production étaient fixés par le Plan. Si les prix ne permettaient aucune rentabilité, on attribuait, de façon centralisée, des allocations à l'entreprise concernée. Si la rentabilité était trop faible, celle-ci se voyait verser des sommes aux destinations diverses, à la suite, encore, d'une décision prise au niveau central. Si la rentabilité était élevée et le profit important, une grande partie de celui-ci était prélevée au bénéfice du Budget. Dans ces conditions, l'autonomie comptable était largement formelle. C'est pourquoi les prix revêtaient souvent un caractère purement théorique et ne pouvaient servir d'indicateurs économiques déterminant le développement de l'entreprise.

Ils ne jouaient pas non plus un grand rôle pour l'entreprise en tant que consommateur. Cette dernière obtenait les produits dont elle avait besoin non pas sur un marché libre des moyens de production, car il n'en existait pas, mais par l'intermédiaire de l'approvisionnement centralisé en matériaux et en équipements, répartis selon les fonds.

En outre, dans l'ancien système de gestion, les prix eux-mêmes étaient, pour l'essentiel, fixés de façon centralisée, au lieu de se former sur le marché.

Cette double dépendance des prix entraînait également des distorsions au niveau de leur formation : certaines catégories d'entre eux étaient considérées indépendamment des autres, selon les années ; les prix de gros et, par exemple, les prix d'achat des produits agricoles étaient fixés en fonction de principes différents. Le mode de formation des prix comportait de nombreux éléments d'origine historique, et les prix subventionnés étaient très répandus. On ne voyait rien d'anormal à ce que certains secteurs, même importants, soient ainsi maintenus déficitaires, comme celui de l'extraction du charbon, par exemple, bien que son développement tienne une place capitale au niveau national. On y investissait des sommes élevées, et l'objectif qu'on se fixait était d'augmenter le volume des quantités extraites. Les prix différaient peu en fonction de la qualité des produits, et il était, en fait, peu rentable d'améliorer celle-ci.

Au fil du temps, dans le système administratif de gestion, s'est fait jour, en quelque sorte, une politique de prix à deux vitesses. D'une part, ceux des matières premières étaient, chez nous, beaucoup plus bas que sur le marché mondial. Ainsi, leur rapport avec les prix des produits finis est de deux à trois fois inférieur en URSS à ce qui se pratique dans les autres pays pour les combustibles, de deux fois inférieur pour les autres matières premières de l'industrie, et de deux à trois fois inférieur pour les matières premières agricoles et les produits alimentaires.

D'autre part, les prix des produits finis étaient assez souvent gonflés, surtout en ce qui concerne les matériaux polymères et certains produits des constructions mécaniques (compte tenu de leur valeur d'usage).

La structure même des prix imposés était axée sur un calcul primitif du coût à la production, dans lequel le coût des ressources utilisées – qu'elles soient naturelles, humaines ou matérielles – n'était pas pris en compte. L'entreprise était censée utiliser gratuitement ces ressources. L'amortissement était calculé dans de nombreux cas selon des normes trop basses. Le taux d'intérêt des crédits, également très faible, n'était pas non plus établi de manière correcte, et le profit comptabilisé dans le prix ne comprenait pas les sommes nécessaires à la modernisation ni, à plus forte raison, à l'agrandissement de l'entreprise. On considérait que seules les dépenses courantes devaient être compensées. En outre, plus de 60 % du profit allait au Budget. Les fonds dont l'entreprise avait besoin pour se développer lui étaient alloués indépendamment de son profit, et de façon centralisée. L'impôt sur le chiffre d'affaires, dont le montant, dans l'ancien système, dépassait habituellement celui des prélèvements sur le profit versés au Budget, constituait une partie du prix de nombreuses marchandises, notamment de celles qui étaient destinées aux particuliers.

L'un des principes essentiels à respecter lors de la formation des prix sera que ceux-ci doivent être orientés selon les dépenses nécessaires sur le plan social ; nous devons avoir une approche totalement nouvelle de la définition des coûts. On commencera à inclure dans les nouveaux prix des taxes sur toutes les formes de ressources, et une fraction de ceux-ci sera destinée à la lutte contre la pollution de l'environnement. Le taux d'intérêt des crédits sera fixé de manière plus réaliste, et le profit restant à l'entreprise devra permettre à celle-ci de s'autofinancer, c'est-à-dire lui permettre d'assumer la modernisation et le développement de la production, ainsi que la satisfaction des besoins sociaux de son collectif. En outre, on doit adopter un niveau des prix unique pour l'ensemble de l'économie nationale.

Un point important de la réforme des prix est la nécessité de doubler, au minimum, les prix de gros des combustibles et des matières premières. Cela est nécessaire non seulement pour assurer à ces secteurs des sources d'autofinancement, mais aussi afin que nous parvenions à une gestion plus économe des ressources. Les prix artificiellement bas des combustibles et des matières premières ont favorisé pour beaucoup leur gaspillage. L'utilisation du mazout dans des chaudières ordinaires, et même des centrales thermiques est devenue habituelle. D'ailleurs, à cause des prix trop bas, cette pratique s'est même avérée économiquement avantageuse. Le prix peu élevé du gaz naturel rend inopérante toute mesure destinée à économiser celui-ci lors du pompage. Le prix du pain, lui aussi très modeste, invite également au gaspillage : il est devenu rentable d'en nourrir le bétail.

Dans l'industrie, on se propose d'effectuer le changement de prix de telle sorte que, si ceux des combustibles et des matières premières doublent, les prix des produits semi-manufacturés augmenteront de 30 à 50 % et ceux des produits finis resteront quasi stables, dans l'ensemble, et même, en ce qui concerne les polymères et certains autres matériaux, diminueront. En conséquence, l'augmentation moyenne des prix devrait être de l'ordre de 15 à 20 %.

En même temps que la réforme des tarifs de gros des secteurs industriels, il convient d'introduire une nette différenciation des prix en fonction de la rentabilité et de la qualité des denrées, afin que les entreprises qui fournissent les produits les plus compétitifs bénéficient d'une position privilégiée. Les prix des produits obsolètes seront fixés (dans les cas où il s'agira de marchandises à prix imposé) de manière à dissuader le producteur de les fabriquer, pour l'inciter à les remplacer par d'autres, plus performants.

Pour ce qui est des prix de gros dans l'industrie et des prix d'achat au niveau de la production agricole, il faudra que s'instaurent des rapports marchandises/monnaie équivalents dans l'industrie et dans l'agriculture, et que l'on parvienne à un équilibre économique entre ces secteurs. Pour ce faire, notamment, les prix des produits fournis à l'agriculture seront fixés à leur niveau réel, et on abandonnera la pratique des prix subventionnés pour les engrais minéraux et plusieurs catégories de machines agricoles. Cette disparition des subventions sera prise en compte dans le calcul des prix d'achat de certains produits agricoles, qui seront eux aussi nettement échelonnés en fonction de la qualité proposée.

La question de la réforme des prix de détail doit faire l'objet d'un examen particulier, car c'est celle qui touche le plus directement la population. A l'heure actuelle, le prix du pain, de la viande, de la charcuterie et des produits laitiers dans le commerce d'État sont trop bas, et ils sont même inférieurs aux prix d'achat. Pour 1 kilo de viande vendu 1,80 rouble dans le commerce d'État, la subvention de l'État dépasse 3,50 roubles. Le volume total des subventions de l'État à ce groupe de produits alimentaires dépasse 60 milliards de roubles, alors que le montant total des recettes du Budget national est de 480 milliards.

Maintenir artificiellement bas les prix de la viande, de la charcuterie et des produits laitiers pousse au gaspillage et entraîne des pénuries dans le secteur commercial d'État en ce qui concerne ces denrées, que la population se voit finalement contrainte de se procurer, en quantités de plus en plus importantes, dans les magasins gérés par les coopératives de consommation, et cela à un tarif deux fois plus élevé, ou sur les marchés kolkhoziens, à des prix de deux fois et demie à trois fois supérieurs.

En outre, il ne faut pas oublier que les possibilités de transformation de la viande et du lait sont bien moindres dans les coopératives de consommation – et, à plus forte raison, dans les kolkhozes et les exploitations individuelles – que dans l'industrie d'État. Mais, étant donné que ces ressources, dans le secteur d'État, sont limitées, il est impossible à celui-ci de mettre sur le marché l'assortiment souhaité en viande, charcuterie et produits laitiers. En conséquence, la demande de la population ne peut être satisfaite, tant sur le plan de la quantité que sur ceux de la qualité ou du choix.

A propos du maintien à la baisse, de manière artificielle, des prix du pain et de ces derniers produits, on invoque parfois d'autres aspects qui seraient positifs. Ainsi, certains prétendent que cela favoriserait la consommation des familles à faibles revenus et vont presque jusqu'à voir, dans cette pratique, un avantage à caractère social de notre système. L'analyse prouve, cependant, que les subventions de l'État à la vente de ces denrées profitent surtout aux catégories les plus aisées. En effet, ces dernières consomment davantage de viande, par l'intermédiaire du réseau d'État, et principalement par le biais de la restauration. Il y a donc là injustice sur le plan social : une telle politique de prix non seulement ne réduit pas l'écart entre les groupes à hauts et à faibles revenus, mais même elle l'augmente.

Il faut considérer ici que la situation varie beaucoup, selon les endroits, en ce qui concerne la distribution des produits en question dans le commerce d'État. A Moscou, par exemple, il s'en vend, par habitant et par le biais de ce réseau, deux fois plus que dans les autres villes de Russie. Et les Moscovites reçoivent ainsi, de manière occulte, des subventions assez importantes, tandis que, dans de nombreuses autres cités de cette république, il n'existe pratiquement pas de vente de viande au détail dans le réseau d'État : les réserves de celui-ci sont à un tel niveau qu'elles suffisent à peine pour couvrir les besoins des cantines, des hôpitaux, des écoles maternelles, etc.

Une partie de la population se prononce contre l'augmentation des prix de la viande, de la charcuterie et des produits laitiers dans le commerce d'État, s'imaginant que, par une gestion rationnelle, on pourrait réduire le coût de revient de ces marchandises au point que leurs prix, même très bas, deviendraient rentables et que l'on n'aurait plus besoin de subventions. Leur argument est simple : ils considèrent que toute augmentation de prix traduirait, en quelque sorte, une attitude indulgente envers les mauvais gestionnaires et le gaspillage qui sévissent dans les secteurs productifs de la viande et du lait. Pour moi, au contraire, il est évident que relever les prix du pain et des denrées issues de ces deux autres produits correspond à une nécessité, sur les plans tant social qu'économique.

Il est également clair, et cela a été répété à maintes reprises dans les plus hautes instances du Parti et des soviets, que l'augmentation des prix de détail doit s'effectuer de façon à ne pas faire baisser le niveau de vie de la population. Ce n'est pas impossible, à condition de compenser totalement les dépenses supplémentaires que cela entraînerait pour le consommateur. En d'autres termes, il s'agira de convertir en revenus perçus par nos concitoyens les subventions que l'État aura économisées en augmentant les prix.

Je ne pense pas que nous réussissions – et, d'ailleurs, sans doute ne serait-ce pas souhaitable – à faire en sorte que les prix des produits concernés couvrent entièrement les coûts actuels, et que les subventions cessent totalement. Certes, ceux qui disent que la cherté de la production de viande et de lait provient, en grande partie, d'une mauvaise gestion ont raison. Mais les nouveaux mécanismes mis en place dans le cadre de la perestroïka ont permis, pour la première fois depuis de nombreuses années, d'abaisser les coûts de la viande, si bien que nous sommes en droit d'attendre, là, une réduction des dépenses. Nous pouvons donc, au début, conserver certaines subventions, tout en relevant les prix de manière que le volume global de celles-ci tombe, par exemple, de 60 milliards de roubles à 15. Du reste, il n'y a rien d'extraordinaire à ce qu'il existe des subventions à la production agricole : il y en a bien au Japon, en Suède et même, dans une certaine mesure, aux États-Unis, pays dont l'agriculture jouit, pourtant, des meilleures conditions.

La question doit cependant être examinée, également, sous un second aspect. En effet, les prix du réseau des coopératives de consommation et de celui des marchés kolkhoziens diffèrent sensiblement d'une région à l'autre. Ainsi, à Omsk, on peut, sur le marché kolkhozien, acheter 1 kilo de viande pour 3,50 roubles, alors que, ailleurs, il faudra en dépenser de 5 à 6. Il ne semble pas juste de fixer dans certaines régions les prix de la viande plus haut pour le commerce d'État que pour le marché kolkhozien.

La forme à donner à la compensation dont doit bénéficier la population, compte tenu de l'accroissement de dépenses auquel celle-ci aura à faire face, en raison du renchérissement des denrées alimentaires, représente un point particulier du problème. Si l'on inclut cette compensation dans le salaire, ce sont les familles nombreuses qui se trouveront dans la situation la plus défavorable, puisqu'elles comprennent beaucoup de personnes à charge, et les célibataires seront privilégiés. En outre, le salaire variant de mois en mois en fonction des résultats du travail, la population pourra avoir l'impression que cette compensation est partielle, temporaire, etc. Il serait donc préférable, à mon avis, d'effectuer des versements fixes, sous forme d'allocation spéciale pour chaque habitant. C'est d'ailleurs sous cette forme que fonctionnait dans les années d'après-guerre le « supplément pour le pain », une fois supprimées les cartes de rationnement. Par la suite, à mesure que les salaires se sont améliorés, la nécessité d'un tel supplément ayant disparu au bout de quelques années, celui-ci a été intégré au salaire.

Si l'on verse à chacun la même compensation, ce seront les couches de la population aux revenus les plus bas qui, proportionnellement, se verront avantagées, tandis que celles qui perçoivent les plus hauts revenus y perdront, selon le raisonnement développé ci-dessus. S'il faut toutefois assurer une aide supplémentaire aux catégories qui ne disposent que des moyens les plus faibles, on peut différencier le montant des versements, en fonction du revenu par tête, pour donner davantage à ceux qui gagnent le moins et vice versa.

Mais, quoi que l'on fasse, à en juger par les innombrables lettres de travailleurs publiées dans les journaux et les revues qui traitent de la question de l'augmentation des prix de la viande, du lait et de leurs dérivés, les propositions exprimées ci-dessus ne pourraient en aucun cas être qualifiées de populaires. Beaucoup de gens se sont habitués à la situation actuelle, avec les pénuries et le manque de choix qu'elle entraîne : ils en ont pris leur parti ; nombre d'entre eux, n'ayant même tout simplement jamais rien connu d'autre, craignent – ce qui est tout à fait compréhensible – que rien ne s'améliore, en dépit d'une hausse des prix tandis qu'ils devront dépenser plus. On redoute encore que la compensation ne couvre pas réellement le surcroît de dépenses. Beaucoup estiment, en outre, que relever les prix des produits concernés provoquera une réaction en chaîne, se traduisant par l'augmentation de tous les autres prix de détail. Aussi est-il très important de mettre au point un appareil de mesures qui garantissent la population contre ce danger. Il faut également reconnaître que l'on n'a pas fourni à celle-ci d'explications précises et convaincantes sur la nécessité d'une telle opération, bien que la question soit sans arrêt abordée dans la presse ; on publie surtout des lettres exprimant le refus de toute augmentation, dans lesquelles l'émotion prend le pas sur la raison. Nous devons donc, d'abord, parvenir à un consensus, avant de passer à la réalisation de la réforme des prix de détail.

Je crois qu'il faudrait aussi que nous examinions ce problème en le replaçant dans un contexte plus global, où soit pris en compte l'ensemble des mesures qui visent à l'assainissement du marché et à l'amélioration des conditions de vie de nos concitoyens. Il serait souhaitable, par exemple, que la réforme des prix de détail soit introduite en même temps que l'augmentation des retraites et celle des allocations familiales, et parallèlement à d'autres innovations destinées à accroître la production de biens de consommation.

Nous n'avons parlé, jusqu'à présent, que de la révision du niveau des prix dans le cadre de la réforme. D'une manière générale, cela permettra de réduire l'écart entre les niveaux et les rapports de prix de notre marché et ceux du marché mondial et, par là même, contribuera à créer un environnement plus favorable à la mise en place de la convertibilité du rouble – toutes choses qui aideront l'Union soviétique à mieux s'insérer dans la division internationale du travail et dans les relations économiques mondiales.

Mais la réforme des prix ne consiste pas seulement en une modification de leur niveau. Le processus même de la formation des prix connaîtra des transformations considérables. Nous devons faire là un grand pas en avant, sur le plan de la décentralisation et celui de la démocratisation, qui consistera à laisser aux prix libres ou contractuels une place beaucoup plus importante. A l'heure actuelle, les prix imposés concernent de 80 à 90 % de la production. Mais, depuis le début de la perestroïka, la pratique des prix contractuels ou libres s'étend progressivement. Surprix et ristournes sont de plus en plus courants, et la réglementation en la matière a été amplement simplifiée.

Pour ne citer, par exemple, que les prix de détail, ceux des nouveautés (marquées « N ») et des articles à la dernière mode (« D »), ayant été établis en accord avec le secteur commercial, ont été largement adoptés. Ceux des marchandises importées sont définis plus librement, en tenant compte de l'offre et de la demande. La liberté des prix accordée aux coopérateurs nouvelle formule, qui s'introduisent de plus en plus activement sur le marché interne dans une partie du commerce de denrées alimentaires, a développé le rôle des coopératives de consommation, qui fixent également leurs prix, en les différenciant selon les régions. Quant aux organes locaux, lorsqu'il s'agira de déterminer les prix saisonniers des fruits et des légumes ou ceux des produits de l'industrie locale, ils verront leurs droits accrus.

La réforme des prix a pour objectif de réduire considérablement la part de ceux qui sont fixés de façon centralisée, en n'y faisant entrer que les prix des carburants et des matières premières de base, des équipements de masse, des biens indispensables à la population, des services les plus répandus. De toute évidence, les républiques et les organes locaux auront globalement une influence plus grande sur la fixation des prix. Enfin, on augmentera considérablement la part des prix contractuels ou libres pour les produits d'une qualité particulière, pour ceux qui sont fabriqués en séries relativement limitées – et, à plus forte raison, les créations uniques –, pour les marchandises importées, etc.

Je pense que, lorsque nous commencerons, en 1990, à mettre en œuvre cette réforme, les prix fixés de façon centralisée persisteront dans une large mesure, car nous aurons affaire à un

marché qui ne sera pas encore assez développé. Selon mes calculs, la part des prix imposés pourra alors être de 60 à 70 %, celle
des prix contractuels ou libres, de 30 à 40 %. Puis, au cours du
quinquennat suivant, il sera souhaitable de réduire progressivement la part des premiers, en la ramenant, par exemple, à 30 %,
celle des seconds passant ainsi à 70 %. Pour y parvenir, il faudra
que nous mettions en pratique des méthodes économiques de
régulation des prix, que nous favorisions le développement de la
concurrence socialiste et que disparaisse le monopole dans l'industrie et le commerce.

Les problèmes de développement de la concurrence dans la
société socialiste n'ont pas encore été abordés de façon satisfaisante, ni dans la théorie ni dans la pratique. Je le dirai franchement : pendant des années, nous avions tout simplement peur
d'utiliser le mot « concurrence », s'agissant de l'économie socialiste, car il était lié, pour nous, à des phénomènes qui nous
étaient étrangers : chômage, faillites en série, etc. Au début, dans
la loi sur l'entreprise d'État, on avait exprimé la nécessité d'une
émulation des entreprises sur le marché. Cette émulation reçut
l'appellation de « compétition économique ». Puis – véritable
exploit ! – on s'est mis à dire franchement qu'il était indispensable de liquider le monopole aux niveaux de la production et du
marché, et de laisser opérer la rivalité entre les entreprises.

Dans la même démarche, un pas supplémentaire a été franchi lors de l'élaboration de la loi sur les coopératives, où, pour la
première fois, figure le terme de « concurrence » appliqué au
marché socialiste. Toute la question est maintenant de déterminer les mesures à prendre pour développer cette concurrence.

Une série de décisions ont déjà été adoptées dans ce sens,
permettant l'essor d'une propriété pluraliste : création de coopératives à côté des entreprises d'État, extension de l'activité
économique privée dans tous les secteurs de l'économie nationale. Mais cela ne suffit certes pas. Il faut aussi favoriser l'émulation entre les entreprises d'État elles-mêmes – par exemple, en
faisant fabriquer à plusieurs un produit identique –, morceler les
grandes unions de production non rentables, en les transformant
en entreprises distinctes. Par la suite, on devra mettre l'accent
sur la création de petites et moyennes entreprises, y compris
dans le secteur d'État. De ce point de vue, l'initiative au niveau

local et à celui des républiques peut s'avérer décisive. Dans cette optique, on étudie aujourd'hui l'idée de décharger les ministères fédéraux en faisant passer un nombre important de petites et moyennes entreprises actuellement sous leur tutelle sous celle des républiques et des soviets locaux. Un tel choix conduirait, bien entendu, à la reconversion de nombreuses entreprises, qui devraient alors tenir compte de la demande et des besoins de la société. Les unions, les entreprises et divers organismes économiques, les organes des républiques et les organes locaux, comme les ministères eux-mêmes, se sont vu accorder le droit de créer des entreprises ou des organisations économiques. Il faudra trouver des stimulants pour qu'aux besoins nouveaux corresponde une nouvelle manière de produire. Par exemple, exempter de versements au Budget la part que les unions ou les entreprises dépensent en investissements.

Le développement de sociétés mixtes avec des firmes étrangères est un puissant levier pour renforcer la concurrence. Actuellement, il en existe encore peu – environ 200, au 1er février 1989, et quelques centaines de projets sont en cours d'examen. Mais je pense que ce n'est là qu'un modeste début. A mesure que l'on acquerra de l'expérience, à mesure que les conditions de création de ces entreprises se libéraliseront – en particulier, avec l'instauration de zones économiques spéciales et l'ouverture de certaines branches de l'économie –, cette activité s'étendra. On a vu, avec l'exemple de la Chine, à quel point on peut, dans ce domaine, aller de l'avant : dans ce pays, il existe près de 10 000 sociétés mixtes, avec un capital cumulé de 20 milliards de dollars, alors que, en URSS, le capital de ces entreprises atteint à peine, pour le moment, le milliard de dollars. La mise en place de la convertibilité du rouble et une ouverture plus large de notre économie renforceront la pression du marché extérieur sur la compétitivité de nos marchandises, tant sur le marché des pays socialistes que sur le marché mondial.

Vers un marché des biens de production

Le rééquilibrage entre les flux monétaires et les ressources matérielles et la réforme des prix sont les deux principales conditions que nous devrons remplir pour pouvoir mettre en place un commerce de gros des biens de production.

Remplacer l'approvisionnement centralisé en matériaux et en équipements par un commerce de gros des moyens de production sera sans doute la partie la plus difficile à réaliser, mais ce sera aussi la clé qui nous permettra de transformer radicalement la gestion de notre économie. Le système centralisé d'approvisionnement en matériaux et en équipements est en effet le rempart – le fondement, pourrait-on même dire – du système administratif de gestion : les directives imposées d'en haut aux entreprises ne recouvrent, en fait, dans ce dernier, que la nomenclature des produits les plus importants. Et encore cela n'est-il formulé que d'une manière très générale ; en conséquence, si la gestion administrative se bornait à ce genre d'interventions, les entreprises jouiraient, en réalité, d'une liberté économique suffisante dans le choix de leur production. Mais, dans la pratique, ces directives sont assorties d'objectifs à atteindre concernant la fourniture en matériaux et en équipements. Ceux-là, consignés dans des plans de commandes, dictent à chaque entreprise ce qu'elle doit produire et à qui elle doit livrer ses produits. Or la nomenclature figurant dans ces plans d'approvisionnement est dix fois plus longue et détaillée que celle qu'indique le Plan d'État. Mais tout cela n'est qu'un aspect de la question : chaque entreprise se voit, en outre, imposer la provenance et la quantité de son propre approvisionnement en carburants, en matières premières, en matériaux, en pièces détachées, en équipements, c'est-à-dire tout ce qui est nécessaire à la production. Afin d'assumer cette activité titanesque, on a créé dans le pays un système ramifié d'organes d'approvisionnement, qui constituent d'importants départements que l'on retrouve dans chaque ministère et dans chaque administration. Ils dépendent tous du Comité d'État à l'approvisionnement (Gossnab). Ce dernier est divisé en directions sectorielles, chargées chacune d'une catégorie de produits (Direction des métaux, Direction des instruments, etc.), et en directions territoriales, qui assument, au niveau d'une région, l'approvisionnement concernant une nomenclature variée de produits.

Comme on le voit, le système centralisé d'approvisionnement, qui ligote les entreprises de haut en bas, ne leur laisse plus aucun champ de manœuvre. Le système administratif de gestion est allé si loin qu'on a interdit aux entreprises de revendre elles-mêmes les équipements et les matériaux dont elles n'avaient pas l'usage, cela devant se dérouler de façon centralisée, avec autorisation du ministère et accord des organes d'approvisionnement.

Il est quasi impossible de vivre et de travailler réellement dans un système de gestion si rigide, car ses rouages sont bien trop pesants, et il n'est bien entendu pas en mesure de fournir, en temps voulu, à chaque entreprise, tout ce dont celle-ci a besoin. Ce qui explique que chacune se soit constitué des réserves de matières premières, de matériaux, de pièces détachées, pour se garantir des ruptures d'approvisionnement répétées, typiques du système administratif. En outre, les organes d'approvisionnement qui coiffaient les entreprises n'endossaient aucune responsabilité matérielle quant à ces ruptures.

Par ailleurs, afin de se procurer les matériaux et les pièces dont elles avaient besoin, les entreprises utilisaient largement des voies illégales ou semi-légales, se livrant entre elles à des échanges, selon le principe du troc. Ainsi est née une gigantesque économie de l'ombre, fonctionnant parallèlement à l'économie officielle et doublant le système d'approvisionnement centralisé. Les organes du PCUS et des soviets ont aussi pris leur part dans la naissance de cette économie de l'ombre, en contraignant les entreprises à aider matériellement l'agriculture, à construire, par exemple, dans les campagnes – et avec leurs propres matériaux –, des bâtiments destinés à la production ou des infrastructures sociales, à prêter du matériel pour réparer les machines agricoles, à fournir des tuyaux pour l'approvisionnement en eau, etc. De leur côté, les exploitations agricoles fournissaient à ces mêmes entreprises des tracteurs, qu'elles utilisaient, notamment, pour déblayer la neige sur le périmètre des usines, diverses denrées alimentaires pour les cantines, etc. Un seul exemple suffira à montrer l'ampleur de cette redistribution : dans une certaine région, les kolkhozes et les sovkhozes ont construit en un an pour 400 millions de roubles d'installations et de bâtiments divers ; or les matériaux qu'on leur avait alloués pour ces constructions n'auraient dû leur permettre qu'une dépense de 60 millions. D'après la loi, ces matériaux représentent des ressources qui sont réparties selon divers fonds, sur un mode strictement centralisé. Dans le cas présent, les kolkhozes et les sovkhozes ont donc reçu illégalement plus des 5/6 des ressources destinées à la construction de bâtiments agricoles, par suite d'un échange direct de produits avec des entreprises de l'industrie du bâtiment, des transports et autres, et tout cela avec l'aide des organes du Parti et des soviets locaux.

L'effet le plus négatif du système centralisé d'approvisionnement est sans doute qu'il éloigne le producteur du consommateur, les séparant par un véritable mur. Les fournisseurs livrent leur production aux organes d'approvisionnement, qui, ensuite, la répartissent entre les consommateurs. On ne peut donc pas attendre d'un tel système que ces derniers y exercent une quelconque influence sur le producteur ni que les produits livrés satisfassent au mieux la demande. En voici un exemple typique, parmi de nombreux autres. L'usine de tracteurs de Tcheliabinsk, qui est sous la tutelle du ministère de la Construction de machines agricoles, est l'un des principaux fabricants de bulldozers. Son activité, comme pour d'autres entreprises, était mesurée en nombre d'unités fournies et en valeur globale de la production, exprimée en roubles. Pour produire davantage, cette usine, au lieu de mettre au point et de construire des bulldozers, qui sont des machines destinées à une utilisation spécifique, a choisi la facilité : en fait, elle n'a fait qu'ajouter une lame aux tracteurs à chenilles qu'elle fabriquait déjà. Et ce tracteur muni d'une lame a été baptisé « bulldozer ». L'usine en a livré des dizaines de milliers par an aux organes d'approvisionnement ; la plupart d'entre eux avaient une puissance de 130 ch, mais quelques petites séries disposaient de 250 ch. Le modèle fourni était standard, et l'usine n'y apportait aucune modification pouvant le rendre plus adapté à tels ou tels travaux. Ainsi, chaque année, une partie de ces machines – plusieurs milliers – se sont retrouvées, par exemple, dans le Nord, dans le Territoire de Magadan, en république autonome de Iakoutie ou dans d'autres régions où l'on extrait de l'or, et où le bulldozer est donc le principal moyen de production – pour éventrer la tourbe, dénuder les couches de sable aurifère et remonter ce sable jusqu'aux installations qui le lavent et en séparent les paillettes d'or.

Les bulldozers de Tcheliabinsk ne convenaient évidemment pas à ces tâches. Aussi les entreprises du Grand Nord, à chaque nouvel arrivage, étaient-elles obligées de les bricoler, de les renforcer en soudant une armature supplémentaire aux parties faibles de la machine. Mais même après ce bricolage, les bulldozers ne pouvaient pas fonctionner une saison entière sans tomber en panne et, d'une année sur l'autre, il fallait les réparer de fond en comble, ce qui coûtait plusieurs fois le prix d'une machine neuve. C'est pourquoi, dans ces régions nordiques, où faire venir et installer un ouvrier coûte de trois à cinq fois plus cher que, disons, dans la région de Tcheliabinsk, on a créé huit usines de taille relativement importante destinées à l'entretien et à la réparation de ces machines inadaptées. Lorsque pour ma part je me suis rendu à Tcheliabinsk et que j'ai parlé aux ingénieurs de la qualité de leurs machines, ils m'ont répondu sans se troubler que leurs bulldozers n'étaient pas prévus pour de tels travaux et qu'eux-mêmes n'avaient jamais entendu dire qu'ils soient utilisés pour cela. Il s'agit là d'une situation assez typique, où l'on voit de manière exemplaire à quoi conduit un système dans lequel le consommateur est coupé du producteur et n'a aucune influence sur lui.

Afin d'en bien comprendre le caractère nocif, la faiblesse sur le plan économique et l'absence d'efficacité, il faut reconnaître que le système centralisé de répartition des moyens de production engendre des pénuries et mène au diktat du producteur sur le consommateur. Si le marché est équilibré et que l'on peut y acheter librement un matériau, le producteur n'a pas besoin d'en encombrer ses entrepôts, car cela revient cher et entraîne des pertes. Mais si ce matériau est réparti de façon centralisée, on ne peut éviter de faire des stocks importants. Nous allons voir quel mécanisme fait naître une pénurie, pour un matériau qui, avec un commerce libre, serait disponible.

Dans le système d'approvisionnement centralisé les entreprises commencent par exposer par écrit leurs besoins aux organes concernés. Notons que ces demandes sont rédigées plusieurs mois avant le début de la période planifiée. Bien plus, les demandes de fourniture en matériaux nécessaires à la production sont envoyées environ six mois avant que l'entreprise soit sûre du plan de production qu'on lui imposera d'en haut. Ne sachant pas exactement quel sera celui-ci, réduite, donc, à de simples suppositions, l'entreprise, cela va de soi, s'efforcera de recevoir le plus de matériaux possible. D'abord, elle tient compte de la quasi-certitude de pénuries à venir, leçon qu'elle tire de ses expériences passées. Elle sait, également, que l'on n'acceptera pas automatiquement ses commandes, que celle-ci seront amputées, afin de respecter les balances-matières en ce qui concerne un matériau donné. Aussi gonfle-t-elle quelque peu ses besoins, comme le font toutes les autres entreprises. Lorsque l'on fera la somme des commandes pour tel ou tel matériau, on s'apercevra, cependant, que les besoins déclarés dépassent sensiblement la capacité de production. On commencera donc par fournir aux entreprises des quantités inférieures à ce qu'elles auront demandé, ce qui les encouragera à se mettre à stocker les matériaux déficitaires. Un tel système d'approvisionnement engendre tout un éventail de conséquences négatives. D'une part, des réserves énormes sont gelées et s'accumulent dans les entrepôts industriels. Alors que le montant global du revenu national du pays est d'environ 600 milliards de roubles, le total des ressources matérielles entreposées par les entreprises représente 450 milliards, soit le double au moins du niveau raisonnable. Résultat : le capital productif circulant plus lentement au sein de l'économie nationale, sa rentabilité baisse. D'autre part, les pénuries ainsi engendrées placent le producteur du matériau manquant dans une situation privilégiée à l'égard du consommateur, auquel il peut donc imposer son diktat. Conséquence : la production n'est pas liée à la demande du consommateur, aux besoins de la société, mais se développe en fonction de ses propres besoins, et dans la direction qui lui paraît avantageuse.

Si l'usine de tracteurs de Tcheliabinsk, par exemple, avait orienté sa production vers le consommateur, elle aurait sensiblement amélioré la qualité de ses bulldozers et les aurait adaptés aux besoins de ce dernier. En adoptant une telle attitude, on pourrait produire moins, ce qui permettrait d'économiser le métal, le travail, le capital productif, et serait plus rentable sur le plan économique. Mais, avec le diktat du producteur, tout fonctionne à l'envers. L'usine a intérêt à augmenter le volume de la production en fabriquant en grandes séries. Étant donné que les besoins du consommateur ne sont pas pris en considération par l'entreprise productrice, celle-ci n'assure pas non plus la fourniture des pièces de rechange nécessaires : aux clients eux-mêmes de les fabriquer, comme d'effectuer les grosses réparations, sans l'aide de l'usine. Le coût de production des pièces détachées pour le bulldozer de Tcheliabinsk dans les entreprises dont j'ai parlé plus haut est de cinq à douze fois plus élevé que le prix d'achat de ces pièces, que l'usine de Tcheliabinsk fabrique en quantité relativement faible. Et cette situation n'est pas réservée aux bulldozers, c'est la même chose pour les automobiles, les navires, les machines-outils, etc.

Dans le système administratif de gestion, l'intérêt du producteur est d'écouler sa production ; ensuite, il s'en lave les mains. Ce que fait l'utilisateur de ses articles, ce que ceux-ci deviennent, cela ne le concerne plus. Ce qui aboutit à une situation absolument paradoxale, dans laquelle le coût de production d'une voiture ou d'un tracteur ne représente que de 2 à 4 % du total des frais qu'entraînent son entretien et les réparations de toutes sortes. Du point de vue de l'économie nationale, on pourrait diviser par deux ou trois les dépenses que la société engage pendant la durée de vie de tel ou tel produit. Pour cela, il faudrait que celui-ci soit, dès sa fabrication, conçu pour bénéficier d'une plus grande longévité et de capacités supplémentaires. Ce qui, certes, demanderait des investissements accrus dans la production des articles concernés, mais ils seraient rentabilisés au centuple. Une approche si rationnelle est toutefois impossible dans le système administratif, car elle contredit la base de ce système – la centralisation en matière d'approvisionnement en matériaux et en équipements, qui, répétons-le, engendre un fossé entre producteur et consommateur.

Il faut, en outre, attirer l'attention, pour que le tableau soit complet, sur le mode de répartition des moyens de production dans ce système centralisé. Peu importe que l'entreprise à laquelle sont destinés les produits ait de l'argent ou non, qu'ils lui soient nécessaires ou non. Si le plan d'approvisionnement stipule qu'à tel sovkhoze doivent être fournis 10 tracteurs d'une marque donnée, cela sera fait. Mais où prendre l'argent, si le sovkhoze n'en a pas ? Dans le système administratif, cette question est jugée comme secondaire, car l'essentiel, ce sont les valeurs concrètes – l'argent, les finances n'ayant qu'un caractère comptable, semi-formel. Si le sovkhoze ne possède pas les sommes nécessaires, la banque lui fournira les moyens d'acheter des machines, bien qu'elle sache que celui-là est déficitaire et qu'il est donc peu probable qu'elle puisse se faire rembourser un jour. Cela n'inquiète pas l'établissement, qui, en fait, prête non pas son propre argent (il n'en possède pas), mais celui que lui fournit l'État, lui-même n'étant qu'une instance intermédiaire relayant l'aide financière.

Tout cela conduit encore une fois au divorce entre la production, d'une part, et les besoins de la société, d'autre part. L'exemple classique en est celui des tracteurs. L'URSS en produit 4,8 fois plus que les États-Unis, bien qu'elle se trouve derrière ceux-ci pour le volume de la production agricole. Si ce volume était identique dans les deux pays, la quantité de tracteurs fabriqués chez nous serait, proportionnellement, six fois plus importante qu'aux États-Unis. Cela correspond-il vraiment à une nécessité ? Dans l'ancien système administratif, la réponse aurait été, sans aucune hésitation, que non seulement ces engins sont nécessaires, mais qu'on en manque : on ne produit pas, en URSS, de tracteurs de labour de grande puissance ; on ne fabrique pas non plus assez de petites machines servant à cultiver les jardins, les lopins individuels, etc. Et la conclusion se serait imposée : il nous faut construire encore une usine de tracteurs. D'ailleurs, on en avait pris la décision : non loin de l'usine Kamaz, dans la ville d'Elabouga, on avait prévu un chantier énorme, devant coûter plusieurs milliards de roubles, pour construire une telle installation ; mais, grâce aux protestations des scientifiques et à l'opinion publique, on a entrepris de construire à la place une usine d'automobiles qui devrait livrer chaque année 900 000 véhicules. Parallèlement, on modernise et on développe d'autres usines de tracteurs. Si le système administratif s'était maintenu, il n'est pas exclu que nous nous soyons mis à produire, à terme, dix fois plus d'engins que les États-Unis. L'agriculture, pourtant, n'en a pas besoin, et, si nous les payions de notre poche et que nous les utilisions rationnellement, nous pourrions nous contenter d'en produire deux ou trois fois moins. Il est à noter que l'URSS fabrique deux fois moins d'accessoires par tracteur que les États-Unis et d'autres pays. Ainsi, dès le début, cette machine, chez nous, est condamnée à une utilisation incomplète.

La course à la production massive de tracteurs s'effectue, bien entendu, au détriment de leur qualité. Et au lieu de fonctionner pendant douze à quinze ans, nombre de marques soviétiques ne permettent au plus qu'une utilisation de six ans. Et encore les machines sont-elles, pendant une grande partie de ce temps, hors service dans les ateliers de réparation.

Avec le nouveau système de gestion qui se met en place grâce à la perestroïka, les kolkhozes et les sovkhozes ont commencé à pratiquer l'autofinancement. La politique de crédit des banques s'est également modifiée. A présent, on n'accorde plus de crédit à fonds perdus pour l'achat de matériels. Cette situation nouvelle a aussitôt entraîné une nette réduction de la demande de tracteurs, de moissonneuses-batteuses et d'autres engins agricoles, dont la production ne correspondait absolument pas aux besoins réels de la société. Et ce n'est qu'un début. Les entreprises agricoles qui fonctionnent en autofinancement ont réduit, en moyenne, de moitié leurs acquisitions – désormais à leurs frais – de machines. L'adoption, par des kolkhozes et des sovkhozes, du système de contrat-bail a mené à une baisse encore plus sensible des besoins en équipements. Dans ce cas, la brigade, l'équipe ou la famille concluent un contrat avec l'administration des kolkhozes et des sovkhozes et prennent en location, en général pour dix à quinze ans, une parcelle de terre et les machines nécessaires. Le profit tiré du travail de cette terre à l'aide du matériel loué sert de base pour le calcul des prélèvements, le reste constituant les revenus propres du collectif ou du fermier locataire. Dans les kolkhozes et les sovkhozes où tout le collectif est divisé en brigades ou équipes sous contrat, de 50 à 60 % des machines dont disposait l'exploitation se sont révélées tout simplement inutiles ; par conséquent, on les avait achetées en surnombre.

La non-adéquation de la production aux besoins ne réside pas seulement dans le fait que nous produisions trop, mais également dans la mauvaise qualité des articles, bien souvent impropres à l'usage qu'en escompte le consommateur : le choix lui-même des produits fabriqués ne correspond pas, tout bonnement, à ce dont la population a besoin. Il était commode, pour le ministère de la Construction de machines agricoles et l'usine de Tcheliabinsk, de sortir de plus en plus de bulldozers peu performants et de mauvaise qualité, et ils en produisaient. Mais, pour le bâtiment et les industries d'extraction, et aussi pour la pose de canalisations, il faut des bulldozers puissants. Pendant des dizaines d'années, notre pays, qui effectuait les plus grands travaux de construction et possédait la plus grande industrie d'extraction du monde, n'en a pas fabriqué. Le ministère de la Construction de machines agricoles y mettait toutes sortes d'entraves, et l'usine de Tcheliabinsk n'a rien fait pour s'adapter. Bien plus, lorsque, enfin, sous la pression des ministères concernés, on s'est décidé à construire, à Tcheboksary, une usine chargée de produire des bulldozers de grande puissance, et que l'on a investi des milliards de roubles dans ce dessein, le bureau de projets de celle de Tcheliabinsk – auquel on s'était adressé, car c'est lui qui disposait du plus d'expérience dans ce domaine – a conçu pour Tcheboksary des plans tout à fait inadaptés et inutilisables. En conséquence, nous sommes contraints de dépenser chaque année des sommes considérables pour acheter à l'étranger les machines adéquates.

Si je me suis arrêté si longtemps sur les effets négatifs du système centralisé de répartition des ressources, base de la gestion administrative, c'est pour que l'on comprenne bien à quel point il est important de briser ce système et de mettre en place un véritable marché des moyens de production. Réforme que nous nous proposons de réaliser en même temps que celle des prix, à partir de 1990, en liaison avec celle du secteur bancaire.

La simultanéité de ces trois réformes est absolument indispensable. Pour pouvoir instaurer un marché équilibré des biens de production, il faut éliminer les filières qui génèrent les excédents monétaires, afin que la circulation de la monnaie soit en rapport avec celle des valeurs matérielles. Dans le cas contraire, s'il y a plus de monnaie que de marchandises sur le marché, cela déséquilibrera le marché, entraînera des pénuries, compte tenu du fait qu'une grande partie des prix pratiqués sur ce marché, tout au moins dans les premiers temps, demeureront fixés de façon centralisée. Voilà pourquoi la mise en place d'un commerce de gros doit être renforcée par la restructuration des secteurs financier et bancaire, qui sont liés à la régulation de la circulation de l'argent.

Par ailleurs, un marché des moyens de production ne peut s'équilibrer et se développer que sur la base d'un mode satisfaisant de formation des prix. Si l'on conserve, par exemple, les prix actuels, trop bas, des carburants et des matières premières, ces produits, essentiels, feront l'objet de pénurie, car nul ne se sentira incité à économiser les ressources. En outre, afin que l'équilibre se maintienne, il importera que la part de marchandises achetées et vendues à prix contractuel ou libre, fondé sur le marché, soit de plus en plus large. La réforme des prix et de la formation des prix est donc une condition sine qua non de l'introduction et du développement d'un commerce de gros.

Le problème de l'instauration en URSS d'un tel marché n'est pas nouveau : à la mise en place de la réforme économique au milieu des années 60, conformément aux décisions du Comité central, lors de son plénum de septembre 1965, la question avait déjà été soulevée. Dans le rapport qu'il avait présenté au cours de ce plénum, Alexeï Kossyguine parlait en effet de la nécessité de passer d'un approvisionnement centralisé en matériaux et en équipements à un commerce de gros ; mais, à l'époque, on n'avait envisagé qu'un changement progressif, à mesure du développement de la production et de la disparition des pénuries. Cette approche partait de l'affirmation que celles-ci naissent du développement insuffisant de telle ou telle branche. Personne ne considérait qu'elles puissent être engendrées par le système même d'une gestion administrative et d'un approvisionnement centralisé, plutôt que dues à une insuffisance de la production. Nous avons montré, par l'exemple des tracteurs, que sous le système administratif de gestion il existait une pénurie de ces machines, alors que nous en fabriquions bien plus qu'il n'en fallait.

C'était là une erreur de jugement que la pratique allait rapidement mettre en lumière : bien qu'au cours du VIIIe quinquennat (1966-1970), qui a suivi l'annonce de la réforme, le taux de croissance de notre économie ait doublé et que le volume de la production ait encore plus augmenté, les pénuries ont persisté pour de nombreux produits, et la mise en place d'un commerce de gros ne put avoir lieu. En même temps, on effectua toute une série d'expériences, qui montrèrent clairement que les pénuries étaient entraînées avant tout non par l'insuffisance de la production, mais par le fonctionnement même de notre économie et par la distribution centralisée des ressources. L'une de ces expériences a consisté à mettre en vente libre, dans quatre régions, les carburants et les lubrifiants, marchandises toujours particulièrement frappées par la pénurie et réparties jusque-là de façon strictement centralisée, sous un contrôle administratif très sévère. Au début, beaucoup d'organisations se sont efforcées d'en acheter de grandes quantités, car elles ne croyaient pas que la vente libre durerait. Lorsqu'elles furent persuadées que le commerce libre se maintiendrait, elles commencèrent à se défaire de leurs excédents. En conséquence, les besoins en carburants et lubrifiants diminuèrent, et ce de façon très sensible. Si tout cela s'était accompagné d'une augmentation justifiée des prix de ces produits (rapprochant leur niveau de celui des prix mondiaux) et que les entreprises les aient payés de leurs propres deniers, c'est-à-dire si elles avaient fonctionné selon les principes de l'autonomie comptable intégrale et de l'autofinancement, l'effet aurait été encore plus spectaculaire. Et c'est bien en nous fondant sur ces deux principes et sur la réforme des prix de gros que nous abordons aujourd'hui le développement du marché des moyens de production.

Dans la quasi-totalité des cas, les pénuries sont liées à des défauts de notre système économique. Les nouvelles conditions de gestion (concernant les prix, le crédit, le financement, etc.) conduiront à la disparition de telles situations, en permettant de remplacer l'approvisionnement centralisé matériel et technique par le commerce de gros. Un petit nombre de pénuries sont tout de même liées à un développement insuffisant de la production, et surtout à sa non-adéquation à la demande. Il faudra un certain temps pour mettre les branches concernées à niveau, et on devra pour cela leur accorder le soutien nécessaire (crédits à des conditions avantageuses et, dans quelques cas, subventions budgétaires, par exemple). Il faudra faire appel à une stimulation renforcée pour que ces branches atteignent plus vite un rythme de croisière satisfaisant. Mais, tant que nous n'en aurons pas totalement terminé avec les pénuries, il conviendra de maintenir, dans une certaine proportion, le système de la répartition centralisée des ressources, pour un nombre limité de produits, constituant peut-être 10 %, au maximum 20 % du volume global des moyens de production en circulation.

La XIXᵉ Conférence du Parti a particulièrement souligné l'urgence de mettre en place un commerce de gros des moyens de production et l'importance primordiale que ce processus revêtait pour le bon déroulement de la perestroïka sur le plan de notre gestion économique. Auparavant, nous supposions que, en 1989, 30 % de ces moyens seraient l'objet du commerce de gros, 70 % demeurant soumis à l'approvisionnement centralisé, et que, en 1990, cette proportion s'inverserait : 40 % pour l'approvisionnement centralisé et 60 % pour le commerce de gros ; c'est en 1992, seulement, que le commerce de gros devait concerner 90 % du total. Aujourd'hui, selon la XIXᵉ Conférence, il faut modifier l'approche antérieure et envisager une augmentation plus radicale de la part du commerce de gros. Nous devons faire en sorte que, dès le quinquennat présent, en se fondant sur les nouveaux prix et sur l'achèvement de la réforme bancaire, de 80 à 90 % des moyens de production soient vendus par le biais du commerce de gros.

Mais que faut-il entendre par commerce de gros ? Cette question n'est pas simple : certains ont tendance à déclarer que le commerce de gros serait pratiquement une variante de l'ancien système centralisé. Tentation compréhensible : l'appareil du Gossnab, habitué à distribuer et à répartir, s'efforce de conserver un contenu ancien dans tout ce qui apparaît de nouveau en liaison avec la refonte de notre économie, comme cela a été le cas, en 1988, avec les commandes d'État et les normes économiques, dont il a été question plus haut.

A mon avis, le commerce de gros, c'est avant tout des liens libres, passant par des canaux multiples, entre des partenaires égaux sur le plan économique. Il peut se pratiquer soit suivant des liens directs entre l'entreprise-producteur et l'entreprise-consommateur, soit par l'intermédiaire de comptoirs de gros ou même d'une coopérative de distribution. Il faut démocratiser et développer le pluralisme au niveau de l'écoulement de la production. Si l'entreprise le désire, elle peut l'assumer elle-même, en créant des départements spéciaux. Dans de nombreux cas, l'intervention d'un intermédiaire, qui achète la production et la diffuse ensuite vers un grand nombre de consommateurs, peut se révéler plus avantageuse. S'il s'agit de biens de consommation, l'entreprise-producteur peut faire intervenir des organisations de commerce de gros, ou établir un contact direct avec les établissements de vente au détail. Aujourd'hui, ces liens directs se sont considérablement développés. Et peut-être faut-il donner aux entreprises le droit d'ouvrir à leurs frais leur propre réseau de magasins, et de passer du statut d'union de production à celui d'union de production et de commercialisation. Il ne doit y avoir, selon nous, aucun obstacle dans cette voie. Et le fonctionnement satisfaisant de nombreux magasins d'usine – en particulier en Estonie – ou de firmes agro-industrielles ayant une activité commerciale – comme Kouban ou Novomoskovskaïa – prouve la rentabilité de telles expériences.

Le développement de l'économie socialiste de marché en URSS : jusqu'où peut-on aller ?

Pour le moment, il n'existe chez nous qu'un marché des biens de consommation et des services payants, et encore, avec des distorsions et sans souci d'équilibre. A mesure du déroulement de la perestroïka, il sera complété par un marché des moyens de production, qui dépassera par son volume celui des biens de consommation. Mais l'évolution ne s'arrêtera pas là. Il y a encore un an ou deux, on pouvait se contenter de l'existence de ces deux marchés. Aujourd'hui, cela est insuffisant. Par un mouvement spontané, venu de la base, sur l'initiative des entreprises et de leurs collectifs de travailleurs, s'est amorcé un processus d'émission d'actions et d'obligations qui mène à la formation d'un marché nouveau pour nous, celui des titres. Ce sont apparemment certaines entreprises de Lvov qui ont ouvert la voie : ainsi, l'union de production industrielle Conveyor, qui fabrique principalement des lignes de production destinées en premier lieu aux usines de constructions mécaniques, a émis des actions diffusées parmi les salariés de l'entreprise ; elle a été assistée en cela par la filiale de Lvov de la Caisse d'épargne, qui a ouvert dans l'entreprise un guichet où l'on peut acquérir des actions ou les vendre. Une entreprise de la même région, qui fabrique des matériaux de construction pour le secteur agricole, s'est lancée dans une opération semblable. La firme agricole Provisen, elle, a choisi un chemin quelque peu différent, puisque ce sont diverses entreprises et organisations économiques de la ville qui en sont devenues actionnaires. Ces entreprises et organisations investissent dans le développement de la firme agricole, qui, en échange, leur fournit des légumes cultivés en serre (c'est là la spécialité de cette firme, et les sommes investies sont utilisées au développement des serres), pour les cantines et les salariés de ces entreprises. En outre, les actionnaires ont le droit de recevoir une partie du profit, proportionnelle au capital investi. La vente d'actions aux salariés de la firme agricole et à ceux des entreprises actionnaires est également à l'étude. Dans tous les cas, les achats d'actions par les salariés revêtent un caractère limité. Parfois, ces limites sont assez strictes : la somme des actions acquises, par exemple, ne doit pas dépasser l'équivalent de trois mois de salaire. Ailleurs, on fixe un montant maximal, pas plus de 5 000 ou 10 000 roubles, etc. Le versement des dividendes s'effectue lui aussi de diverses manières. Dans certaines entreprises, ils sont limités à 5 %, dans d'autres à 7 % par an. Notons, à titre d'information, que l'argent placé à la Caisse d'épargne rapporte de 2 à 3 % par an, selon le type de livret. Dans d'autres cas, là où la somme des actions acquises est limitée à deux ou trois mois de salaire, les taux d'intérêt sont bien plus élevés. Le trait caractéristique des premières expériences d'émission d'actions est que les dividendes ne dépendent pas du profit des entreprises, mais sont en général constants, ce qui confère en fait à ces actions un caractère d'obligations. Dans ces entreprises, les actionnaires ne représentent qu'une partie du collectif. Ils se réunissent de temps en temps pour entendre le rapport du directeur de l'entreprise sur la façon dont on a utilisé leur argent, examinent les moyens de développer la rentabilité, de trouver des sources supplémentaires de profit, définissent les orientations de l'utilisation du capital en actions. En d'autres termes, les actionnaires prennent une part plus active que les autres membres du collectif à la gestion de l'entreprise. Caractéristique supplémentaire, tant qu'il n'existe pas de marché des titres, les actions ne sont vendues et achetées que de façon centralisée, leurs propriétaires ne pouvant les échanger ni, à plus forte raison, les vendre à des tiers. Il ne peut y avoir d'actionnaires en dehors du collectif.

Comme on le voit, la pratique des actions et des obligations n'existe encore que sous forme embryonnaire. Mais l'important est qu'elle ait été amorcée, et on assiste dans le pays à une réaction en chaîne. Des dizaines d'entreprises – dont quelques-unes assez importantes, comme l'Union des constructions mécaniques pour l'industrie chimique de Sverdlovsk – ont décidé d'émettre des actions destinées à leurs salariés. Elles adoptent, en fait, à l'égard de la loi, une attitude qui se répand de plus en plus chez nous, selon laquelle tout ce qui n'est pas interdit est permis. Et il n'y a ni loi ni réglementation qui leur interdise d'émettre des actions ou des obligations.

Il faut noter que, dans la loi sur les coopératives dernièrement adoptée, qui fait avancer les droits des coopérateurs bien plus que ne le faisait, pour les entreprises d'État, la loi concernant ces dernières, il existe un point autorisant les coopératives à émettre des actions. En outre, cette possibilité n'y est assortie d'aucune limitation.

A l'heure actuelle, en Union soviétique, les organismes financiers étudient attentivement ces premières expériences d'émission d'actions et se préparent à élaborer des normes en réglementant le déroulement. Comme le montrent des interviews de certains responsables au ministère des Finances, ceux-ci ne se prononcent pas contre de telles opérations, mais insistent sur la nécessité d'une législation adéquate.

Ce genre d'activité sera, je pense, appelée à s'étendre : l'émission d'actions et d'obligations par les entreprises et organisations économiques, en vue de les faire acquérir par leurs salariés, est avantageuse pour les entreprises qui fonctionnent en autofinancement, lesquelles reçoivent par l'intermédiaire des actions un capital supplémentaire à des conditions plus favorables que le crédit bancaire ; elle est avantageuse, également, pour les salariés de l'entreprise, car ils touchent ainsi des dividendes plus importants que ce que pourraient leur rapporter leurs dépôts à la Caisse d'épargne. D'aucuns craignent qu'une diffusion plus large des actions ne conduise à une désaffection à l'égard des Caisses d'épargne. Cela est fondé. Mais, en même temps, il ne faut pas oublier que, en raison du faible niveau d'intérêts des dépôts dans ces établissements, beaucoup de familles conservent leur argent chez elles, et que, comme on l'a vu à Lvov, une grande partie des actions est achetée non pas avec de l'argent retiré des Caisses d'épargne, mais avec celui des bas de laine.

Il est très important d'utiliser l'acquisition d'actions comme levier d'une forme d'autogestion, de la participation des salariés actionnaires à la gestion de leur entreprise. C'est là l'un des avantages qu'offre l'introduction de l'actionnariat. Le salarié de l'entreprise qui a placé son argent dans le développement de celle-ci s'efforcera d'être plus performant pour en augmenter le profit. Pour que cette stimulation soit encore plus efficace, il est souhaitable que le montant des intérêts des actions dépende étroitement de l'activité économique, et qu'il ne soit pas soumis à un taux fixe, de 5 % par exemple. La valeur des actions que peut obtenir un salarié, dans les conditions actuelles, devrait être plafonnée à un niveau raisonnable, qui pourrait être assez élevé, mais devrait tenir compte du salaire de l'acquéreur.

Plus litigieuse est la question de la vente d'actions à des particuliers, indépendamment de leurs attaches avec une entreprise donnée. On peut craindre que, si la vente libre est autorisée, on ne voie certains accumuler des richesses sous forme d'actions. Par ailleurs, la source des revenus qui permettraient d'acquérir ainsi ces titres ne serait pas forcément le travail. Alors qu'actions et obligations peuvent procurer des revenus supplémentaires non négligeables, la vente à des tiers rendrait donc ceux-ci indépendants du travail, puisque, à la différence des salariés de l'entreprise, ces acheteurs n'auraient pas contribué par leurs efforts à accroître la richesse de l'établissement dont ils posséderaient des actions. C'est pourquoi je pense que, dans les premiers temps, ces opérations doivent être réservées au personnel de l'entreprise.

Les obligations peuvent être émises par l'État, les ministères et diverses organisations, économiques ou autres, avec un objectif bien précis. J'ai déjà mentionné la possibilité d'émettre des obligations en vue de construire des usines automobiles, avec la garantie donnée à ceux qui en auront acquis pour un certain montant qu'ils recevront leur voiture en priorité, dans un délai fixé. De même pour les télécommunications : les familles qui auront fait l'acquisition d'obligations émises par ces services se verront installer prioritairement le téléphone (dans la mesure, bien entendu, où toutes les demandes ne peuvent être satisfaites en raison des pénuries). D'ailleurs, ce dernier exemple nous vient en grande partie de l'expérience hongroise, en cours déjà depuis plusieurs années et qui a donné d'assez bons résultats. Dans le cas présent, ces obligations ne peuvent être considérées comme un moyen d'accumuler des richesses, puisqu'elles rapporteront non pas un revenu supplémentaire, mais la possibilité de bénéficier d'un service matériel concret ou d'acquérir des biens pour lesquels l'offre est déficitaire, tels que voiture, appartement ou, dans de nombreux cas, installation téléphonique, etc.

Comme on le voit, nos conceptions sur le développement des actions ou des emprunts par obligations n'en sont qu'à leurs débuts. On pourrait même dire que ce développement n'a pas encore dépassé la phase intra-utérine. Nous nous représentons mal, à plus forte raison dans les détails, à quoi conduira un tel processus. Je me risquerai malgré tout à supposer que l'on en viendra à un marché des titres accessible non seulement aux individus – la vente et l'achat de titres parmi la population revêtira probablement un caractère limité –, mais aussi aux personnes morales : l'achat d'actions d'une entreprise par d'autres entreprises, disposant de liquidités en raison de l'importance de leur profit, se développera sûrement rapidement. Cela mènera-t-il à une cotation des actions en Bourse ? Je ne saurais me hasarder à répondre à une telle question pour le moment. Contentons-nous d'examiner cette pratique et tentons de discerner quelle pourra en être, à l'avenir, l'évolution.

Lorsque nous parlons d'un marché des titres, nous envisageons une transfusion de moyens financiers d'une branche à une autre, d'une entreprise à une autre. Le marché des titres n'est bien évidemment pas la seule voie pour y parvenir. S'y ajoute aussi celui du crédit, tous deux constituant le marché financier – on ne saurait donc considérer l'un sans tenir compte de l'autre. Par ailleurs, une position de principe a également fait son chemin dans notre pays : l'obligation, pour l'URSS, de disposer à l'avenir d'un marché des devises, où seront cotées les diverses monnaies, y compris le rouble. Un problème de plus en plus d'actualité, depuis que nous avons décidé d'œuvrer à la convertibilité du rouble.

Le développement du marché socialiste implique la question du « marché » du travail. Si j'utilise les guillemets, c'est que les rapports économiques de l'ouvrier avec l'entreprise socialiste (que celle-ci soit d'État ou coopérative) sont fondamentalement différents de ceux qui existent, dans la société bourgeoise, entre l'ouvrier salarié – qui n'est pas possesseur des moyens de production – et l'employeur (ou le groupe) capitaliste – qui, lui, les détient. Dans l'économie socialiste, chaque travailleur est copropriétaire du bien de la nation ; il ne fait donc pas que vendre sa force de travail à une entreprise, mais en devient, en quelque sorte, aussi un copropriétaire. On le constate de la façon la plus évidente lors de la création de coopératives, où les coopérateurs sont, si l'on peut dire, embauchés par eux-mêmes, puisqu'ils sont propriétaires de l'entreprise.

En même temps, chaque individu est libre de choisir son travail, et effectue ce choix conformément à ses aspirations. Il y a là tous les éléments d'un marché : l'offre de la part des travailleurs, qui veulent occuper des postes donnés, et la demande des entreprises et des organisations en travailleurs. On peut considérer que le prix est le salaire et les avantages sociaux fournis par l'entreprise ou l'organisation. Il existe également certaines différences entre le possesseur de la force de travail qui s'embauche, d'une part, et l'employeur, incarné par l'entreprise ou l'organisation. L'embauche, on le sait, prend la forme d'une relation contractuelle, et les parties assument des obligations matérielles conformément à un règlement établi. De sorte qu'il y a bien, chez nous, un marché spécifique du travail, même s'il est d'une nature fondamentalement différente dans les pays capitalistes, et que sur ce marché règnent les mêmes facteurs : rapport de l'offre et de la demande, liberté de choix, etc.

En milieu capitaliste, le marché du travail est alimenté par une armée de chômeurs. Dans la société socialiste, le chômage n'existe pas. La société, incarnée par l'État, est tenue de fournir un travail à tous ceux qui veulent travailler. Auparavant, dans le système administratif de gestion, il y avait pénurie sur le marché de la main-d'œuvre, comme sur beaucoup d'autres. On enregistrait un nombre important de postes vacants dans presque toutes les branches de l'économie, atteignant un total de plusieurs millions dans l'ensemble du pays. Certains chercheurs bourgeois contestent le fait qu'il n'existe pas de chômage chez nous, qualifiant de chômeurs ceux qui ont quitté un emploi pour en prendre un autre, dans l'intervalle qui précède leur installation à leur nouveau poste.

En URSS, chaque personne, chaque travailleur qui donne sa démission peut quitter son emploi dans un délai de deux semaines. Il se voit offrir la possibilité de postuler sans entraves, à égalité avec les autres, un poste vacant. Il s'écoule en général quelque temps entre l'abandon de l'ancien poste et l'installation dans le nouveau. Les gens prolongent habituellement de leur propre gré ce délai, afin d'avoir un congé supplémentaire, d'autant que le passage d'un emploi à un autre s'accompagne fréquemment du déménagement de la famille dans une autre ville, ce qui demande également du temps. Cette interruption dans le travail est donc généralement volontaire et relève de l'initiative du travailleur. Aussi ne peut-on en aucun cas qualifier celui-ci de chômeur. Quelle est l'ampleur du phénomène ? En moyenne, le turn-over concerne, par an, de 10 à 15 % de la population active, soit de 15 à 20 millions de personnes. L'intervalle entre deux emplois est de trois à quatre semaines. Les chiffres absolus et relatifs témoignent que le niveau de l'emploi est assez élevé : alors que l'Union soviétique comptait environ 283 millions d'habitants en 1987, le nombre des actifs, à la même époque, se montait à un peu plus de 131 millions, représentant donc plus de 46 % de l'ensemble. Si l'on ne considère que la population apte au travail, 92 % de celle-ci sont occupés à plein temps dans l'économie nationale ou est étudiante, les 8 % restants étant constitués, pour une forte majorité, de femmes qui restent au foyer, principalement parce qu'elles ont des enfants en bas âge ou qu'elles sont mères de famille nombreuse.

Parmi les nations capitalistes ne se rapproche du niveau d'emploi de l'URSS que la Suède, où le taux de chômage est en 1989 de 1,3 % – le plus bas du monde capitaliste. Pour les autres de ces pays, les personnes disposant d'un emploi ne représentent que de 30 à 40 % de la population totale. Ce n'est que lorsque l'on compte les chômeurs dans la population active que leur taux de l'emploi se rapproche de celui de l'URSS. Je rappellerai à cette occasion que, selon les statistiques officielles, la part des chômeurs dans la population active est en 1989 : au Japon, de 3 % ; aux États-Unis, de 5,2 % ; en RFA, de 5 % ; en France, de 10 % ; en Grande-Bretagne, de 6,4 % ; en Italie, de 11,3 % ; aux Pays-Bas, d'environ 9,5 % ; en Espagne, de 17 %[1].

---

1. Source : OCDE, septembre 1989.

Lorsqu'il s'agit d'un pays aussi vaste et aussi varié que l'URSS, qui est en outre un État multinational, les villes moyennes montrent de très grandes disparités selon les régions. Tandis que les républiques baltes, la Biélorussie, la majorité des régions de la République fédérative de Russie souffrent d'une pénurie de main-d'œuvre dans de nombreuses branches, les républiques d'Asie centrale et l'Azerbaïdjan peuvent plutôt être considérés comme disposant d'une main-d'œuvre excédentaire, et il faut y prendre des mesures spéciales pour créer des emplois, principalement pour la génération qui arrive sur le marché du travail. C'est pourquoi la politique de la main-d'œuvre est très différente d'une région à l'autre. Là où la main-d'œuvre est excédentaire, il faut entreprendre des actions spécifiques, développer les terres agricoles grâce à l'irrigation, maintenir une place importante aux cultures employant beaucoup de bras, comme les fruits, les légumes, le coton, etc. On ouvre dans ces régions un grand nombre de filiales d'entreprises basées ailleurs, où sont embauchées principalement, après formation, des personnes originaires de la république.

Si l'on fait le bilan de ce que peut devenir le marché socialiste que nous venons d'examiner, on peut en conclure que ce marché englobera les secteurs clés de l'économie et jouera un rôle essentiel dans le développement de l'économie du pays. C'est sur le marché que les marchandises et les services produits par les entreprises connaîtront, grâce à la demande, le jugement de la société. C'est avant tout le marché qui permettra d'équilibrer le rapport production/demande et de produire de manière à mieux répondre aux souhaits et aux besoins de la population.

Toutefois le marché socialiste sera, bien évidemment, comme je l'ai déjà dit, un marché premièrement limité et deuxièmement réglementé. Les limites de notre marché résident dans le fait que, chez nous, contrairement à ce qui est le cas dans les sociétés occidentales, tout n'est pas à acheter ni à vendre. La terre, le sous-sol, de nombreuses valeurs culturelles d'importance nationale ne sont pas en vente libre. Néanmoins l'instauration, dans notre pays, d'une corrélation marchandises/monnaie et d'un marché aura, là aussi, des effets sensibles. Toutes ces valeurs sont estimées à un certain montant, que l'on doit faire intervenir dans le calcul de données économiques (normes, prix, rentabilité...) ou lors de l'aliénation des terres ou d'autres ressources naturelles dans un dessein quelconque. Bien que n'étant pas lié au marché, le prix auquel on évalue une terre ou toute autre ressource naturelle doit être pris en considération lorsque celles-ci sont temporairement données en location.

Notre marché sera, ensuite, un marché réglementé, sur lequel l'État gardera une certaine influence. Par l'intermédiaire du système des normes économiques, en développant la production de telles ou telles marchandises ou au contraire en la limitant, l'État peut agir sur l'offre ; par le biais de ce même système de normes économiques, dont l'impôt, il agit aussi sur la demande. La régulation de la circulation monétaire – en particulier au niveau des moyens de paiement – est également de sa compétence. Étant donné que la politique de crédit est placée sous la direction de la banque d'État de l'URSS, l'attribution des commandes d'État – lesquelles, dans l'avenir, ne devraient plus constituer que de 20 à 30 % du volume de la production – joue un rôle certain dans la régulation du marché. La politique de formation des prix est, en outre, un important canal d'action de l'État sur le marché, puisqu'elle permet à celui-là de fixer le prix des marchandises les plus importantes. Ce qui, je pense, ne concernera bientôt sans doute plus qu'un tiers, au maximum, des marchandises, le reste faisant l'objet de prix libres ou contractuels. Pour ces derniers, l'action de l'État se manifestera par l'élaboration des règles régissant leur formation et par la lutte contre toute tendance spéculative. Par ailleurs, l'instauration de tarifs douaniers, accompagnant la libéralisation des importations, permettra une certaine pression du marché mondial sur les prix internes.

En considérant ces deux aspects du marché socialiste – limitation et réglementation –, on peut mieux cerner le risque d'inflation auquel l'URSS devra faire face lors de la mise en place de la réforme des prix et du développement du marché socialiste – en résumé, lors du passage à des méthodes de gestion fondées sur les données économiques. Il est avant tout évident que ce risque se fera de plus en plus ressentir, dans la mesure où le principal résultat global de l'activité des entreprises, celui qu'elles s'efforceront d'améliorer, concernera, dans le nouveau système de gestion, le profit et la valeur ajoutée brute. Or tous deux dépendent directement de l'augmentation des prix. Si celui d'une marchandise s'élève de 1 %, la valeur ajoutée brute progressera, en moyenne pour la branche, de 3 % (sa part dans le prix est d'environ 35 %), et le profit d'au moins 6 % (avec une part dans le prix d'environ 15 %). On comprend donc qu'entreprises, coopérateurs, ou toute autre personne exerçant une activité économique privée, pourraient être tentés de relever fortement leurs prix, si l'on ne s'y oppose pas par des mesures anti-inflationnistes.

L'inflation sera également favorisée par le manque d'équilibre de notre économie et, avant tout, par le déséquilibre financier dont nous avons hérité, la circulation monétaire étant coupée du mouvement des valeurs matérielles, et notre pays souffrant d'une quantité excédentaire de moyens de paiement. Les importants changements structurels qui vont avoir lieu dans notre gestion, liés à l'accélération du progrès technique et à la réorientation de la production vers les besoins de la population, vers une rentabilité accrue et une meilleure qualité, auront également une influence sensible sur les rapports des valeurs.

En outre, dans le nouveau système de gestion, liberté est donnée aux entreprises de choisir la nomenclature et le volume de leur production, ce qui, s'ajoutant à la pratique de prix libres ou contractuels, représente encore un facteur d'inflation supplémentaire.

Il faut noter que, dans le système administratif, l'inflation existe déjà et que les prix fixés de manière centralisée n'en protègent pas totalement l'économie. Elle se traduit alors par la disparition d'articles bon marché, que l'on remplace par d'autres, plus chers : l'augmentation du prix moyen de chaque marchandise s'opère donc par le biais d'un changement d'assortiment. Dans ce cas, le prix de l'article, fixé de façon centralisée, demeure en général inchangé. L'inflation, alors, est provoquée par la distorsion du marché, les pénuries, le déséquilibre financier. Le taux de cette inflation est apparemment de l'ordre de 3 % par an en ce qui concerne les biens de consommation.

Celui-ci est encore plus élevé lorsqu'il s'agit de certains biens de production. Par exemple, lorsqu'on a remplacé les machines à usiner les métaux ordinaires par des machines à commande numérique, la rentabilité a à peu près doublé, mais le prix est fréquemment multiplié par 6 à 8. C'est pourquoi, pour l'ensemble des constructions mécaniques, en raison du gonflement des prix des machines, des instruments et des équipements nouveaux ou modernisés, le prix moyen d'une unité à la consommation grimpe chaque année, selon certains calculs, d'environ 4 %. Le coût sur devis des chantiers, établi séparément pour chacun, croissait naguère dans des proportions encore plus grandes. L'augmentation annuelle de l'indice du coût de la construction (également calculé par unité de valeur d'usage des capacités mises en service) se chiffrait à 5-7 %.

En décrivant les tendances inflationnistes qui sévissaient déjà dans le système administratif de gestion, il faut rappeler encore une raison qui faisait que les entreprises avaient intérêt à gonfler les prix ; la course aux quantités globales produites, vers laquelle le Gosplan orientait la production. A l'aide d'une hausse des prix cachée, il était plus facile d'exécuter et de dépasser les objectifs de ce plan – par exemple, pour les entreprises du bâtiment, d'atteindre un volume plus important de travaux de construction et de montage, ce qui entraînait primes et autres privilèges. Rien n'empêchait d'augmenter les prix, en dehors des interdictions administratives liées à la centralisation de ceux-ci. Le diktat du producteur florissait. Le consommateur n'avait aucun droit d'élever la voix contre les hausses. En outre, toutes les dépenses de l'entreprise-consommateur étant couvertes, les prix auxquels elle achetait les produits lui étaient bien indifférents.

Dans notre nouvelle gestion, la situation change. D'une part, peut-être les tendances inflationnistes augmentent-elles, ainsi que nous l'avons déjà vu, mais, de l'autre, les facteurs contrant l'inflation se multiplient largement. Le rôle du consommateur en tant que client, qui contestera la hausse des prix, se développe. Puisqu'il y aura un marché, il y aura concurrence, et le consommateur aura le choix. Comme je l'ai déjà dit, nous nous préparons à prendre d'importantes mesures pour réaliser l'équilibre du marché, en soumettant celui-ci, en même temps, à une réglementation précise concernant le volume des moyens de paiement dont les consommateurs pourront disposer. Les entreprises, fonctionnant dans un système d'autonomie comptable et d'autofinancement, seront dissuadées de régler leurs achats à des prix trop élevés. Un encadrement plus strict du crédit, fondé sur les principes économiques, agira dans le même sens. Mais tout cela ne suffira évidemment pas à contenir l'inflation. Il faudra aussi soumettre le fonctionnement financier des entreprises à des conditions qui les découragent d'augmenter le profit ou la valeur ajoutée brute en gonflant leurs prix.

On peut, par exemple, introduire une échelle progressive de l'impôt sur le profit de l'entreprise, de ses versements destinés au Budget ou aux fonds centralisés des ministères. On peut aussi introduire un impôt progressif sur la part du profit constituant le fonds de salaires, afin que le collectif de travailleurs et certains responsables ne soient pas tentés de réclamer que l'on relève les prix. En même temps, on pourrait exempter d'impôt ou imposer de manière linéaire et dans une mesure moindre le montant du profit destiné à la modernisation et au développement de la production. Ainsi l'offre concernant les marchandises faisant l'objet d'une demande importante s'améliorerait, ce qui reviendrait à faire pression sur les prix et les empêcherait de grimper de manière immodérée.

C'est chose complexe que de mettre en œuvre un mécanisme anti-inflationniste sur le marché socialiste. En Chine, en 1988, le niveau de l'inflation pour les biens de consommation se montait à environ 20 %. A mon avis, ce taux est lié à la surchauffe de l'économie entraînée par le nombre disproportionné d'ouvertures de chantier et le boom des investissements. Ce boom revêt dans une grande mesure un caractère décentralisé et a pour origine des décisions prises dans certaines provinces auxquelles on accorde, selon l'opinion de beaucoup de camarades chinois, une trop grande initiative. Dans ce pays, les banques sont privées de toute autonomie, même relative, et sont soumises à l'influence des autorités locales. Dans beaucoup de régions, ces mêmes autorités définissent également l'utilisation d'une partie du budget des entreprises – en se l'attribuant. En conséquence, les moyens non budgétaires d'investissement priment dans le volume total du financement. Les crédits bancaires se multiplient de façon inconsidérée, et la masse des moyens de paiement dans l'économie s'accroît plus vite que la production, engendrant une demande solvable trop importante. Actuellement, les Chinois lancent un programme anti-inflationniste, dont les deux maillons principaux sont une réduction sensible des investissements et la diminution des dépenses consacrées par les entreprises et les organisations à l'achat de biens de consommation, celles-ci ayant atteint des niveaux considérables. Je me suis rendu sur place en décembre 1988 et, après avoir, là-bas, rencontré dirigeants, responsables de l'économie et chercheurs, j'ai pu tirer de la situation chinoise bien des leçons utiles pour le déroulement de notre propre réforme économique. J'ai noté, en particulier, l'efficacité de la location de la terre à long terme, l'intérêt des zones franches, ainsi que la nécessité de maintenir des rapports commerciaux équivalents dans les villes et dans les campagnes, d'équilibrer les droits et les responsabilités entre le centre et les régions – il est en effet dangereux de privilégier l'un aux dépens de l'autre –, de libérer progressivement les prix et d'en lier la formation au marché, de donner aux banques un statut autonome et de leur assurer, en premier lieu, l'indépendance face aux autorités locales, etc.

Comme on peut le constater, dans notre recherche de la meilleure voie à emprunter pour parvenir à créer puis à développer notre marché, nous nous sommes penchés sur les expériences auxquelles se sont livrés d'autres pays socialistes qui, avant nous, ont adopté les rapports de marché.

En même temps, nous avons également regardé du côté des nations capitalistes, en nous efforçant d'adapter notre réflexion à nos propres besoins. Dans cette optique, deux conceptions – dans une certaine mesure opposées – du marché ont, là, retenu notre attention. D'abord, celle de l'école économique de Chicago, à laquelle adhèrent nombre de chercheurs, et, en tête, le prix Nobel de sciences économiques, Milton Friedman. C'est la conception d'un marché libre, qui nie la nécessité d'intervention de l'État dans les rapports de marché et prémonétaires, et qui considère même cette intervention comme inefficace. Lors de mon séjour à San Francisco, j'ai eu le plaisir d'être reçu par Friedman et son épouse. Avant cela, comme sans doute tous les économistes, j'avais étudié les travaux de Milton sur la théorie des prix, les problèmes d'ordre humanitaire aux États-Unis, son ouvrage sur l'inflation et, bien entendu, je connaissais les deux livres qu'il avait rédigés en collaboration avec son épouse, Rose,

Capitalisme et liberté, et *La Liberté de choix,* dont il m'a fait cadeau. Mais la parole imprimée ne peut remplacer un entretien personnel avec un grand savant, et c'est ainsi que je définirai Milton Friedman. J'ai été frappé par sa foi fantastique dans la propriété privée, excluant toutes les formes de propriété existant dans les pays socialistes. Il voit, dans la propriété privée, le marché libre, servi par des banques indépendantes de l'autorité de l'État, la seule garantie de la prospérité. Pour justifier ce point de vue, il cite des exemples de cas où l'État est intervenu de manière intempestive dans les rapports de marché et les rapports financiers. Pour lui, c'est à la mauvaise politique des gouvernements que l'on doit le krach d'octobre 1987. Même chose pour la crise de 1929, entre autres. Néanmoins, si l'on passe des concepts à l'examen des propositions concrètes avancées dans les travaux de Friedman, on constate que nombre d'entre elles peuvent nous être très utiles. A plusieurs reprises, il cite les erreurs de l'État dans sa politique monétaire – le gonflement des dépenses, qui entraîne le recours à la planche à billets, par exemple... Sans accepter la recette de Milton Friedman, pour qui les pays socialistes ne peuvent améliorer leur niveau de vie qu'en se convertissant à la propriété privée, j'ai cependant écouté avec intérêt ses remarquables raisonnements sur les causes de l'inflation en Chine, où il avait séjourné peu de temps auparavant, et sur les problèmes que connaissent d'autres pays socialistes. Malheureusement, ses œuvres ne sont pas traduites en russe, et elles ne sont pas assez connues parmi les économistes de notre pays. Il faudrait, selon moi, remédier à cet état de choses et éditer davantage les travaux des économistes occidentaux.

La vision de Friedman est en quelque sorte opposée à l'approche des représentants de l'école keynésienne, que nos spécialistes de l'économie connaissent mieux, puisque les principales œuvres de Keynes lui-même et les travaux d'autres auteurs reprenant ses idées ont été traduits en russe. Parmi ceux des économistes occidentaux, l'ouvrage le plus répandu chez nous est le manuel de Paul Samuelson.

En dehors de sa forme et de son style remarquables, ce gros livre, qui expose de façon assez systématique les théories de nombreux auteurs occidentaux sur le développement structurel de l'économie, est certainement un modèle de manuel d'économie. Malheureusement, rien de semblable n'a été écrit dans notre pays. Mon rêve serait de me libérer de mes obligations administratives et de me mettre pour plusieurs années à la rédaction d'un manuel du même genre dans la forme, mais d'un contenu plus vaste.

Sous ce rapport, l'économie est moins gâtée dans notre pays que d'autres sciences, notamment les sciences exactes. En effet, on doit à nos mathématiciens des ouvrages de haut niveau, connus en Occident – par exemple le *Cours de calcul différentiel et intégral*, de Fichtenholtz, celui de mathématiques supérieures de l'académicien V. Smirnov, le célèbre cours de physique en six volumes de Landau et Lifschitz –, tandis que nous n'avons rien de semblable, ni même d'approchant, en économie. En général, dans cette discipline, les manuels sont rédigés par une équipe d'économistes n'ayant pas toujours le même point de vue sur les sujets traités. Ils « pondent » rapidement le livre, dans lequel chacun se charge d'un chapitre. Dans certains cas, c'est indispensable, mais ce n'est pas ainsi qu'on obtiendra un ouvrage véritablement scientifique.

Nous étudions avec beaucoup d'intérêt les écrits des scientifiques étrangers qui mettent en lumière le caractère limité du marché, les aspects négatifs de son fonctionnement. Le lecteur soviétique connaît plus particulièrement les travaux du savant et publiciste américain John Kenneth Galbraith, qui, il y a peu de temps, en compagnie de son compatriote le prix Nobel Wassily Leontief, a été élu, en tant que membre étranger, à l'académie des sciences de l'URSS. E. Primakov, qui dirige la section Économie mondiale et Relations internationales de cette académie, et moi-même, en ma qualité de chef du département Économie de cette institution, avions exposé devant son assemblée générale combien il était souhaitable que nous accueillions ces deux savants parmi nous. Au moment de sa parution, la traduction de l'un des meilleurs ouvrages de Galbraith, *Le Nouvel État industriel* – qui contient une vive critique de la limitation du marché –, avait produit une forte impression sur nombre de spécialistes soviétiques. Ces derniers temps, cet auteur évoque souvent la « convergence » des économies capitaliste et socialiste. Pendant son séjour à Washington, en décembre 1987, M. Gorbatchev a rencontré, entre autres intellectuels, Leontief et

Galbraith. Celui-ci demanda alors à brûle-pourpoint au numero 1 de notre pays : « Pourquoi avez-vous peur du mot *convergence ?* » Ce à quoi M. Gorbatchev répondit : « Mais je n'en ai pas peur. » On sait que, dans la stratégie de la perestroïka, l'URSS se fonde sur la primauté des valeurs communes à l'humanité par rapport aux intérêts de classe ou de groupe. Le fait que nous ayons reconnu que beaucoup de processus étaient identiques dans les deux systèmes économiques a entraîné la nécessité d'étudier sérieusement les expériences les plus récentes qui ont eu lieu dans les pays développés, ce à quoi nous nous consacrons. Un exemple : en préparant le XIIIᵉ Plan quinquennal, nous mettons au point un nouveau système fiscal, touchant principalement au profit et à la valeur ajoutée brute des entreprises d'État et des coopératives, mais visant également à perfectionner le système de l'impôt sur le revenu des citoyens. Toutefois, nous ne disposons pas d'un savoir-faire suffisant en la matière. Aussi la commission gouvernementale chargée du perfectionnement de la gestion et de la planification du mécanisme économique a-t-elle pris la décision de constituer plusieurs équipes de spécialistes et de les envoyer dans différents pays pour étudier leur pratique de l'imposition. Certaines d'entre elles sont revenues il y a peu, et, pour ma part, m'intéressant plus particulièrement au système fiscal du Canada et de la Suède, j'ai consulté les experts qui s'étaient rendus là-bas pour entendre les conclusions qu'ils avaient tirées de leur voyage et en quoi, selon eux, l'Union soviétique pourrait s'en inspirer. On sait que la fiscalisation du Budget, qui génère une importante partie du PNB dans le monde capitaliste, le système des commandes d'État, les fonctions de coordination et de réglementation qu'exerce la banque centrale, les interventions sur les marchés des titres et des cours des monnaies sont des formes évidentes de régulation de l'économie par l'État. Et, comme on le sait, dans bien des cas, cette régulation a été très utile, notamment lorsqu'il s'agissait de faire sortir un pays d'une situation économique défavorable.

Souvenons-nous du « miracle économique », en RFA, après la dernière guerre, sous l'impulsion de l'homme d'État Ludwig Erhard, remarquable économiste. Il y a peu de temps, lors de leur visite en URSS, le chancelier Kohl et le vice-chancelier Genscher m'ont convié à déjeuner. La conversation a bien entendu porté sur les problèmes économiques que doit affronter la perestroïka, ainsi que sur les possibilités de développer les relations économiques entre notre pays et la RFA, de même que la coopération scientifique et technique. Je me suis alors souvenu d'Erhard, pour qui j'ai un grand respect et dont je considère la réforme économique, au lendemain de la guerre, comme un exemple classique d'économie très réglementée. Quel ne fut pas mon étonnement de voir, à l'évocation de ce nom, Helmut Kohl s'animer et se mettre à citer l'ancien chancelier, dont il connaît bien les travaux ! A la fin de l'entretien, il m'a même offert un volume, récemment paru, des écrits d'Erhard, avec une dédicace.

Le rôle efficace de régulateur joué par l'État dans l'évolution économique du Japon après 1945 est tout aussi impressionnant. Lorsque je me suis rendu à Tokyo, en 1987, sur l'invitation du ministre des Affaires étrangères, j'ai pu voir comment fonctionnait le ministère de l'Industrie et du Commerce extérieur, qui tient une place clé quant au développement des exportations de ce pays et à ses progrès scientifiques et techniques.

L'emploi du terme *privatisation,* de plus en plus fréquent, ces derniers temps, dans les sociétés capitalistes, est directement lié à la discussion portant sur le marché libre et l'intervention de l'État dans le domaine économique. C'est chez l'Américain E. Savas que l'on trouve les réflexions les plus approfondies sur ce qu'est la privatisation. Lors d'un séminaire restreint de trois jours – sous l'égide de l'Organisation internationale du travail, représentée par son secrétaire général –, j'ai eu l'occasion d'aborder ce sujet avec le Pr Savas et Umberto Agnelli, l'un des dirigeants de Fiat.

Il convient tout d'abord de rappeler que la privatisation ne se résume pas à la remise de la propriété d'État à des particuliers, comme beaucoup le pensent. Elle consiste en une recherche de formes nouvelles, plus décentralisées, de gestion de la propriété d'État dans les pays capitalistes. Aussi cette expression prend-elle un sens de plus en plus large, comme le pense d'ailleurs également le Pr Savas ; le mot *privatisation* ne convient pas totalement à cette opération complexe. Peut-être vaudrait-il mieux qualifier celle-ci de *socialisation* (je propose ce terme en sous-entendant un processus permettant de rapprocher la propriété de l'individu, d'éliminer l'aliénation de l'homme face à la propriété).

La propriété d'État est profondément enracinée dans les pays capitalistes. J'ai devant les yeux un tableau indiquant les résultats économiques des 18 nations capitalistes les plus développées, où figure la part de la propriété privée pour chacune d'elles. Dans une écrasante majorité – 13 pays sur 18 –, la poste, le téléphone, l'électricité, le gaz, les chemins de fer se trouvent à plus de deux tiers sous la tutelle de l'État ; chez les autres, cette proportion tombe, dans un cas, à la moitié et, pour le reste, à un quart. La majeure partie des transports aériens est aux mains de l'État dans 10 de ces pays sur 18 ; pour 2 autres, la part est de la moitié. Il en va de même, dans 4 pays, en ce qui concerne l'industrie pétrolière ; dans 5, pour les constructions navales, etc.

Le plus important mouvement de privatisation se déroule dans la Grande-Bretagne de Mrs. Thatcher ; encore que, là aussi, en dix ans de gouvernement conservateur, la privatisation n'ait englobé qu'environ un tiers des compagnies appartenant auparavant à l'État. Et il ne serait pas juste d'attribuer à ce seul processus les succès que ce pays a enregistrés dans le domaine économique au cours des huit dernières années. Le gouvernement conservateur a tiré avantage du développement de l'industrie pétrolière en mer du Nord, mais le principal facteur auquel est due cette renaissance de l'esprit d'entreprise a été la levée de diverses limitations que l'État imposait à l'activité des banques. Cela a permis à la Grande-Bretagne de récupérer les positions qu'elle avait perdues et de redevenir l'un des premiers centres bancaires et boursiers du monde. La baisse des impôts a été un stimulant supplémentaire, et on a aussi davantage encouragé le progrès technique ; l'augmentation de la demande concernant des produits anglais a généré des créations d'emplois, surtout dans le sud de l'Angleterre, entraînant une diminution du chômage. Une meilleure saturation du marché et l'assainissement de la situation financière ont permis de réduire l'inflation. Mais le plus important est que, depuis dix ans déjà, le progrès économique de la Grande-Bretagne est constant, sans à-coups ni crises. En même temps, il faut noter que persiste un taux assez élevé de chômage : 6,4 chômeurs pour 100 personnes aptes au travail[1]. L'écart entre les revenus s'est également creusé, et les régions du

---

1. Source : OCDE, septembre 1989.

Nord restent à la traîne. J'ai eu l'occasion de m'en rendre compte sur place.

La croissance du PNB britannique est liée, pour une large part, au développement des services – notamment le secteur bancaire. Le volume du capital en circulation a sensiblement augmenté, et le taux de croissance des opérations monétaires a de beaucoup dépassé celui de la production. Dans une certaine mesure, on stimule la formation du capital financier. Cette coupure entre les transactions financières, d'un côté, et le flux de l'argent et celui des marchandises, de l'autre, a provoqué une baisse des cours à la Bourse londonienne, qui a atteint son paroxysme lors du krach d'octobre 1987.

Si l'on voulait émettre un jugement d'ensemble sur la nouvelle politique économique conduite par les conservateurs – que l'on appelle parfois le thatchérisme –, on pourrait, à mon avis, la considérer comme très positive. Lors de mon premier séjour en Grande-Bretagne, en novembre 1987, j'ai eu un entretien de près d'une heure et demie avec Mrs. Thatcher. C'est sans aucun doute un grand dirigeant, qui a produit sur moi une impression ineffaçable. Elle m'a interrogé sur la réforme économique en URSS, les questions se succédant à un rythme assez rapide, et appelant des réponses claires et précises. En analysant ensuite le système selon lequel celles-là avaient été posées, j'ai compris que le Premier ministre avait réfléchi à leur ordre, afin de recevoir un maximum d'informations dans un laps de temps relativement bref. Et, bien que notre conversation ait semblé se dérouler de manière sereine, j'étais, en fait, sans cesse sous pression, car les questions impliquaient que je réponde vite, brièvement et de façon assez complète. J'avais auparavant déjà rencontré plusieurs hommes d'État, de nationalités diverses, mais je ne me souviens pas qu'un entretien sur des thèmes économiques m'ait jamais donné autant de mal. Je ne peux comparer celui-là qu'avec la conversation que j'ai eue avec Raymond Barre ; mais c'est là un éminent économiste, et il était naturel que ses questions revêtent un caractère professionnel, et donc plutôt pointu. Pendant mon entretien avec Mrs. Thatcher, j'ai eu l'impression qu'elle me faisait part assez ouvertement des difficultés qu'elle avait rencontrées lors de la restructuration de l'économie britannique. Elle a souligné qu'il y avait eu beaucoup de déceptions, ajoutant que le succès ne vient qu'après un travail acharné. Elle a aussi parlé de la nécessité de disposer d'une équipe peu nombreuse, mais qualifiée et efficace, qui applique les mesures adoptées et contrôle leur exécution.

Parlant de la réforme économique en URSS, Mrs. Thatcher a mis l'accent sur notre besoin de former des managers qualifiés, et elle a proposé les services de la Grande-Bretagne pour organiser, dans des entreprises britanniques d'avant-garde, des stages destinés à nos « hommes d'affaires ». Elle m'a, par exemple, recommandé la maison Mark & Spencer et m'a conseillé de m'y rendre. J'avais justement projeté de le faire, et j'ai beaucoup appris lors de cette visite.

Le Premier ministre m'a aussi prié, ainsi que l'ambassadeur Zamiatine, qui assistait à notre discussion, de transmettre à M. Gorbatchev une invitation à s'arrêter en Grande-Bretagne, lorsqu'il se rendrait aux États-Unis pour rencontrer Ronald Reagan. On sait que M. Gorbatchev a accepté et que, au cours de ce voyage, il a fait escale à Londres, où il s'est entretenu, à l'aéroport, avec Mrs. Thatcher.

Comment intéresser les gens aux résultats de leur travail ?

Peut-on recourir, dans un régime socialiste, au chômage « modéré » comme stimulant ?

Comment pousser les gens à rechercher de meilleurs résultats dans leur travail, comment édifier au cours de la réforme économique un système de responsabilité individuelle ? Des questions primordiales pour notre futur système économique. En effet, l'homme est la principale force productive, et c'est en premier lieu de son attitude envers le travail que dépendent la productivité, l'utilisation efficace des ressources et la qualité de la production. Et son rôle dans la production devient de plus en plus important à mesure que se développe le progrès scientifique et technique.

Le facteur humain a, en effet, une influence décisive dans ce processus. Cela apparaît, en particulier, à l'examen des réalisations récentes les plus notables, par exemple dans le domaine de la technologie de l'information. Si, il y a quinze ou vingt ans, 80 % environ des dépenses, dans l'informatique, étaient consacrées aux machines, à l'heure actuelle, cette même proportion va à la création de programmes, dont la qualité est déterminante pour le progrès de toute la technologie informatique.

Par ailleurs, le travail humain s'accompagne aujourd'hui d'un équipement technique très développé. Chaque travailleur industriel utilise des machines d'une puissance totale allant de 50 à 100 ch ou même davantage. Ainsi sa capacité se voit considérablement renforcée, et le résultat final dépend dans une large mesure de la qualité de son travail.

Il existe encore un facteur que l'on doit absolument prendre en compte. Le développement de la technologie et de l'organisation de la production se fait de telle manière que le travail devient de plus en plus collectif ; c'est pourquoi, aujourd'hui, de l'efficacité d'un seul individu dépend pour beaucoup celle de tout un groupe impliqué dans un même processus de production.

Ainsi, autrefois, un terrassier, armé de sa pelle, œuvrait tout seul, et de la qualité de son travail ne dépendait que le transport de la terre par brouette ; tandis que, à présent, un ouvrier qui manœuvre une excavatrice est assisté par plusieurs camions de grande capacité qui emportent la terre, par un bulldozer qui aplanit ensuite le terrain, etc. Il est clair qu'un à-coup dans le travail du terrassier avec sa pelle n'avait pas une grande influence sur le résultat final des travaux, puisque, à ses côtés, travaillaient des dizaines ou des centaines d'autres terrassiers, qui compensaient cette défaillance. Par contre, un arrêt de l'excavatrice non seulement désorganisera le travail des camions à benne, mais, comme les travaux de terrassement n'auront pas été effectués en temps voulu, tout le chantier sera retardé.

Il ne s'agit là que de réflexions d'ordre général, les problèmes de motivation au travail, d'intéressement, de stimulation de responsabilité individuelle occupant aujourd'hui une place centrale dans la réflexion et la pratique économiques.

Mais, dans notre pays, une circonstance supplémentaire en accentue l'importance : en raison des distorsions que nous avons connues dans la période antérieure, par suite de la domination du système administratif de gestion, qui faisait du travailleur un simple rouage dans la grande machine de l'État, nous utilisons

79

extrêmement mal le potentiel de travail. Selon nos conceptions théoriques, notre régime socialiste, où il n'existe ni exploitation, ni discrimination, ni chômage, doit pousser chacun à travailler mieux et de façon plus rentable que dans le monde capitaliste.

En réalité, nous voyons qu'avec la même technique et la même technologie nous avons besoin de plus d'ouvriers pour effectuer le même volume de travail que dans les pays capitalistes. En outre, nous fournissons souvent une production de moins bonne qualité. Par exemple, nous achetons à une firme étrangère une usine clés en main. Alors que dans cette usine, selon les normes occidentales, il devrait y avoir, disons, 200 ouvriers, nous en mettons 300, parfois même 400. Toujours selon les normes occidentales, cette usine peut fonctionner à sa capacité nominale pratiquement dès le premier jour. Or nous, nous inventons une durée de mise en train d'un an ou deux avant que le niveau souhaité soit atteint. Et cette mise en train dépend pour beaucoup de la qualité du personnel.

Parfois, mais plus rarement, on peut observer le phénomène inverse. Par exemple, nous construisons pour la Finlande des installations d'enrichissement de minerai. Selon nos normes, il faut y engager 400 ouvriers, et deux ans seront nécessaires pour parvenir à la capacité nominale. Les Finlandais, eux, embauchent 280 ouvriers, et, dès la première année, l'usine fonctionne à plein rendement.

D'où viennent de telles discordances ? C'est que nous n'avons pas trouvé de mécanisme qui garantisse, dans un système socialiste, une véritable motivation au travail ni, en particulier, qui encourage chacun à se recycler et à être performant. Pour se convaincre à quel point les choses pourraient être différentes, il n'est même pas besoin d'entreprendre des comparaisons avec les pays occidentaux : lorsque nous avons, chez nous, élaboré une forme satisfaisante d'intéressement des travailleurs, leur productivité s'est grandement accrue. Je n'en donnerai que deux exemples.

Dans la région de Novossibirsk, la production d'un travailleur agricole correspond à environ 10 000-12 000 roubles. Cet indicateur est stable et traduit une réalité globale. Mais voilà qu'il y a trois ans, sur l'initiative d'ouvriers hautement qualifiés et de spécialistes, on a lancé un mouvement pour la création de collectifs travaillant selon un mode intensif. En général, c'étaient de petites équipes, auxquelles on confiait des terres si elles se consacraient à la culture, ou des fermes d'élevage s'il s'agissait d'éleveurs. Chaque collectif louait les machines et payait de sa poche les matériaux et les services dont il avait besoin. La rémunération de ces équipes était fonction de la production livrée, compte tenu des résultats du travail de chacun, et aussi de la qualité des produits.

On a formé des dizaines et des centaines de collectifs semblables, dont les membres étaient des gens qui travaillaient auparavant dans des kolkhozes ou des sovkhozes. Ils utilisaient des machines ordinaires, de série. La seule différence résidait dans la forme d'organisation et de rémunération du travail. Là, ils se sentaient leurs propres patrons, et leur rémunération dépendait réellement de leur travail. Alors, le miracle s'est produit : ces équipes ont, en moyenne, obtenu une production annuelle équivalant à 100 000 roubles, ou même plus, par travailleur, pulvérisant toutes les normes.

Autre exemple : la production d'or en paillettes qui se pratique assez largement en URSS, surtout en Sibérie et dans les régions extrême-orientales. Ayant travaillé près d'un quart de siècle en Sibérie, j'ai visité les mines d'or et me suis intéressé à la question. Je me souviens que, dans le nord de la Iakoutie, j'ai étudié le travail d'une brigade d'orpailleurs. Elle comprenait 280 personnes. Cette brigade était installée à côté d'une mine où le même travail était effectué sous l'égide de l'État, dans des conditions d'ailleurs plus favorables, car ce gisement était plus riche en or. Néanmoins, les résultats de la brigade étaient bien meilleurs que ceux de l'entreprise d'État.

Comment l'expliquer ? Par le fait que, dans la brigade d'orpailleurs, la rémunération dépendait directement du nombre de grammes d'or obtenus, et que chaque homme en trop réduisait donc le salaire de tous. En outre, il n'y avait pas de chef de secteur, ni de sous-chef, ni d'ingénieur, toutes ces fonctions étant assumées par un conducteur de bulldozer, qui était le chef de brigade. Pas besoin non plus de mécaniciens pour réparer les bulldozers ou les pompes, puisque les conducteurs de ces machines étaient tout à fait capables de le faire eux-mêmes.

Tandis que dans la mine d'État, chaque ouvrier était rémunéré en fonction non pas de sa production, mais de paramètres personnels : le conducteur de bulldozer, pour la quantité de sable transporté ; le mécanicien, pour ses travaux de réparation, etc. C'est pourquoi, sur ce gisement-là il y avait de trois à quatre fois plus de monde.

Comme on le voit d'après ces exemples, notre retard, par rapport aux pays capitalistes, en ce qui concerne la productivité du travail, les indicateurs de rentabilité, la qualité de la production, est lié dans une grande mesure à des erreurs touchant à l'organisation et à la rémunération du travail, ainsi qu'à l'absence d'un système efficace d'intéressement personnel et de responsabilité individuelle.

Ce n'est pas bien sûr la seule raison. Dans de nombreuses branches, nous accusons un retard important au niveau de l'équipement et de la technologie. Mais je souligne le rôle du facteur humain, celui de l'organisation du travail, car tout ne se résume pas à l'équipement et à la technologie. Nous sommes aujourd'hui à une autre époque, dans une autre civilisation, et le facteur subjectif est devenu décisif pour le développement économique.

Dans le contexte de la perestroïka économique et de la réforme radicale de notre gestion, les problèmes que nous venons d'examiner se sont retrouvés au premier plan, et la tâche d'organiser, d'intéresser le travailleur, de faire qu'il se sente responsable, de créer des stimuli efficaces pour mieux produire s'impose dans toute son ampleur.

Nous étudions, là aussi, avec la plus grande attention, la pratique du monde capitaliste. Un examen superficiel pourrait laisser croire que, dans ces sociétés, la stimulation la plus importante soit la peur du chômage. Personne, en effet, n'a envie de connaître une telle situation, et donc chacun peine à la sueur de son front, en espérant que la bonne qualité de son travail lui garantira la sécurité de l'emploi. Certains économistes, en Union soviétique ou dans d'autres pays socialistes, ont émis la supposition que, dans le monde socialiste également, il pourrait être utile de recourir à un chômage « modéré » en tant qu'incitation au travail. Même un économiste et publiciste aussi réputé que Nikolaï Chmelev, dont on connaît les deux articles incisifs qu'il a publiés dans *Novy Mir*, « Avances et dettes » et « Nos inquiétudes », n'a pas résisté à la tentation et, dans le premier de ces articles, a adopté ce point de vue.

Personnellement, je doute beaucoup que l'existence du chômage soit effectivement une stimulation efficace. Quelques faits qui me viennent à l'esprit ne permettent nullement d'affirmer qu'il ait une influence positive sur la qualité du travail. En Yougoslavie, par exemple, le chômage est assez élevé, surtout parmi les jeunes. Mais on n'a pas, pour autant, enregistré un accroissement de la productivité.

En Suède, par contre, on peut dire qu'il n'existe pratiquement pas de chômage. D'après les statistiques officielles, le niveau de celui-ci par rapport à la population apte à travailler n'est actuellement que de 3 %. En outre, il n'existe quasiment que dans le Nord du pays, tandis que le Sud et le Centre, où est concentré le gros du potentiel industriel, connaissent le plein-emploi. Malgré cela, la productivité du travail en Suède est supérieure d'environ 50 % à celle de la Grande-Bretagne, où l'on compte 6,4 % de chômeurs.

Mais ce n'est bien sûr pas seulement à cause de ces considérations que je ne suis pas d'accord avec la proposition d'admettre un chômage « modéré » en URSS. Ce n'est pas là l'essentiel. Nous voyons dans le chômage une calamité sociale, un processus détériorant la vie des travailleurs. Et, dans une société où le pouvoir appartient à ces derniers, il est plus naturel de vouloir s'en préserver. Le fait que, dans le régime socialiste, le chômage n'existe plus depuis des années représente à nos yeux une grande conquête sociale, un avantage de notre système économique. Puisque la perestroïka s'accomplit dans l'intérêt du peuple et que le critère suprême de sa réussite est l'amélioration de la vie des Soviétiques, nous ne pouvons et ne devons revenir sur aucun de ces acquis.

Au cours de la perestroïka, nous devons, entre autres tâches, consolider les avantages et les aspects sociaux positifs qu'offre l'économie socialiste. C'est pourquoi, ne serait-ce que sur le plan des principes, il n'est absolument pas souhaitable que nous admettions le chômage.

Le problème de l'emploi dans le cadre de la perestroïka n'est pas simple. En effet, celle-ci s'accompagne d'une accélération du développement économique. De grands changements techniques et structurels se produiront dans l'évolution de la production, la main-d'œuvre doit être considérablement réduite dans le secteur primaire, elle diminuera dans l'agriculture, dans les branches traditionnelles de l'industrie, dans le bâtiment et dans les transports, et, d'une manière générale, le nombre des personnes employées dans le secteur productif baissera au profit du secteur des services.

Comme le montrent les calculs, d'ici à l'an 2000, nous perdrons, chaque année, de 1 à 1,5 million de postes de travail. Une certaine partie des personnes concernées seront replacées dans les mêmes entreprises, grâce à la création d'emplois générés par de nouvelles activités. Mais cela ne pourra être le cas partout, et alors se posera le problème du recyclage et de l'embauche dans d'autres entreprises.

Prévoyant une aggravation de la situation, nous avons publié il y a un an un important arrêté portant sur la garantie de l'emploi. Il prévoit de développer les agences pour l'emploi, de créer dans chaque région et dans chaque ville des centres de recyclage fonctionnant en autonomie comptable, qui concluent des contrats avec les entreprises, sans que les travailleurs aient à participer aux frais. L'État garantit l'emploi conformément à la Constitution de l'URSS.

Il faut noter que ce problème aura pour fond, dans les années à venir, de sérieux changements sur le plan démographique, dont les origines seront à rechercher dans la période de la guerre : sur le marché du travail arrivera bientôt une génération dont les parents sont nés pendant la guerre, alors que la natalité était très basse. C'est ce qui explique que l'afflux des jeunes ne sera pas aussi fort qu'il l'a été dans le passé et qu'il le sera dans un avenir plus lointain.

Par ailleurs, le nombre d'individus partant à la retraite a considérablement augmenté par rapport à la période antérieure, étant donné que, auparavant, ceux qui prenaient leur retraite appartenaient à la génération qui avait combattu pendant la guerre et que, en raison des pertes subies, leur nombre était relativement réduit. A présent, les personnes qui arrivent à l'âge de la retraite n'ont pas participé à la guerre, et on en compte donc beaucoup plus.

L'afflux sur le marché du travail sera par conséquent moindre, les départs en retraite augmenteront, et le chiffre de la population d'âge moyen montera relativement lentement dans les décennies à venir. En revanche, la proportion d'enfants et d'adolescents s'élèvera, et celle des personnes âgées deviendra considérable.

Habituellement, au cours d'un quinquennat, la population en âge de travailler s'accroissait de 10 à 11 millions d'individus. Or, pendant le XIIe quinquennat (1986-1990), elle n'aura augmenté que de 2,5 millions environ ; on estime qu'au cours des XIIIe et XIVe quinquennats, on enregistrera une certaine remontée, mais nous ne retrouverons pas encore le régime normal de reproduction de la population.

A la lumière de ces données démographiques, on peut donc considérer que le reclassement des personnes licenciées à la suite de changements structurels sera facilité.

Lors de mes voyages en Occident, on m'a très souvent demandé si la cessation d'activité des entreprises non rentables n'entraînerait pas du chômage, étant donné que cette situation se fera très fréquente lors de la mise en place du système de gestion sur des bases économiques.

Effectivement, nous avons inclus dans la loi sur l'entreprise d'État des articles concernant la fermeture des entreprises non rentables, mais nous ne disposons pas pour le moment, à la différence de la Hongrie, de la Pologne et de la Chine, d'une législation sur les faillites d'entreprises. J'espère qu'après la réforme des prix, qui est prévue pour 1990, nous commencerons à fermer celles qui ne sont pas rentables.

Cependant, je pense que le processus de fermeture d'entreprise, dans le cadre duquel les salariés sont licenciés et doivent trouver une nouvelle place, ne sera pas très répandu. Il ne touchera que quelques dizaines, peut-être quelques centaines d'installations par an. On procédera plutôt, dans le cas d'une entreprise non rentable, à sa reconversion, à son insertion dans une union prospère. En outre, le collectif de l'entreprise lui-même et l'organisme hiérarchiquement supérieur prendront des mesures énergiques pour que les choses n'aillent pas jusqu'à la faillite. En effet, les ministères de tutelle ou les soviets locaux, possédant leurs propres fonds, peuvent apporter à l'entreprise non rentable une aide temporaire, et prendre des décisions destinées à améliorer son fonctionnement.

Bien sûr, il peut y avoir des entreprises qui se trouvent réellement dans une situation désespérée, et qu'il sera alors plus facile de fermer que de ressusciter. Le plus grand nombre de ces cas appartiennent à l'industrie minière, dans les régions où les conditions géologiques et économiques d'extraction se sont détériorées. On a déjà fermé, à l'heure actuelle, quelques-unes de ces installations, même si l'on en maintient d'autres artificiellement en vie.

Par suite de la réorientation vers une meilleure utilisation des ressources et la réduction des taux de croissance de l'industrie minière, on pratiquera dans le secteur primaire une politique beaucoup plus stricte, en liquidant les mines nettement déficitaires, les exploitations forestières non rentables, etc.

Dans l'agriculture, on peut considérer qu'environ 1 500 kolkhozes sont irrémédiablement déficitaires. Étant donné qu'après l'augmentation des prix de collecte qui a accompagné, en 1982, l'adoption du Programme alimentaire, et au cours des années suivantes, dont plusieurs ont connu de bonnes récoltes, ces kolkhozes n'ont pu liquider leur déficit, ont contracté auprès de l'État des dettes importantes qui augmentent chaque année, il est logique de les dissoudre et d'organiser à leur place des coopératives, des brigades en contrat-bail, en développant le bail familial sur les terres libérées. Et tout cela, bien entendu, avec le plein accord des paysans. Sans doute une partie de ceux-ci voudront-ils aller travailler dans d'autres exploitations agricoles plus rentables, ou en ville, et cela sera aussi un processus normal.

Pour conclure, j'exposerai mon propre point de vue : je suis persuadé qu'il y aura beaucoup plus de licenciements dus à des modifications structurelles et à des modernisations qu'à la liquidation des entreprises non rentables. Et le mécanisme de réembauche sera le même.

Si une personne doit être licenciée en raison de la disparition de son poste ou de la fermeture de l'entreprise, selon nos nouveaux actes normatifs, elle doit être prévenue six mois avant la date du licenciement. Lors de celui-ci, elle touche en règle générale trois mois de salaire d'indemnité. Si elle ne peut ou ne veut pas chercher elle-même un autre travail, elle a à sa disposition les agences pour l'emploi, qui sont tenues de lui assurer un nouveau poste.

Notre pays est très vaste et très diversifié, et les conditions de travail sont également fort différentes selon les régions. En ce qui concerne la main-d'œuvre, certaines régions sont déficitaires, d'autres, excédentaires.

Parmi celles où il existe actuellement un pénurie de travailleurs, et où des centaines de milliers de postes sont vacants, il faut classer la République fédérative de Russie, une grande partie de l'Ukraine, la Biélorussie et les républiques baltes. On observe dans ces régions une natalité assez basse, et c'est là que l'on ressent le plus les conséquences démographiques de la guerre, dont nous avons parlé plus haut.

Au nombre des régions excédentaires en main-d'œuvre, il faut ranger principalement l'Asie centrale et l'Azerbaïdjan. Là, en raison de particularités ethniques et nationales, s'est maintenue une natalité élevée, de trois à quatre fois supérieure à celle des régions déficitaires. On y ressent moins les conséquences démographiques de la guerre, car ces territoires étaient éloignés de la ligne du front. Pour occuper la population en âge de travailler, qui s'accroît, il faut entreprendre des efforts particuliers visant à créer un nombre important d'emplois supplémentaires.

Par exemple, au cours de ces neuf dernières années, la population d'Ouzbékistan est passée de 15,4 à 19,6 millions d'individus, augmentant donc de 4,2 millions, tandis que celle de l'Ukraine, où résident plus de 50 millions de personnes, a augmenté trois fois moins, soit de 1,6 million. Dans le même temps, la population de l'Azerbaïdjan s'est accrue de 900 000 habitants, celle du Tadjikistan de 1,1 million, celle de Kirghizie de 700 000, de même que celle de Turkménie, alors que la Biélorussie, où vivent de deux fois à deux fois et demie plus de gens, n'enregistre qu'un accroissement de 600 000 personnes. La Lettonie, qui comptait auparavant autant d'habitants que la Kirghizie et le Tadjikistan, et plus que la Turkménie, n'a vu sa population s'enrichir que de 300 000 individus.

Afin de créer des emplois dans les régions d'Asie centrale et d'Azerbaïdjan, on y développe de façon intensive les branches agricoles grandes utilisatrices de main-d'œuvre, comme les cultures maraîchères et fruitières. On ouvre un grand nombre de filiales d'entreprises et d'organisations diverses, et on construit de nouvelles usines, principalement vouées à la transformation poussée des produits locaux.

Nous avons donc vu que, sous le régime socialiste, le chômage ne saurait être utilisé comme incitation au travail. Comment alors, avec le plein-emploi, encourager la qualité ? Dans ce domaine, l'application constante du principe socialiste de répartition en fonction du travail revêt une importance primordiale. Soit « de chacun selon ses capacités, à chacun selon son travail ». C'est le principe fondamental du socialisme. La répartition d'après le travail fourni trouve une profonde justification théorique sous le socialisme. Si la propriété est sociale et que tous les travailleurs la partagent, chacun peut puiser dans le chaudron commun des produits et des services, proportionnellement au travail qu'il a investi dans cette production.

Il va de soi qu'avant de recevoir sa part de biens de consommation dans le volume de produits disponibles, il faut couvrir les dépenses matérielles, consacrer une partie des gains à l'accumulation, constituer les fonds sociaux destinés à couvrir gratuitement ou à des conditions avantageuses les besoins de la société concernant la santé, l'éducation, le versement de pensions, etc., déduire les dépenses destinées à la défense et à l'administration. Le principe de répartition proportionnellement au travail est le plus juste dans une société où l'abondance n'est pas encore réalisée. Tous les membres de la société se retrouvent dans la même situation : chacun reçoit selon son travail, c'est-à-dire autant qu'il a investi.

Mais que signifie « selon son travail » ? Il faut, bien sûr, prendre en considération non seulement la quantité de travail fourni, mais aussi sa qualité, car un travail de qualité, hautement qualifié, comme l'écrivait Marx, c'est le travail ordinaire démultiplié.

Pour être tout à fait juste dans la répartition en fonction de la quantité et de la qualité, il faut donner aux gens la possibilité de travailler conformément à leurs capacités, et cela est prévu dans la première partie du principe socialiste de répartition, « de chacun selon ses capacités ». Cela est loin d'être simple à réaliser.

En effet, pour que chacun puisse travailler selon ses capacités, il faut avant tout développer celles-ci. Et c'est là que le système de l'instruction joue un rôle décisif. Chacun doit avoir libre accès à l'instruction et recevoir celle qu'il veut et qu'il est capable d'assimiler.

A l'heure actuelle, on réalise en URSS, dans le cadre de la perestroïka, la réforme de l'enseignement, et ce à tous les niveaux, y compris l'enseignement professionnel, l'université et la formation permanente. Le but est de donner aux jeunes, dès l'école, des rudiments de formation au travail productif et de leur apporter une culture générale de base qui leur permette d'acquérir par la suite une formation professionnelle satisfaisante.

Auparavant, la formation professionnelle, même dans l'enseignement supérieur, était étroitement orientée et spécialisée. Ce n'est plus suffisant : avec la révolution scientifique et technique, on assiste à d'importants changements structurels qui se font très vite ; les gens doivent donc sans cesse se recycler, ce qui, au départ, nécessite un bon niveau d'instruction.

C'est pourquoi on a aujourd'hui une approche nouvelle de l'enseignement professionnel et de l'enseignement supérieur : on préfère désormais, dans la mesure du possible, former des spécialistes au profil plus large, qui puissent, éventuellement, cumuler les métiers, qui soient capables d'approfondir par eux-mêmes leurs connaissances, de se recycler et de s'adapter.

Comme exemple d'un enseignement ouvert sur l'extérieur, on peut citer celui que dispense l'Institut de physique technique, qui a été fondé à la fin des années 40 pour former des spécialistes aux nouveaux domaines de la science et de la technique, en particulier l'énergie nucléaire, la technologie laser, la chimie des radiations, etc. Le trait distinctif de cet institut est le lien organique qu'il entretient avec les instituts de recherche et les entreprises leaders dans les secteurs et les domaines d'activité auxquels sont destinés les spécialistes qu'il forme. Et il est tout à fait logique que les diplômés de cet institut soient aujourd'hui à la tête d'importants collectifs scientifiques, d'études et de projets, et travaillent avec succès dans les branches de la production à fort investissement scientifique aux avant-postes de la science et de la technique.

Une autre condition pour que s'épanouissent pleinement les

capacités personnelles est que les emplois proposés non seulement soient attirants aux yeux des jeunes qui abordent la vie professionnelle, mais également qu'ils exigent d'eux un recyclage constant.

La grille des emplois est actuellement, en URSS, relativement désuète, en raison, pour une large part, du caractère obsolète des structures de notre économie nationale elle-même, qui présente une hypertrophie du secteur primaire et des activités traditionnelles, face à un développement insuffisant des branches à forte teneur scientifique et des services. Les technologies modernes de masse, qui doivent, à terme, permettre l'embauche de centaines de milliers de personnes, n'en sont encore qu'au stade initial. Les domaines concernés par ces nouvelles technologies seront principalement l'information, l'automatisation, la fabrication de matériaux de pointe, la biotechnologie, etc.

Le côté obsolète de l'emploi en URSS est dû aux choix qui ont été opérés lors des périodes antérieures quant au développement technique : on a préféré concentrer tous les efforts sur la production principale, en conservant, pour le reste, les anciennes méthodes. En raison du manque de spécialisation et de coordination, dans de nombreuses entreprises, de 40 à 50 % des travailleurs sont ainsi occupés à des tâches secondaires, fréquemment réalisées de façon semi-artisanale. Ce qui explique que les travaux manuels, souvent pénibles, monotones et peu qualifiés, tiennent encore une place très importante.

La nouvelle politique d'investissement est liée à la modernisation radicale de toutes les branches de l'économie nationale, qui doit s'accompagner d'une refonte totale de la grille des emplois. Il est ainsi prévu que la proportion des personnes occupées à des tâches manuelles dans la production passe de 50 %, actuellement, à 15-20 %, en l'an 2000. A mesure du progrès technique, de l'informatisation de la production, le contenu du travail se modifiera également pour ceux qui sont en poste sur des machines : il sera plus créatif, plus intéressant et donc plus attirant.

Ces derniers temps, la robotisation a fait une entrée en force dans notre industrie, avec l'apparition de centres d'usinage, et même d'ateliers « flexibles », et l'utilisation des nouvelles technologies de pointe assistées par ordinateur, dans la chimie et la métallurgie.

On peut constater combien les jeunes sont attirés par tout cela et sont passionnés par leur travail. Je pense que ce processus s'étendra à des champs d'activité de plus en plus nombreux.

Nous n'avons pour l'instant considéré que la première partie du principe fondamental énoncé plus haut : de chacun selon ses capacités. Mais la seconde – soit : à chacun selon la quantité et la qualité de son travail – est, elle aussi, essentielle. Comment inciter l'homme à mieux travailler, à fournir un travail de meilleure qualité, plus intensif, comment faire pour que, dans une entreprise d'État ou dans une coopérative, chacun travaille comme pour lui-même, et peut-être encore mieux ? Mieux, parce que, selon Marx, travailler au sein d'un collectif, sous les yeux de ses camarades, doit engendrer la « force productive supplémentaire du travail collectif ».

Le pas décisif sera de transformer le salarié d'une entreprise en patron de cette entreprise. Au temps du système administratif de gestion, le travail étant organisé selon des ordres venus d'en haut, est née progressivement une aliénation du travailleur par rapport aux moyens de production. Ceux-ci étaient, certes, propriété du peuple tout entier, mais c'était l'État qui en disposait. C'étaient les organes suprêmes de l'État qui décidaient. Et bien qu'en principe cet État soit celui des ouvriers et des paysans, et qu'il doive représenter les intérêts de ceux-ci, on n'avait pas trouvé de système qui fasse coïncider les intérêts économiques réels d'un individu et les intérêts généraux de la société, qu'incarnait l'État. Dans l'entreprise, les biens qui étaient propriété de la société étaient traités comme s'ils n'appartenaient à personne. Très souvent, le salaire était indépendant de la bonne ou de la mauvaise utilisation de ces ressources. C'est pourquoi on assiste, en URSS, depuis une trentaine d'années, à une baisse de rentabilité du capital dans l'économie nationale considérée globalement et dans chacun de ses secteurs principaux – industriel, agricole ou autre –, processus qui est caractéristique de cet état de fait.

En d'autres termes, d'année en année, l'appareil productif du pays devenait moins rentable. L'argent investi dans le secteur productif permettait de moins en moins de production. Dans chacun des quinquennats écoulés de 1970 à 1985, la rentabilité du capital fixe a diminué de 15 %, soit environ 3 % par an.

Le volume de la production augmentait, disons de 3 à 4 % en moyenne annuelle. Mais, pour cela, il fallait augmenter le capital fixe de 6 à 7 % par an. Par conséquent, chaque rouble investi apportait de moins en moins de revenu, le nombre des chantiers inachevés s'accroissait, et, pour diverses raisons, les capacités disponibles n'ont pas, pendant des années, été pleinement utilisées.

La même indifférence régnait parmi les salariés en ce qui concerne l'utilisation des matières premières et des matériaux. Leur gaspillage n'avait pas non plus, dans la majorité des cas, de répercussions sur le salaire. C'est pourquoi, au cours des vingt dernières années, nous avons pris un retard considérable sur les autres pays développés en ce qui concerne les dépenses d'énergie, de métal et autres matériaux par unité de production. En consommant presque autant de combustible et de matière première que les États-Unis, nous produisons un volume de marchandises et de services inférieur de moitié. Par exemple, pour 1 mètre cube de bois scié, nous produisons trois fois moins de produits finis qu'aux États-Unis. Nous produisons deux fois plus d'acier que ce pays, mais nous en faisons bien moins de machines et d'équipements, si l'on considère non pas le poids de ces machines (pour le poids, bien entendu, nous battons le record du monde !), mais la rentabilité et l'efficacité.

Même après la crise de l'énergie et des matières premières, alors que les prix de ces dernières et du pétrole, ou d'autres combustibles, ont considérablement augmenté et qu'il s'est produit dans le monde un tournant radical vers les économies d'énergie, nous n'avons pas beaucoup avancé dans ce sens.

Ce comportement irresponsable à l'égard des moyens de production s'est progressivement étendu à la manière même de travailler. Auparavant, la tradition voulait que le travail bien fait, qui se traduisait par un produit de qualité, fût à l'honneur. Bien entendu, notre pays, qui avait alors un grand retard, n'avait pas beaucoup de possibilités, et nous ne disposions pas, par exemple, d'aussi jolies couleurs ni d'aussi beaux emballages qu'en Occident, ce qui fait que l'aspect extérieur de nos articles en souffrait un peu. Mais, si l'on prend nos produits d'il y a trente ou quarante ans, sans remonter plus loin, ils étaient fiables et de bonne qualité.

Je me souviens de nos premiers téléviseurs. Ils fonctionnaient pendant dix à quinze ans sans réparations, et, dans les années 50, nous ne savions pratiquement pas ce qu'était un réparateur de téléviseurs. Les réfrigérateurs de marque Zil, fabriqués par l'usine automobile Likhatchev de Moscou, marchaient pendant vingt ans sans panne. J'ai jusqu'à présent dans ma maison de campagne un des premiers appareils de cette marque.

Quand j'avais trente ans, mes camarades se sont cotisés pour m'offrir une nouvelle montre de fabrication soviétique, une montre ordinaire, produite en grande série, avec une inscription gravée, m'invitant à ne pas oublier l'heure, le jour de ma soutenance de thèse de doctorat. Deux ans plus tard, je soutenais cette thèse, mais la montre a marché sans problème pendant quinze ans, et elle aurait pu durer encore autant. Malheureusement, tout cela, c'est du passé.

Peu à peu, surtout pendant la période de stagnation, le prestige du travail de qualité a commencé à se perdre. Les gens se sont de plus en plus désintéressés de leur travail. Malgré un nombre important de contrôleurs, la qualité de la production s'est détériorée. Bien sûr, les produits étaient plus complexes, c'était plus difficile de les faire aussi solides et fiables qu'autrefois. Mais la technique s'était aussi améliorée, de même que la qualification des ouvriers.

Depuis quelque temps, il est difficile de trouver un téléviseur qui ne tombe pas en panne avant la fin du délai de garantie. Une instruction du ministère du Commerce ne prévoit la possibilité d'échanger un poste que si, au cours de ce délai, il a connu au moins trois pannes graves, ce qui souligne la mauvaise qualité de la production, à quoi s'ajoute une attitude inacceptable à l'égard du consommateur. Actuellement, il est question que l'on revienne sur cette instruction.

Quant à nos montres, elles sont devenues plus jolies, mais de moins bonne qualité. Si les anciennes étaient exactes, à la minute près, on pourrait dire de celles d'aujourd'hui, tout au moins de celles auxquelles j'ai eu affaire – et je me suis toujours efforcé de porter des montres de fabrication soviétique –, qu'elles sont les plus rapides du monde.

Un réfrigérateur sur 15 ou 20 que nous fabriquons maintenant doit être réparé au cours de sa première année d'utilisation.

Et tout cela, c'est le fruit de l'aliénation du travail, de la perte par le salarié du sentiment d'être son propre patron, de l'absence d'intérêt envers le résultat final de son activité.

C'est une tâche des plus difficiles, mais aussi le problème clé de toute la perestroïka, qui s'impose à nous : liquider cette aliénation des salariés face aux moyens de production, les en rendre véritablement propriétaires, les inciter, par un intéressement matériel, à rechercher des résultats suffisamment performants. Nous réfléchissons avec acharnement aux formes et aux méthodes qui nous permettront d'atteindre ce but.

La difficulté réside en ce que cet intéressement doit pouvoir concerner aussi bien la totalité du collectif des travailleurs de telle ou telle entreprise qu'un groupe particulier de ses salariés – un atelier, une section... – ou même que chacun pris individuellement.

En fait, le passage de la gestion administrative à un système fondé sur les données économiques, et toutes les transformations que ce passage entraîne, aidera plus ou moins à résoudre ce problème. Globalement, des efforts seront faits, lors de la mise en place dans les entreprises de l'autonomie comptable intégrale, de l'autofinancement et de l'autogestion, en vue d'intéresser matériellement leur collectif de travailleurs.

Dans ces nouvelles conditions de gestion, ce dernier doit faire face à toutes les dépenses de l'entreprise grâce aux recettes. C'est là que résident, en fait, l'autonomie comptable intégrale et l'autofinancement. Une fois que l'entreprise a compensé toutes les dépenses matérielles, s'est acquittée de ses versements au Budget et aux fonds de l'organisme hiérarchiquement supérieur, a mis à jour ses comptes avec banques et clients, les bénéfices restants, qui représentent la valeur ajoutée brute, sont, conformément à la loi sur l'entreprise d'État, à la disposition du collectif. A partir de cette valeur ajoutée brute sont constitués le fonds de salaires et les fonds de stimulation économique à la production – développement de la production, recherche-développement, développement social et encouragement matériel. Habituellement, le collectif bénéficie de plus des trois quarts de la valeur ajoutée brute, sous forme soit du fonds de salaires, soit du fonds de développement social, qui est utilisé pour la gestion des établissements pour enfants, des colonies de vacances, des cantines, pour la construction de logements et autres infrastructures destinées aux travailleurs. En ce qui concerne le fonds de développement de la production, il sert avant tout à moderniser l'entreprise afin d'améliorer les conditions de travail et d'assurer la croissance de la rentabilité, et, par conséquent, de permettre qu'augmente la valeur ajoutée brute de l'entreprise.

On voit, d'après ce bref exposé sur l'utilisation des moyens de l'entreprise fonctionnant en autonomie comptable, dans les nouvelles conditions de gestion, le lien direct entre les recettes du collectif des travailleurs et les résultats de son activité, qui sont représentés le plus pleinement dans le volume de la valeur ajoutée brute.

Mais ces résultats, de même que le montant des dépenses, ne pourront, bien entendu, être correctement évalués que si les prix et la taxe sur les ressources naturelles ont, eux aussi, été correctement calculés. Le système de prix existant, qui nous vient de la période où régnait la gestion administrative, incite à gonfler les dépenses et donne une image totalement faussée de la rentabilité économique et des dépenses de main-d'œuvre nécessaires à la fabrication des produits.

C'est pourquoi, dans les conditions actuelles, résultats et dépenses sont tous deux évalués de façon erronée. Le système des normes économiques individuelles ainsi que les dotations de l'État aux entreprises déficitaires visent à tempérer quelque peu ces distorsions.

Lors de la réforme des prix et de leur formation, on fixera une taxe sur toutes les ressources. Cela permettra de mieux estimer les résultats et les dépenses. De sorte qu'après l'introduction des nouveaux prix, la valeur ajoutée brute reflétera de façon plus correcte et plus objective l'apport du collectif des travailleurs dans le revenu social.

La partie de la valeur ajoutée brute la plus sensible pour les salariés de l'entreprise, c'est le fonds de salaires. Conformément à la loi sur l'entreprise d'État, dans le nouveau système de gestion, celui-ci peut être formé de deux façons.

Dans le premier modèle d'autonomie comptable, le fonds de salaires est constitué selon une norme économique stable. Cette norme établit le rapport entre le montant de ce fonds et le volume de la production, qui peut s'exprimer en termes de production marchande, de production nette conventionnelle ou de production nette. Jusqu'à maintenant, nous nous sommes référés, pour l'essentiel, à la production marchande ou à la production nette conventionnelle, indicateurs qui ni l'un ni l'autre n'entraînent véritablement à mieux gérer les ressources matérielles, ce facteur n'ayant que peu d'influence sur leur évolution. C'est pourquoi, aujourd'hui, on accorde une attention de plus en plus grande à l'indice de la production nette réelle, qui augmente selon que l'on a réussi, ou non, à économiser les matériaux et incite donc davantage à se montrer économe. En tout cas, le choix de cet indicateur-ci, dans les entreprises et les unions de l'industrie de raffinage du pétrole et de la pétrochimie, a été une expérience positive : celles-là se sont vues poussées à une transformation du pétrole plus sophistiquée et à une meilleure utilisation de l'énergie, des matières premières et des matériaux. Aussi se propose-t-on de recourir dorénavant plus largement à ce dernier indicateur et d'en étendre l'emploi à d'autres branches.

La norme économique qui sert à définir le montant du fonds de salaires peut être établie soit sous forme d'indice de croissance soit sous forme d'indice de répartition. Dans le premier cas, le point de départ de la constitution de ce fonds est le fonds de base qui existait dans la période précédente. Ensuite, on y ajoute une somme calculée selon l'indice de croissance de la production marchande. Par exemple, une augmentation de 1 % de celle-ci se traduit par 0,4 % supplémentaire destiné au fonds de salaires.

On peut facilement se rendre compte que, avec ce système, les entreprises qui ont au mieux utilisé leurs réserves disponibles pour assurer leur croissance économique se retrouvent défavorisées par rapport à celles qui, fonctionnant mal, ont des réserves importantes et peuvent donc gonfler leur production.

L'autre approche possible consiste à se référer à un indice de répartition qui fixe la part du fonds de salaires selon le volume, par exemple, de la production nette conventionnelle. Un indice, disons, égal à 0,6 % signifie que le fonds de salaires peut correspondre à 60 % de ce volume.

Après le prélèvement sur la valeur ajoutée brute de l'entreprise du fonds de salaires – calculé, nous l'avons vu, en fonction d'une norme –, le profit restant est destiné aux diverses formules d'incitation. De sorte que, ici, la rémunération du travail, sous quelque forme que ce soit, provient d'un fonds unifié regroupant le fonds de salaires et celui d'encouragement matériel.

Le second modèle d'autonomie comptable, à la différence du premier, prévoit que le fonds de salaires est constitué sur un mode résiduel ou en fonction des résultats. Dans ce système, on définit tout d'abord, à partir de la valeur ajoutée brute qu'enregistre l'entreprise, les parts des autres fonds – développement de la production, recherche-développement et développement social. Ce qui reste constitue le fonds unifié de rémunération.

Dans ce modèle-ci d'autonomie comptable, les stimulants économiques agissent davantage, puisque toute augmentation de la rentabilité influe directement sur le fonds de rémunération du travail du collectif des travailleurs, et donc sur le salaire de chacun. Dans le premier modèle, au contraire, une partie des économies réalisées (ou des dépenses excédentaires) se répercute sur le profit, et cela influe sur le montant du fonds de salaires, non pas directement, mais indirectement, par l'intermédiaire du fonds d'encouragement matériel, qui ne reflète qu'une petite partie de ces économies (ou des dépenses excédentaires). La principale part des économies ou des dépenses excédentaires se répercute sur les relations entreprise-Budget, et aussi sur le montant du plus important des fonds de stimulation, celui qui est destiné au développement de la production et à la recherche-développement.

En outre, l'existence, dans le second modèle d'autonomie comptable, d'un fonds unifié de rémunération rend les rapports entre le résultat du travail et sa rémunération plus simples et plus compréhensibles que dans le premier modèle, où la rémunération provient, d'une part, du fonds de salaires, formé selon une norme donnée, et, d'autre part, du fonds d'encouragement matériel, constitué, lui, suivant d'autres critères, à partir du profit restant.

En 1988, lors de la mise en place des nouvelles conditions de gestion, c'est d'abord la première forme d'autonomie comptable qui a dominé. La norme selon laquelle était formé le fonds de salaires était fixée, année par année, dans les limites du

XIIe quinquennat, de façon individuelle pour chaque entreprise, en fonction des objectifs du XIIe Plan. Comme le montre le bilan de l'industrie pour 1988, ce mode de formation du fonds de salaires n'a pas suffisamment incité ce secteur à économiser les ressources matérielles ni à mieux utiliser le capital fixe productif.

Cependant, ce premier modèle d'autonomie comptable a davantage stimulé la productivité au travail. Et cela se comprend : le fonds de salaires et le fonds d'encouragement matériel représentent la part susceptible d'être répartie entre les salariés, du nombre de ces derniers dépend le montant du salaire de chacun. Si l'entreprise arrive à fonctionner avec moins de personnel, le salaire moyen augmente, et vice versa.

En 1988, les entreprises fonctionnant selon les nouvelles conditions de gestion ont accru leur productivité au travail de 6,4 %, pour 4,2 % seulement chez celles qui ne s'étaient pas encore du tout reconverties. On a ainsi réalisé un progrès sensible, puisque, en 1987, l'augmentation n'avait été que de 3,6 % dans l'industrie.

En 1988, un millier d'entreprises seulement fonctionnaient déjà selon le second modèle d'autonomie comptable, principalement dans l'industrie électrotechnique sous tutelle fédérale et dans l'industrie textile de Biélorussie. Le taux d'accroissement de la productivité au travail dans les entreprises relevant du ministère de l'Industrie électrotechnique a atteint 11,4 % pour environ 7,5 % dans les entreprises de cette même branche qui fonctionnaient selon le premier modèle. Et les unions de production du ministère de la Géologie converties au second modèle ont, elles, connu un véritable boom : la rentabilité y a augmenté de 25 %, avec une amélioration sensible de tous les autres indicateurs de qualité du travail.

Là où on a adopté le second modèle d'autonomie comptable, on a moins dépensé en ressources matérielles, et le capital fixe productif a également été mieux utilisé. La conclusion s'impose donc : ce modèle-ci est plus efficace, plus stimulant que le premier.

Pourquoi, alors, est-il si peu répandu ? Seules 1 000 entreprises, environ, ont opté pour lui, tandis que, rien que dans l'industrie, 30 000 fonctionnent selon le premier modèle. Le second est plus risqué pour le collectif, puisque, dans ce cadre, le résultat du travail dépend pour une très large mesure d'une fixation rationnelle des prix. Étant donné que la réforme en la matière n'est encore que dans sa phase préparatoire, beaucoup craignent que les nouveaux prix ne placent le collectif qui aura adopté le second modèle dans des conditions difficiles. Le premier est moins stimulant, certes, mais offre plus de sécurité.

Il faut aussi considérer que les textes normatifs ont été au début élaborés en fonction du premier modèle, qui était considéré comme le principal. Il était en outre difficile d'appliquer le second modèle, tant que l'on n'avait pas défini à l'avance le montant de l'impôt à verser au Budget, à partir de la valeur ajoutée brute de l'entreprise, ni les normes de formation des fonds de développement de la production et de développement social, etc. Dans les deux modèles, l'instauration d'une taxe sur les ressources revêt une grande importance.

Habituellement, l'entreprise acquitte une redevance sur le capital productif se montant à 6 % de sa valeur : sur la main-d'œuvre, de 300 roubles par salarié et par an (dans les régions excédentaires en main-d'œuvre, cette redevance est réduite). Lors de la fixation de nouveaux prix, on introduira également une taxe sur la terre, l'eau et les autres ressources naturelles. Si les ressources productives sont mal utilisées, c'est-à-dire si l'entreprise produit peu, le montant de la taxe sur les ressources par unité produite est, proportionnellement, assez élevé, ce qui réduit la valeur ajoutée brute et, par conséquent, les sommes destinées à la rémunération du collectif. Au contraire, si l'entreprise utilise mieux les ressources et produit davantage, la taxe sur les ressources par unité produite voit son taux baisser, et la valeur ajoutée brute s'accroît en proportion. Puisque les ressources mises à la disposition de l'entreprise appartiennent à l'État, qui en est le propriétaire, cette taxe peut être considérée comme une sorte de loyer que versent l'entreprise et son collectif pour en disposer.

Jusqu'à présent, nous avons parlé de l'intéressement du collectif de l'entreprise dans son ensemble. Mais une entreprise, c'est une formation assez importante. Ainsi, dans les entreprises industrielles travaillent en moyenne de 600 à 800 personnes ; dans les kolkhozes et les sovkhozes, de 300 à 600. Il faut donc, dans le cadre de l'autonomie comptable, parvenir, parallèlement à l'intéressement du collectif de ses travailleurs en tant que tel, à intéresser aussi les « microcollectifs » que constituent les brigades, les équipes, les différentes sections de l'entreprise.

Sous cet angle, à l'initiative des salariés eux-mêmes, on a trouvé une forme efficace, le contrat collectif. Celui-ci peut n'être passé qu'avec une toute petite unité de quelques travailleurs, mais il peut aussi être beaucoup plus important et en regrouper, mettons une centaine. Dans ce cas, le microcollectif conclut un contrat avec l'administration de l'entreprise pour exécuter un ensemble de tâches. Il est souhaitable que cet ensemble représente un cycle complet, et qu'il se traduise par un objectif concret – une maison à construire, un article particulier à fabriquer, etc. On met alors à la disposition du microcollectif les matières premières et les matériaux nécessaires, on assure divers services, et ses membres sont rémunérés en fonction du résultat final de leur activité, conformément à ce qui a été convenu.

Le contrat collectif peut impliquer la fourniture de certains types de ressources ou même déboucher sur l'autonomie comptable complète.

Sous sa forme la plus simple, les travailleurs sont payés à la tâche, en fonction d'un tarif unique. Si, par exemple, les ouvriers d'une chaîne de fabrication de chaussures produisent, en tant que microcollectif sous contrat, des tennis, ce microcollectif sera payé selon un tarif unique pour chaque paire. A lui, une fois qu'il aura engrangé son fonds de salaires, de le répartir démocratiquement entre ses membres.

Plus complexe, le contrat collectif peut en plus couvrir la dépense en combustibles, matières premières et matériaux. Dans ce cas, le microcollectif « achète », en quelque sorte, ces valeurs matérielles à concurrence d'une certaine somme qu'on lui alloue ; s'il parvient à fabriquer le produit demandé, en respectant la qualité voulue, pour un coût moindre, l'argent économisé s'ajoute à sa rémunération.

On a déjà là un embryon de recouvrement des frais, et le

microcollectif sous contrat simple devient un microcollectif sous contrat en autonomie comptable.

On peut aller encore plus loin, et inclure dans les rapports en autonomie comptable la fourniture au microcollectif de machines et d'équipements, pour lesquels celui-ci acquitte une certaine somme. Une utilisation rentable du capital fixe mis à sa disposition augmente également ses recettes.

La forme la plus élaborée du contrat collectif en autonomie comptable est le contrat-bail. Dans ce cas, le microcollectif de travailleurs prend en location, moyennant finances, des moyens de production, compense lui-même les dépenses, y compris les coûts de sous-traitance, et répartit lui-même ses recettes.

Il est très important de faire coïncider le mode d'organisation et les formes de stimulation qui concernent le microcollectif avec les conditions dans lesquelles s'exerce l'autonomie comptable de l'entreprise (ou de l'union) et celles qui régissent la constitution du fonds de rémunération de l'ensemble de son collectif. Et nous voyons ici que le second modèle d'autonomie comptable, c'est pratiquement le contrat collectif à l'échelle de l'entreprise dans sa globalité ; il est donc facile, dans ce modèle-ci, de combiner le contrat collectif au niveau des brigades ou des équipes avec les conditions générales qui s'appliquent au travail de toute l'entreprise. Combinaison beaucoup plus difficile à réaliser dans le cadre du premier modèle, où la définition du fonds de salaires d'une entreprise peut ne pas concorder avec le mode de formation de celui des microcollectifs qui se trouvent sous contrat au sein de cette même entreprise.

J'ai dit que la forme la plus élaborée du contrat collectif était le contrat-bail. En effet, là, les moyens de production sont mis – contre paiement, sous forme de loyer – à la disposition d'un collectif de travailleurs, qui en use comme bon lui semble ; ces derniers en sont donc pratiquement les véritables propriétaires, avec une restriction, bien sûr : ils ne peuvent pas les vendre et se partager la recette. Mais cela n'influe pas tellement sur l'intérêt économique que ce contrat offre à leurs yeux, puisqu'il leur permet tout de même d'être les réels détenteurs des moyens de production.

Les baux se sont tout d'abord répandus dans l'agriculture, ou des équipes et des brigades louaient la terre, les machines agricoles, les fermes d'élevage ; leur recette était fonction des résultats de leur travail, selon la production livrée. Le collectif sous bail prélevait sur cette recette de quoi payer le loyer, habituellement fixe, des moyens de production mis à sa disposition, s'acquittait des factures concernant les matériaux et les services acquis à l'extérieur, etc., et le reste demeurait à sa disposition. Les membres du collectif, alors, se le partageaient, généralement en fonction de la participation de chacun, et compte tenu des résultats du travail, de la qualification et d'autres critères qu'ils considéraient comme devant être pris en compte. Souvent, une partie des sommes gagnées était gardée en réserve, pour faire face à des dépenses imprévues, compenser des pertes éventuelles, etc. Dans l'agriculture, non seulement des groupes de travailleurs, mais même des familles se mirent à recourir au contrat-bail. C'est ainsi qu'apparut le contrat familial.

Il revêt des aspects très différents selon les régions de notre pays. Dans les républiques baltes, par exemple, régnait autrefois le système des fermes gérées par des familles. En Russie, la situation était tout autre : depuis des temps reculés, le travail était organisé non pas par famille, mais en communautés de travailleurs, les artels, et les paysans étaient regroupés en villages. C'est pourquoi, à l'heure actuelle, en Russie, ce sont les formes collectives du contrat-bail qui dominent, et le contrat familial occupe généralement une place secondaire. Mais où les traditions diffèrent, le contrat familial domine. Et on ne peut certes rien y trouver à redire.

On considère aujourd'hui dans notre pays le contrat-bail agricole comme une forme qui permettra dans l'avenir l'essor de toute l'agriculture. Tout est fait, en outre, pour que les fermiers ne se sentent pas dans une situation provisoire, mais envisagent leur profit à long terme. C'est pourquoi on s'est mis à conclure des baux de dix, quinze et même cinquante ans, pour pousser les locataires à maintenir la terre fertile, à la soigner, au lieu d'essayer d'en tirer le maximum en un bref délai.

Peu à peu, les baux se sont répandus dans d'autres secteurs. Dans la région de Moscou, par exemple, le collectif du combinat de matériaux de construction de Boutovo a été le premier à signer un contrat-bail. Ce combinat était déficitaire et connaissait un sort peu enviable. Son collectif a proposé de conclure un contrat avec la Direction centrale des matériaux de construction de Moscou, organisme sous la tutelle duquel cette entreprise, de dimension relativement modeste, était placée. Le collectif s'engageait à acquitter un loyer modéré et renonçait aux subventions pour non-rentabilité dont il bénéficiait. En conséquence, toutes les recettes, amputées des dépenses diverses, étaient maintenant à la disposition du collectif du combinat.

Sous contrat-bail, les gens se sont mis à travailler autrement – de manière plus intensive et mieux. Ils se sont sentis véritablement responsables de la bonne marche des choses. Le volume de la production du combinat augmenta d'un coup de façon considérable ainsi que les recettes. Et, en un an, l'entreprise déficitaire devint rentable. La productivité avait augmenté de près de 50 % en un an, et les salaires d'un tiers.

En voyant la prospérité de cette entreprise, beaucoup d'autres, dans la région de Moscou, souhaitèrent adopter le contrat-bail. Actuellement, plusieurs centaines d'entreprises, rien que dans cette région, s'y préparent. Le contrat-bail se développe rapidement et pose un grand nombre de questions. Cependant, aucun texte juridique n'encadre ce processus. Il n'existe pratiquement aucune garantie légale de l'autonomie du collectif sous bail. C'est pourquoi on a décidé de mettre au point une loi spéciale sur le contrat-bail, qui est en cours d'élaboration.

Le contrat collectif familial et les baux rencontrent de nombreuses difficultés dans leur développement. Il est clair que des salariés qui font preuve d'initiative ont intérêt à travailler sous contrat. Ils ont confiance dans leurs forces, voient des possibilités de mieux travailler, souhaitent devenir les maîtres de la situation, ce qui explique que la pression pour que soient constitués des collectifs sous contrat vient d'en bas. Mais cette pression se heurte à bien des barrières et à bien des résistances.

D'une part, il existe des ouvriers hautement qualifiés, qui sont en quelque sorte irremplaçables et par conséquent perçoivent un salaire élevé. Ils sont individualistes, dissimulent fréquemment leurs outils, qu'ils ont fabriqués eux-mêmes, au regard d'autrui, préservent les secrets de leur travail ; ils ne sont pas aimés dans le collectif, mais on s'en accommode, car il est difficile de se passer de leurs services. Ces ouvriers ne souhaitent pas s'insérer dans une brigade, craignant que ne se produise un nivellement des rémunérations et que leur qualification particulière ne soit pas reconnue à sa juste valeur.

D'autre part, il existe une couche relativement importante d'ouvriers peu actifs, de paresseux, d'alcooliques, pour lesquels le travail n'est pas ce qu'il y a de plus important et qui tentent d'en faire un minimum. Les bons ouvriers s'efforcent de ne pas prendre ces fainéants dans leur brigade, car ils ne servent pas à grand-chose. De sorte que, lors de la formation de collectifs de travailleurs de base, se font jour un grand nombre d'oppositions entre les ouvriers eux-mêmes.

L'utilisation du travail des spécialistes est une affaire encore plus compliquée. Dans notre pays, le titre d'ingénieur est fortement dévalué. On s'est mis à qualifier d'ingénieurs presque tous les spécialistes de formation supérieure employés dans une entreprise. En fait, la majorité de ceux-ci ne remplissent pas les fonctions correspondant à ce titre, mais effectuent des tâches d'exécution. Ce sont des « ingénieurs du travail » ou des « ingénieurs du plan ». Il y a même des « ingénieurs de la compétition socialiste ». Et par suite d'une telle approche, le nombre des ingénieurs a beaucoup augmenté dans les entreprises. Actuellement, l'industrie soviétique compte cinq fois plus d'ingénieurs que l'industrie américaine, alors que les États-Unis fournissent bien plus de production industrielle que nous.

Certains des spécialistes – pour ne pas dire un grand nombre d'entre eux – occupés directement dans les entreprises ne travaillent pas de façon rentable et seraient, à vrai dire, inutiles si la production était organisée de manière à être plus efficace. J'ai comparé, plus haut, une brigade d'orpailleurs, comptant 280 personnes et une exploitation aurifère d'État obtenant les mêmes résultats, mais employant environ 1 200 individus. Le directeur de cette entreprise d'État était secondé par trois sous-directeurs, un bureau du travail, un bureau du plan, un bureau de la production, un service du personnel, etc. Et dans la brigade des orpailleurs, le président assumait lui-même les fonctions de vice-président, de chef du bureau de la production, du bureau du plan et du bureau du personnel. Il n'était assisté que par un comptable, un ingénieur et un responsable de l'entrepôt. Tous les autres étaient des ouvriers. En outre, même les responsables ne dédaignaient pas de mettre la main à la pâte. Bien entendu le président n'avait ni secrétaire ni chauffeur, il téléphonait lui-même, conduisait sa voiture, et tout cela était bien naturel dans une brigade où chaque personne supplémentaire aurait en fait pris une partie du salaire des autres.

Il en allait tout autrement dans l'exploitation d'État. Que le directeur ait une secrétaire ou pas, cela n'avait aucune influence sur le salaire de qui que ce soit. Pas plus que la présence de 100 personnes plutôt que de 50 dans l'administration de l'entreprise. Chacun recevait son salaire, indépendamment de quiconque, et le tout aux frais de l'État. Cette situation existait dans de nombreuses autres entreprises.

Le collectif sous contrat est formé et fonctionne selon les mêmes principes d'autonomie comptable que la brigade d'orpailleurs ou presque, et chaque membre y joue un rôle bien défini. Bien évidemment, dans ce cadre, on n'engage un ingénieur que si sa présence se justifie et, mieux encore, permet à tout le collectif de gagner plus d'argent.

Lorsque je travaillais à Novossibirsk, je m'étais lié d'amitié avec de nombreux directeurs d'entreprise et j'avais organisé un club. Nous nous réunissions régulièrement et discutions de questions qui nous intéressaient tous. Certains directeurs étaient attirés par la recherche, et mes camarades de l'Institut d'économie et moi-même les avons assistés dans leurs travaux théoriques, si bien que plusieurs ont pu présenter leur thèse avec succès. J'avais, en particulier, remarqué le directeur général de l'union de production de chaussures et de maroquinerie Ob, Stanislas Zverev, un homme jeune, mais déjà expérimenté. Il cherchait à renouveler le fonctionnement de son entreprise, et fut l'un des premiers, à Novossibirsk, à adopter le contrat collectif, en l'occurrence pour une importante chaîne de production de chaussures à la mode.

Le collectif de cette chaîne engagea plusieurs ingénieurs, un contremaître, un ingénieur de projets, et demanda également un modéliste. Ce dernier reçut pour tâche de dessiner des modèles de chaussures non seulement de qualité, mais demandant moins de main-d'œuvre et faciles à fabriquer. La présence de ce modéliste dans le collectif de travailleurs sous contrat fut très rentable. Ensuite, d'autres secteurs de l'entreprise suivirent la même voie, et, partout, cela s'avéra très rentable.

Lorsque l'on voit fonctionner une chaîne de fabrication de chaussures, on a l'impression qu'il est impossible d'y apporter quelque amélioration, que tout le monde travaille de façon intensive, sans se laisser distraire, et que l'on ne peut pas aller plus vite. Mais lorsque cette chaîne fonctionne sous contrat, les ouvriers se débarrassent de ceux qui ne travaillent pas consciencieusement, se mettent à aider les nouveaux qui n'ont pas encore atteint le maximum de leurs capacités, organisent le travail de façon plus satisfaisante, mettent en place de nombreuses améliorations techniques ; ainsi, dans l'atelier de chaussures dont je viens de parler, l'introduction du contrat collectif a permis d'augmenter la productivité de près de 30 %, avec les mêmes équipements et le même personnel. Voilà comment se traduit un véritable intéressement matériel, voilà ce que c'est, de se sentir son propre patron !

A la mise en place d'un contrat collectif, la définition des rapports du collectif sous contrat avec l'administration de l'entreprise pose quelques difficultés. En effet, le collectif conclut un contrat avec cette dernière, qui doit ainsi assumer certaines obligations. Elle ne s'engage pas seulement à payer les résultats du travail, mais aussi à approvisionner sans à-coups le collectif sous contrat en matériaux, fournitures diverses, etc. La responsabilité de cette administration est donc en jeu, et, si le contrat est bien conçu, celle-ci doit être tenue à une garantie matérielle en cas de rupture de ses engagements.

Ce qui ne plaît pas à tous les dirigeants de l'économie, d'autant que, dans l'ancien système administratif, celui qui était à la tête d'une entreprise ne répondait en aucune manière de ses décisions devant le collectif des travailleurs de cette dernière, et qu'il ne pâtissait donc pas matériellement des erreurs qu'il commettait.

Cette question présente aussi un autre aspect, peut-être encore plus important : un dirigeant d'entreprise ne voit pas forcément d'un bon œil le passage de telle ou telle unité sous contrat collectif, car, si celle-ci se met à mieux fonctionner, les salariés qui en font partie verront leurs salaires augmenter, et l'administration, devant faire en sorte que cela puisse continuer, aura davantage de travail : il lui faudra restructurer la planification en fonction de cette nouvelle donne, assurer une amélioration de l'approvisionnement, etc. On comprend donc qu'elle ne soit pas enthousiaste, d'autant que non seulement ce surcroît de travail ne sera pas compensé, mais que désormais elle pourra être critiquée par le collectif sous contrat pour toute erreur, tout manquement à ses obligations.

Or, le plus important pour que le système de contrat collectif se développe avec succès est que les conditions économiques de fonctionnement des entreprises soient adaptées à l'autonomie de ces collectifs. Par exemple, dans un kolkhoze, si l'on répartit toute la terre arable entre des brigades sous contrat fonctionnant sur la base de baux, une brigade dispose dès lors à titre autonome de son champ, elle détermine elle-même la période des semailles, de la récolte, etc. Et si le collectif du kolkhoze est lui aussi autonome en ce qui concerne la prise de décision, il convient de combiner ses propres intérêts et les intérêts de ces brigades.

Les choses se présentent tout autrement lorsque le kolkhoze se trouve sous la tutelle administrative des autorités du district, qui lui imposent les délais de transport des céréales au silo, la superficie à ensemencer, ce qu'il faut semer, le nombre de bêtes à élever, etc. Les collectifs sous contrat n'ont aucune contrainte de cette sorte. Ils ont pris l'engagement de livrer un produit, par exemple du lait. Mais le nombre de vaches dont ils disposent, c'est leur affaire. Ils s'efforceront d'avoir le meilleur rendement, et, s'il le faut, ils réduiront même leur troupeau afin d'avoir une production plus importante et de mieux utiliser le fourrage.

Même dans la période de transition vers l'autonomie comptable intégrale et l'autofinancement que nous connaissons actuellement, le diktat des méthodes administratives se maintient encore pour une large part, et les entreprises, les kolkhozes et les sovkhozes ne disposent pas encore d'une autonomie suffisante pour mettre toute leur exploitation sous contrat. Ils peuvent avoir quelques brigades qui seront autonomes, mais une grande partie du collectif continuera à travailler sous leurs directives, qui ne font que refléter les ordres des supérieurs hiérarchiques.

Dans l'avenir, lorsque les nouvelles méthodes de gestion régneront partout, les conditions seront réunies pour une organisation sur une grande échelle des collectifs sous contrat et des baux. Il faudra décider de la façon dont on pourra inciter la direction d'un kolkhoze et toute son administration à développer les collectifs sous contrat et sous contrat-bail.

Une autre question importante concerne l'intéressement matériel de chaque travailleur pris séparément. Le collectif, la brigade sous contrat, c'est une chose, mais le membre d'un collectif en est une autre. En quoi consiste son intéressement personnel et sa responsabilité personnelle, comment se combinent-ils avec l'intérêt du collectif ?

Dans la période qui a précédé la perestroïka, le travail des salariés était considéré individuellement, et l'administration versait un salaire à chacun. Une grande partie des ouvriers étaient rémunérés aux pièces. On leur fixait une norme de travail et des taux de rémunération correspondants. Les autres, et pratiquement tous les ingénieurs et les employés, touchaient un salaire forfaitaire, en fonction de leur temps de travail, auquel venaient en général s'ajouter des primes versées en fonction de certains indicateurs de l'activité.

Cette forme de rémunération ne faisait pas coïncider les intérêts de toutes les personnes appartenant à un même collectif de travailleurs et produisant en commun tel ou tel produit. Le travail de chacun ne dépendait aucunement du résultat final de la production. Le salaire aux pièces était entièrement fonction du niveau de la norme, et celle-ci était souvent fixée de façon arbitraire. L'ouvrier n'avait pas avantage à trop la dépasser car cela pouvait entraîner sa redéfinition à la hausse. Quant à l'intéressement de celui qui était rémunéré au temps, c'est-à-dire pratiquement pour avoir pointé à l'entrée, il était particulièrement faible.

Au cours de la perestroïka, le contrat collectif a connu un développement prioritaire, et dans l'avenir, c'est le contrat-bail qui sera la forme prédominante. Contrairement à ce que l'on observait avec la rémunération aux pièces ou au temps, les travailleurs sont, là, intéressés au résultat final du travail de leur collectif. La répartition de la rémunération s'effectue au sein du collectif de façon démocratique, soit au cours d'une réunion du collectif, s'il est peu important, soit par le biais du conseil du collectif, élu en assemblée générale.

La pratique de la définition, pour chaque travailleur, d'un coefficient de participation, qui correspond à l'apport de chacun au résultat commun, se répand ; ce coefficient est défini par un expert ou entre membres du collectif. Chacun s'efforce de travailler de son mieux, pour se voir attribuer un coefficient plus élevé de participation au travail. Dans ces collectifs en autonomie comptable, les ouvriers ont généralement plusieurs spécialités, ils s'aident mutuellement lorsque cela est nécessaire, changent de poste de travail, font des heures supplémentaires, etc.

Un collectif en autonomie comptable bien organisé, travaillant en fonction du résultat final, parvient habituellement à augmenter sa productivité de 20 à 30 % ou plus. Il existe même de nombreux cas où la productivité double ou, parfois, triple.

Dans certains collectifs, le coefficient de participation au travail s'applique à tout le salaire ; dans d'autres cas, seulement à sa partie complémentaire, fonction des résultats, la majeure partie, fixe, étant fondée sur la qualification et la spécialité. Si, dans la pratique du salaire individuel aux pièces, certains ouvriers se trouvent placés dans la dépendance directe de leur chef de secteur ou de toute autre personne qui détermine la norme de travail et le tarif de la rémunération, dans le cas de l'organisation et de la rémunération collectives du travail, les gains du collectif revêtent un caractère plus juste, puisqu'ils s'appuient fréquemment sur des prix fixés, et qu'il est plus facile de rationaliser une norme globale contrôlée par le collectif qu'une grande quantité de normes individuelles, qui sont en outre perpétuellement modifiées par suite du changement ou de la modernisation de la production.

Lorsque l'on travaille sous contrat collectif, il est possible d'augmenter son salaire non seulement en améliorant son savoir personnel, mais aussi par une meilleure organisation du travail, une meilleure utilisation de l'équipement, une amélioration de la qualité des produits, dans le cas où on paie davantage pour une meilleure qualité, etc.

Comme on le voit, le domaine de liberté de chaque travailleur s'élargit sensiblement, et celui-ci peut tout à fait révéler ses capacités. On peut considérer comme démontré le fait que le travail collectif permet d'augmenter la rentabilité du travail. Toute la question est de savoir comment organiser au mieux ce travail, afin que chaque membre du collectif puisse utiliser au maximum ses possibilités.

A Washington, où je me trouvais en qualité d'expert auprès de M. Gorbatchev, qui menait des pourparlers avec le président Reagan, j'avais été invité à déjeuner par l'homme d'affaires de Chicago Joseph Richee, qui dirige la Chicago Research and Trade Company, laquelle s'occupe d'opérations en Bourse.

Lors de mon voyage suivant aux États-Unis, je me suis spécialement rendu à Chicago pour voir comment travaillent réellement les gens dans cette société, et discuter plus longuement avec son dirigeant et ses collaborateurs. J'étais très intéressé par la nouvelle méthode d'organisation et de rémunération du travail que vantait ardemment Jo Richee en la définissant comme un travail collectif. Il mettait l'accent sur la complémentarité des collaborateurs dans le cadre du microcollectif, comparant celui-ci à une famille unie, derrière son chef, dont les membres s'aiment et s'entraident. Pour organiser de tels microcollectifs, il faut pratiquer une sélection individuelle, il faut embaucher, comme le dit Jo Richee, des gens qui ont le cœur ouvert. Il affirme que c'est dans une grande mesure grâce à la cohésion et au travail collectif, opposé à l'individualisme et à la concurrence au sein du collectif, que sa compagnie est parvenue à obtenir des résultats très satisfaisants. Chaque jour, 600 personnes travaillant pour cette société effectuent sur les places boursières du monde entier des opérations atteignant un montant global de 3 à 5 milliards de dollars, avec une grande efficacité – leur productivité au travail est de trois à cinq fois supérieure à celle de beaucoup d'autres maisons concurrentes –, et leur travail est organisé et rémunéré de façon traditionnelle.

Il m'était bien sûr difficile de juger si le niveau très élevé de rentabilité du travail était bien le résultat de l'organisation collective, ou si c'était l'équipement informatique exceptionnel, permettant de choisir et de réaliser immédiatement des opérations rentables, qui jouait là le rôle décisif. J'ai remarqué, par exemple, qu'un collaborateur disposait fréquemment de trois écrans, généralement de couleurs, où apparaissaient clairement les résultats des opérations en Bourse. Sans doute les deux facteurs tiennent-ils une place importante dans cette réussite. Néanmoins, après avoir passé quelques heures dans la salle de travail de cette firme, j'ai pu effectivement me rendre compte du caractère soudé des microcollectifs. La disposition même des postes de travail, de l'équipement informatique d'un groupe – en demi-cercle avec, au milieu, une table autour de laquelle on pouvait boire un café et mettre les opérations au point – produisait une forte impression.

Ce voyage m'a prouvé que la conclusion que j'avais tirée de notre expérience de contrats collectifs était juste : il existe d'énormes possibilités inutilisées, un potentiel humain colossal, et il faut seulement bien organiser et stimuler le travail. Je pense que nos recherches dans le domaine du contrat collectif et familial vont dans le bon sens.

Un collectif de travailleurs travaillant sous contrat offre encore un autre aspect positif : c'est une école de démocratie et d'autogestion, une école de formation sociale de l'individu. En effet, dans ces collectifs, tout se décide de façon démocratique. Et puis, ils n'ont pas été créés de force, mais sur décision de leurs membres. Chacun d'eux peut le quitter à n'importe quel moment. Le collectif élit son chef. S'il regroupe un nombre important de salariés, ceux-ci élisent un conseil, dont les membres exercent des fonctions d'organisation. Dans de tels collectifs règne habituellement l'autodiscipline, les paroles sont suivies d'effet, et l'organisation est rigoureuse.

Lorsque j'ai effectué une tournée des brigades d'orpailleurs, et que je les ai étudiées, j'ai noté que ces équipes avaient instauré le régime sec, et que boire était considéré comme une grave violation du règlement, pour laquelle on était exclu de la brigade. A côté, dans l'exploitation d'État, il y avait pas mal d'ivrognes et la discipline était moins bien observée.

Cette école de démocratie et d'autogestion à laquelle les ouvriers sont confrontés dans leur microcollectif leur sert ensuite lors de l'examen des questions concernant l'ensemble de l'entreprise. Là, conformément à la loi sur l'entreprise d'État, des droits et des pouvoirs importants sont conférés au collectif des travailleurs. Il élit son conseil, entérine le plan, examine les orientations de l'utilisation de la valeur ajoutée brute, élit le dirigeant.

Cette participation des travailleurs à la gestion réelle et à l'utilisation de la propriété collective dont dispose l'entreprise est une partie inaliénable de la motivation au travail en régime socialiste. A côté de l'organisation du travail collectif et des diverses mesures de stimulation, c'est la participation des travailleurs à la gestion de leur secteur, de leur atelier ou de l'entreprise qui fait naître en eux le sentiment d'en être véritablement propriétaires. Ils ont l'impression de prendre part aux affaires de tout le collectif, d'influer sur la façon dont l'entreprise utilise le bien de l'État qui lui est confié. Ils ont clairement conscience, en contribuant à la gestion, de la façon dont le résultat final de l'activité collective influe sur la vie de tous les salariés de l'entreprise, et en particulier sur leur propre vie, de l'augmentation de revenus à laquelle ils peuvent ou non s'attendre, des avantages qu'eux et leur famille retireront du développement de l'infrastructure sociale, etc.

Jusqu'à présent, nous avons parlé de l'intéressement matériel, en le liant principalement à la rémunération du travail. Mais la rémunération en argent n'est qu'un maillon intermédiaire, qui donne la possibilité d'acquérir les biens et les services nécessaires. S'efforcer de gagner plus d'argent n'a donc de sens que si l'on peut acheter quelque chose avec cette somme. De sorte que les problèmes liés à la couverture en biens de la demande solvable agissent eux aussi sur l'intérêt que le salarié va montrer envers son travail et sur sa motivation à progresser.

Dans les pays capitalistes développés, la question ne se résume pas à la saturation du marché en biens et en services, encore que l'existence d'un large choix soit un puissant stimulant pour gagner de l'argent. Deux autres facteurs jouent encore un rôle considérable : tout d'abord, le coût de la vie augmente chaque année. Dans les décennies 60 et 70, cette hausse des prix atteignait dans ces pays de 5 à 10 % par an. Depuis 1980, on est parvenu à réduire l'inflation, et, à part quelques exceptions, la hausse des prix, actuellement, se maintient entre 3 et 7 %. Dans ces conditions, le travailleur doit faire des efforts pour s'assurer d'une année sur l'autre un salaire toujours élevé – ce qui ne se fait pas automatiquement –, car, sinon, la valeur réelle de son travail diminue.

Le second facteur qui incite les gens à gagner davantage, c'est-à-dire à obtenir de meilleurs résultats dans leur travail, est à chercher dans le mode de vie économique en Occident, où chaque famille, chaque personne vit pour une grande mesure à crédit. Il existe des crédits sur plusieurs dizaines d'années, lorsqu'on achète une maison ou un appartement. On achète à crédit les voitures, l'équipement hi-fi, les meubles, les appareils électroménagers, etc. Depuis quelque temps, de très nombreux achats courants sont réglés avec une carte de crédit. De sorte que presque tous les gens sont assez fortement endettés, et doivent, par conséquent, gagner toujours plus pour faire face à leurs remboursements. Et plus ils gagnent, plus leurs besoins s'accroissent et plus ils ont les moyens de les satisfaire ; mais, pour cela, ils doivent contracter de nouveaux crédits. Et cette course dure pratiquement tout au long de la vie active.

Chez nous, en régime socialiste, de tels stimulants sont peu employés. Le crédit à la consommation n'est encore qu'à un stade embryonnaire, et la plupart des familles soviétiques ne doivent rien à personne. Ce n'est que depuis peu qu'est apparue la possibilité de contracter des crédits plus ou moins importants pour l'achat d'une maison individuelle ou d'un appartement en copropriété. Mais cela reste pour le moment dans des limites très étroites et ne concerne qu'un nombre restreint de familles.

Dans l'avenir, à mesure de la saturation du marché en marchandises, il me semble que nous devrons encourager la participation financière de la population à la construction de logements sur une grande échelle, à une meilleure organisation des loisirs et à l'achat d'automobiles, de garages et d'autres biens durables. Il y a peu de temps, la Banque d'État soviétique a signé un accord avec les organismes occidentaux de cartes de crédit, portant sur la diffusion de ces cartes en URSS. Je pense que cet usage se développera avec le temps.

En ce qui concerne le rôle stimulant de l'inflation, il ne se fait pas non plus, dans notre pays, sentir autant qu'il le pourrait. Cela à cause de nos prix fixés de manière centralisée : c'est un système qui manque de souplesse et qui ne peut refléter les variations de l'offre et de la demande. Les prix imposés demeurent pratiquement inchangés pendant des années.

Toutefois, même avec une telle rigidité, nous avons vu qu'on enregistre malgré tout une hausse occulte des prix, qui se fait par le biais du réassortiment : tel article bon marché disparaît des rayons, au profit d'un autre, plus cher. Mais cette inflation rampante n'est apparemment pas un motif suffisant pour vouloir gagner davantage, puisque subsiste l'illusion de pouvoir acheter une marchandise moins coûteuse – qui existe, certes, mais en quantité trop limitée pour que la demande puisse être satisfaite.

L'approvisionnement du marché laisse, lui aussi, beaucoup à désirer. Le marché des biens de consommation est fortement déformé. Beaucoup de marchandises font l'objet de pénuries, alors qu'il y a une demande. De longues files d'attente se forment devant les magasins. Tout cela amoindrit la capacité d'achat, d'autant que la variété de choix, en raison du diktat des producteurs et des pénuries, est très réduite. La conséquence en est de sérieuses distorsions au niveau de la stimulation : ce n'est plus tant selon ce que l'on gagne que l'on pense pouvoir satisfaire ses besoins qu'en fonction des relations dont on bénéficie, de sa position sociale, de son lieu de résidence, ou encore d'autres facteurs sans lien direct avec le travail.

Dans une économie de pénurie, la perspective de voir son salaire augmenter si l'on travaille davantage ne fonctionne pas vraiment comme stimulation. Cela est particulièrement vrai à la campagne, où le choix de marchandises dans les magasins tenus par les coopératives de consommation est particulièrement pauvre. La population rurale dispose d'une épargne considérable. Beaucoup de paysans voudraient bien acheter une voiture, un vélomoteur, des meubles modernes, des machines pour travailler leur lopin. Mais tout cela n'est pas en vente libre et est distribué en fonction de quotas, sans aucune garantie de délai de livraison et sans aucun rapport avec le montant des salaires.

On voit donc que l'assainissement financier de l'économie, un approvisionnement satisfaisant du marché en biens comme en services et une amélioration sensible de l'assortiment sont des leviers essentiels si l'on veut intéresser les gens à leur travail.

Des décisions en cercle fermé
à la prise de décision démocratique

Dans l'ancien système, les principales décisions étaient adoptées de façon centralisée par les instances administratives au plus haut niveau, les ministères, les organes locaux. Le pouvoir décisionnaire des entreprises était minimal : en général, l'essentiel était fixé au niveau du Plan.

Celui-ci était élaboré pour une période quinquennale. Pour le mettre au point, on se fondait sur les grandes orientations du développement social et économique du pays définies, pour cinq ans, par le Congrès régulier du Parti. Le Plan quinquennal lui-même était adopté lors de la session du Soviet suprême de l'URSS.

Le Plan quinquennal servait de guide pour l'établissement des plans annuels, qui déterminaient la vie économique du pays. Le plan annuel se présentait généralement sous forme de plusieurs dizaines de volumes, regroupant quelque 60 000 indicateurs globaux servant à définir les directives : concernant le niveau de la production, exprimé en valeur et en nature pour chaque ministère, direction ou république fédérée, le travail et le salaire, la réduction des coûts de production. Plusieurs volumes contenaient les programmes des grands travaux, y compris le devis détaillé des chantiers importants, avec le montant des investissements accordés et le volume des travaux de construction et de montage.

Tous les ministères ayant affaire à la construction recevaient un programme de travaux avec la liste des chantiers attribués aux diverses organisations se trouvant sous leur tutelle.

L'agriculture, les transports, les travaux de prospection, les indicateurs de développement des différentes branches et le secteur non productif faisaient l'objet d'autres volumes. Un chapitre à part traitait de l'approvisionnement en ressources matérielles. Le Gosplan répartissait les ressources principales, puis le Comité d'État à l'approvisionnement (Gossnab) complétait cette liste, qui comprenait généralement environ 2 000 articles, en effectuant une répartition plus détaillée par ministère et par direction. La nomenclature du Gossnab comprenait environ 20 000 articles.

Un volume spécial traitait de la répartition des forces productives, du développement des républiques, de certaines régions, des principaux complexes territoriaux de production.

Cet ensemble de livres était précédé d'un petit fascicule où figuraient les données essentielles sur le développement de l'économie nationale : revenu national, productivité du travail, nombre d'ouvriers et employés, chiffres généraux de croissance de l'industrie, de l'agriculture, croissance des revenus réels par habitant, chiffre d'affaires du commerce, profit dans l'économie nationale, etc.

Une place à part était faite au plan financier, qui fixait les objectifs en ce qui concerne le profit, les versements effectués sur celui-ci au Budget d'État, l'impôt sur le chiffre d'affaires, etc. Parallèlement au plan annuel, on établissait également le plan de crédit, ainsi que le plan de circulation monétaire. Un tome spécial était consacré aux relations économiques extérieures. Plusieurs autres contenaient les objectifs quant au développement de la recherche et de la technique. Ils comprenaient la liste des recherches et des travaux d'études principaux, avec les délais de réalisation, ainsi que le programme de financement de la recherche, etc.

Autre partie essentielle du plan annuel, celle qui traitait du chiffre d'affaires, laquelle prescrivait au ministère du Commerce le volume des ventes des divers produits pour la période concernée, aussi bien en valeur qu'en nature.

Un volume particulier, enfin, définissait les mesures les plus importantes en matière de défense de l'environnement.

En cours d'année, afin de compléter ou de modifier le plan, le gouvernement adoptait environ un millier d'arrêtés divers.

Tous les chiffres contenus dans le plan – et qui en exprimaient les objectifs – étaient la traduction des nombreuses décisions économiques portant sur l'ouverture de chantiers, le développement des entreprises, la modernisation, la mise en production d'articles nouveaux, etc. Les arrêtés concernant des problèmes d'envergure et engageant l'avenir étaient préparés et signés en commun par le Comité central du PCUS et le Conseil des ministres de l'URSS. Ceux qui touchaient aux questions de travail, de salaire, de niveau de vie étaient en outre signés par le Conseil central des syndicats de l'URSS.

La liste des arrêtés qui ont été pris est très hétéroclite. Une série d'entre eux concernait le développement sur cinq, dix ou quinze ans de certaines branches ou de certaines régions du pays, ou des décisions d'ordre économique, comme la mise en valeur des gisements de pétrole et de gaz de Sibérie occidentale. Certains textes portaient sur le développement de la recherche, de la technique, diverses questions sociales.

116

Cependant, ces arrêtés s'appuyaient souvent sur des indicateurs globaux fort éloignés de la réalité quant aux ressources réellement disponibles, et il n'était en général pas possible, lors de l'élaboration du plan annuel, de les respecter tous. En même temps que le plan, on préparait donc d'ordinaire un volume à part, assez consistant, qui contenait la liste des arrêtés et indiquait les objectifs fixés par ceux-ci dont on n'avait pu tenir compte sur le plan.

Cette dualité plan/arrêté était source de nombreuses difficultés, contradictions et disproportions, et entretenait la lutte entre ceux qui avaient intérêt à ce que les arrêtés soient appliqués et les institutions économiques centrales – Gosplan, ministère des Finances, Gossnab et autres –, qui s'efforçaient de veiller au développement équilibré de l'économie, et ne pouvaient en principe donner satisfaction à tous en ce qui concernait les ressources.

Avec l'instauration des nouvelles méthodes de gestion, fondées sur les principes économiques, les droits des entreprises et des organisations se sont considérablement accrus. A présent, celles-ci définissent leurs propres plans, qui ne sont pas soumis à l'approbation d'une quelconque hiérarchie. Elles décident elles-mêmes de la répartition de leurs gains et peuvent prendre toutes les décisions concernant leur utilisation, concluant à cet effet des contrats avec d'autres organisations et contractant, s'il le faut, des crédits bancaires, etc. On a assisté à une importante redistribution des ressources au profit des entreprises et des organisations. En effet, dans le nouveau système de gestion, celles-ci fonctionnent en autonomie comptable et en autofinancement, et leurs gains doivent couvrir toutes leurs dépenses.

Ainsi, aujourd'hui, le rôle du plan et de la direction centralisés a changé et s'est sensiblement réduit. Le caractère et l'orientation des décisions économiques centralisées se sont modifiés. Extérieurement, cela apparaît dans la réduction du nombre des indicateurs contenus dans le Plan d'État, passés d'environ 60 000 à 8 000, à peu près.

Cependant, nous vivons actuellement encore une période de transition entre l'ancienne gestion – de type administratif – et la nouvelle – dont les méthodes se fondent sur l'économie. Ainsi, pour le moment, anciennes et nouvelles pratiques continuent-elles de cohabiter. La part des commandes d'État demeure importante, et on tarde à instaurer le commerce de gros, qui doit prendre le relais du système actuel – la répartition centralisée par fonds des moyens de production. Tout cela achoppe en grande partie sur le fait que la réforme des prix n'est pas encore réalisée – elle doit débuter en 1990. Il faut aussi considérer que les objectifs en cours de réalisation sont ceux du XIIᵉ Plan quinquennal, s'étalant sur 1986-1990, avec répartition par année. Et ils ont été adoptés alors qu'était encore en vigueur l'ancien système de gestion. C'est pourquoi le Plan d'État lui-même, disons pour 1989, revêt un caractère transitoire. L'élaboration, sur des bases fondamentalement nouvelles, du XIIIᵉ Plan, pour 1991-1995, sera une nouvelle étape dans la planification. Nous devons entrer dans le XIIIᵉ quinquennat avec un mécanisme économique rénové, en particulier avec un nouveau système de prix, un commerce de gros, et des organisations économiques qui fonctionnent toutes en autonomie comptable intégrale, en autofinancement et en autogestion.

Dans ces conditions, les plans annuels du XIIIᵉ quinquennat comprendront bien moins d'indicateurs. Je pense qu'il y en aura au maximum quelques milliers. Mais surtout, ce seront des indicateurs tout autres que ceux que nous avions l'habitude de voir figurer dans le plan sous l'ancien système.

A présent, il ne s'agira plus que d'indicateurs généraux de développement de l'économie nationale, qui donneront une orientation aux organes du plan et autres pour résoudre les problèmes d'ordre social et économique. Ensuite, les plans comprendront une nomenclature réduite de commandes d'État. Celles-ci n'engloberont sans doute plus, nous l'avons dit, que de 20 à 30 % du total de la production. Elles seront limitées aux industries de la défense, à la production de matériaux destinés aux grands chantiers fédéraux financés par le Budget d'État (par exemple, la fourniture de réacteurs pour la construction d'une centrale nucléaire), ou concerneront des marchandises faisant l'objet d'accords d'exportation entre l'URSS et d'autres pays. Peut-être ces commandes s'étendront-elles à la production de certains combustibles et matières premières jouant un rôle clé, et à certains marchés où l'intervention de l'État reste nécessaire (par exemple, celui des vêtements pour enfants, qui, chez nous, sont

118

vendus à des prix inférieurs à leur coût de fabrication, grâce à des dotations d'État). Mais, en tout, leur nomenclature ne comprendra que quelques centaines de lignes, y compris les commandes concernant les chantiers financés au niveau central, celles qui toucheront au développement de nouvelles technologies dans lesquelles l'État investit, etc.

Il va de soi que le plan inclut les réalisations effectuées avec l'aide du Budget national. Il s'agit en particulier du développement dans le domaine social – et, avant tout, de la construction massive de logements, financée par l'État. Le plan comprendra également des objectifs liés à la réalisation de programmes d'État – par exemple, celui qui est destiné à accélérer le développement en Extrême-Orient, adopté en 1987. Mais la plus grande partie de la production, dans toute sa diversité, ne sera pas représentée dans le Plan d'État. Les volumes et la nomenclature des produits seront fixés par des contrats entre fournisseurs et clients, sous forme décentralisée, par l'intermédiaire du marché tant des moyens de production que des biens de consommation.

Étant donné que chaque entreprise définira elle-même la façon dont elle imputera ses disponibilités, ses besoins en personnel, sa politique de réduction des coûts, etc., le Plan ne contiendra plus dorénavant d'indicateurs par branche ni par ministère ; de même, l'augmentation de la productivité du travail et, à plus forte raison, les objectifs à atteindre concernant le fonds de salaires, le profit, le montant des fonds de stimulation que l'entreprise forme à partir de son profit n'y figureront plus. Tout cela sera désormais l'objet de décisions prises directement au niveau des collectifs de travailleurs.

Autre nouveauté, pour ce qui est du contenu du Plan, la présence de normes économiques fixées par l'État aux entreprises, concernant le calcul du montant des taxes sur les différentes ressources (capital productif, main-d'œuvre, ressources naturelles) et de l'impôt sur le profit, la formation du fonds de salaire (là où cela se révélera nécessaire), les versements en devises au Budget, et quelques autres points.

Ces normes, fixées pour une période de cinq ans, seront donc durables et constantes. Les entreprises et les unions élaboreront elles-mêmes leur plan en prenant pour base les commandes des clients (y compris celles de l'État) et les normes économiques à respecter.

L'instauration du nouveau système de gestion où prédominent des méthodes économiques de gestion modifie fondamentalement le caractère des décisions centralisées. Le centre de gravité dans la prise de décision se déplace : on passe des normes imposées d'en haut aux branches et aux entreprises – la pratique antérieure – à l'instauration d'un système où sont mis en jeu avantages et privilèges économiques, ou stimulants supplémentaires pour telle ou telle orientation du développement économique. Les décisions concernent également l'utilisation des sommes budgétaires destinées à différents objectifs.

Parmi les décisions du premier type, mentionnons celles qui sont en préparation à l'heure actuelle : les projets de lois sur la qualité, sur les inventions, sur l'imposition des coopératives et des coopérateurs, les projets d'arrêtés sur les actions et les obligations, sur l'adoption par les banques de l'autonomie comptable intégrale et de l'autofinancement, ceux qui concernent la réforme des prix de gros, des prix de collecte dans l'agriculture, des prix de détail, le projet de loi sur le bail, etc.

Pour ce qui est des autres, on peut mentionner les décisions touchant au développement de la microélectronique, à la mise en valeur des gisements de pétrole et de gaz de la Caspienne, à la construction d'installations de grande capacité pour la production d'automobiles de petite cylindrée, ou à celle du canal Volga-Tchograï (ou à l'arrêt de cette construction...), etc.

Abordons à présent les procédures d'élaboration et d'adoption de telles décisions. Dans le système administratif de gestion, en règle générale, elles étaient préparées et prises en catimini, dans le cadre d'un petit groupe de personnes appartenant à l'appareil de direction. Pour les grands projets, on organisait parfois une expertise. L'expertise d'État dépendait du Gosplan, dont elle représentait l'une des activités secondaires. C'était à nouveau l'appareil de direction qui exerçait une influence décisive sur l'expertise, puisque c'est lui qui désignait les experts, une fois qu'il avait lui-même, auparavant, élaboré la décision en question. Ceux qui se montraient plutôt réticents dans leurs avis quant à cette décision se voyaient généralement, par la suite, exclus des commissions d'expertise. On comprend donc que l'appareil pouvait faire accepter par les experts n'importe quelle option qui lui convenait.

Voici un exemple caractéristique de la façon dont on a préparé le « chantier du siècle », ainsi qu'on l'avait surnommé, soit le détournement d'une partie des fleuves sibériens vers le sud, vers l'Asie centrale.

Dans ces régions, l'agriculture se pratique en général sur des terres irriguées. Le débit des fleuves qui se jettent dans la mer d'Aral est de 138 milliards de mètres cubes par an. Une grande partie de ce débit est déjà canalisée à des fins d'irrigation, réalisée, pour l'essentiel, d'une façon peu économe : les anciens systèmes d'irrigation, qui ont un coefficient de rendement utile de moins de 50 %, dominent. L'eau était gratuite, et donc on pouvait la gaspiller. En conséquence, les eaux souterraines, qui étaient salées, sont remontées à la surface, et on a constaté, en de nombreux endroits, une salinisation des sols. A la suite de quoi il a fallu dépenser davantage d'eau pour les dessaler, et la qualité de celle-ci s'est systématiquement détériorée, puisque sa teneur en sel augmentait.

Il ne faut pas oublier non plus que l'agriculture des républiques d'Asie centrale, en particulier en Ouzbékistan, s'est développée de manière unilatérale, la monoculture du coton prédominant ; celui-ci, à fibres moyennes, étant par ailleurs d'assez mauvaise qualité, exigeait une irrigation importante. Comme on a semé de plus en plus et qu'on a continué de gaspiller l'eau – à quoi s'ajoutait le fait que la qualité de cette dernière était de moins en moins satisfaisante –, on a vu apparaître dans ces républiques, les années où les précipitations ont été peu abondantes, un déficit en eau.

Par ailleurs, l'irrigation a été pratiquée sans que l'on tienne compte des conséquences écologiques. C'est ainsi que, à plusieurs reprises, les cours inférieurs du Syr-Daria et de l'Amou-Daria ont été barrés et que la mer d'Aral a été de moins en moins alimentée, les eaux utilisées pour l'irrigation étant ensuite rejetées dans des cuvettes sans écoulement. Ce qui a abouti à une situation paradoxale : d'une part, la mer d'Aral s'assèche, parce qu'elle ne recueille plus les eaux de ces deux fleuves et, de l'autre, autour de cette mer (cela saute aux yeux lorsqu'on survole la région en hélicoptère), ces cuvettes abritent d'énormes quantités d'eaux stagnantes qui, après évaporation, laissent subsister des dépôts de sel. Dans ces conditions, les dirigeants d'Asie centrale de l'époque, avec à leur tête Charaf Rachidov – démasqué, depuis, comme prévaricateur, ayant installé la corruption dans toute la république –, ont eu l'idée de détourner aux frais de l'État une partie du débit des fleuves sibériens vers l'Asie centrale. Étant donné qu'historiquement, en URSS, c'est en Asie centrale que l'irrigation est le plus développée, de nombreux responsables du ministère de la Bonification et de l'Économie des eaux entretenaient des liens étroits avec les dirigeants de la région.

Ce ministère, espérant voir augmenter le volume de ses travaux et se faire attribuer par l'État d'importantes ressources, s'est montré, bien sûr, très intéressé par le projet de détournement des eaux.

On profita alors des congrès du Parti ou des plénums du Comité central, réunis à l'occasion de telle ou telle prise de décision, pour insérer dans la discussion des déclarations portant sur la nécessité de détourner les deux fleuves, de mettre en route des travaux d'étude, etc. Puis fut mis au point le projet d'une première tranche, qui comprenait elle-même de nombreuses étapes. Ce projet prévoyait la construction d'un barrage sur le cours moyen de l'Irtych, le principal affluent de l'Ob. Étant donné que les eaux de l'Irtych étaient insuffisantes pour arroser l'Asie centrale, il fut décidé de canaliser une partie de l'Ob vers l'Irtych. On envisageait soit de barrer l'Irtych par plusieurs digues et d'amener l'eau vers l'amont par des pompes jusqu'à la retenue d'eau de Tobolsk, soit de creuser parallèlement à l'Irtych un canal, une sorte d'anti-Irtych, et d'y envoyer l'eau de l'Ob à contre-courant, du nord au sud. La longueur de ce canal devait être de 380 kilomètres. Ensuite, à partir de la retenue de Tobolsk, on projetait de faire monter de 110 mètres, à l'aide de pompes d'une puissance unique au monde, 28 milliards de mètres cubes, jusqu'à la ligne de partage des eaux, et de là faire descendre cette eau le long de la dépression de Tourgaï jusqu'en Asie centrale. On avait l'intention, pour cela, de creuser un canal d'environ 150 mètres de large et de 15-20 mètres de profondeur, avec des retenues d'eau tampons tout au long. Le trajet total de l'eau devait être d'environ 2 380 kilomètres jusqu'au confluent du canal avec le Syr-Daria et l'Amou-Daria.

Pour construire ce canal, il aurait fallu effectuer des travaux de terrassement d'un volume énorme, couler des dizaines de millions de mètres cubes de béton armé, employer environ 200 000 personnes, utiliser des excavatrices et d'autres machines d'une puissance faramineuse, dont notre pays ne dispose pas en nombre suffisant et qu'il aurait donc fallu acheter à l'étranger.

Près de 100 millions de roubles ont été dépensés à la préparation de ce projet : on lança des travaux de recherche, et des sommes considérables furent versées à 200 instituts sous contrat qui prenaient part à l'opération.

On déploya dans la presse une vaste campagne de propagande en faveur du « chantier du siècle », insistant sur le caractère vital qu'il revêtait pour le développement de l'agriculture de tout le pays. Le canal était considéré comme le principal moyen de résoudre le problème alimentaire, comme une démonstration de la puissance économique du pays, comme un chantier symbolisant l'amitié du peuple russe avec ceux d'Asie centrale, etc.

Pourtant, l'opinion publique, des écrivains, de nombreux chercheurs, des spécialistes, des responsables du Parti et des soviets des régions sibériennes se prononcèrent contre ce projet. On arguait qu'il détruisait le système écologique, qu'il serait peu rentable, que beaucoup d'eau serait perdue en route, que non seulement il ne permettrait pas de résoudre le problème alimentaire, mais qu'au contraire il engouffrerait les sommes dont on pourrait disposer pour y apporter une solution. Le coût de la construction elle-même était fixé entre 15 et 20 milliards de roubles. Les responsables de la préparation du projet s'efforçaient de démontrer qu'on ne dépasserait pas 8 à 12 milliards.

Mais, pour que l'eau soit d'une utilité quelconque, il fallait créer, en dehors du canal lui-même, des champs irrigués dans le désert, et il fallait pour cela construire des routes, des villes, des villages, et beaucoup d'autres infrastructures. L'ensemble du projet, selon nos calculs, aurait demandé, rien qu'en investissements directs, environ 100 milliards de roubles. Un chiffre fantastique, même à l'échelle de l'URSS. Il aurait fallu envoyer sur ce chantier la totalité des machines du génie routier récemment construites, en en privant toutes les autres branches de l'économie. Il aurait fallu enlever aux autres chantiers des dizaines de milliers d'ouvriers et les concentrer là-bas. Et, surtout, la récolte sur les terres nouvellement irriguées n'aurait représenté qu'une faible partie du volume de la production agricole de l'URSS. 1 mètre cube d'eau arrivé en Asie centrale par cette voie aurait coûté près de 1 rouble. Si l'on était prêt à dépenser de telles sommes, on pouvait, sans détourner de fleuve, obtenir bien plus de produits agricoles.

Les partisans du projet prenaient des mesures pour que les articles de leurs adversaires ne paraissent pas dans la grande presse, afin de ne pas irriter l'opinion publique. Tout ce qui s'écrivait contre le détournement était passé au crible et, la plupart du temps, censuré.

Enfin, l'affaire arriva entre les mains de l'expertise d'État. Les dirigeants de notre pays, s'ils hésitaient, avaient tout de même quelques sympathies pour l'opération. C'était surtout son coût astronomique qui leur posait un problème, alors que l'État manquait de moyens pour parer à des besoins bien plus pressants. Néanmoins, les experts furent choisis par les partisans du détournement de façon à obtenir une expertise favorable, pour faire pression sur le gouvernement et donner en même temps une apparence d'aval scientifique à leurs propositions.

Le ministère de la Bonification et de l'Économie des eaux et les dirigeants d'Asie centrale réussirent à mettre de leur côté les anciens responsables du Gosplan, le président de l'Académie des sciences de l'URSS et beaucoup d'autres personnalités en vue.

Mais la section sibérienne de cette même académie, dont je dirigeais alors l'Institut d'économie, se prononça à l'unanimité, sur nos conclusions, contre le projet. L'expertise se déroula dans une atmosphère de lutte acharnée. Ceux qui étaient pour falsifiaient les données à chaque contestation, créaient des commissions constituées d'hommes à eux, et ils réussirent, en dépit des protestations d'une partie des experts, en dépit aussi du fait que le département des sciences de la terre de l'Académie des sciences s'était également déclaré contre, à le faire approuver par l'expertise d'État et le Gosplan.

Après quoi, ils s'efforcèrent de se venger de ceux qui avaient exprimé des avis contraires. La direction d'Ouzbékistan, avec, en particulier, le premier secrétaire du Parti, écrivit au président du Conseil des ministres de l'URSS une lettre de dénonciation à mon encontre, m'accusant d'être opposé à l'amitié entre les peuples de l'URSS, de vouloir brouiller l'Asie centrale avec la Russie, de priver cette région d'eau, c'est-à-dire, selon leurs termes, de vie, etc. La lettre exigeait que soient prises les mesures les plus sévères à l'égard de ceux qui agissent contre la politique du Parti – car ils identifiaient la percée du canal à celle-ci.

Le plus désagréable était qu'à la lettre des dirigeants du Parti était jointe une autre tout aussi violente, émanant de plusieurs scientifiques d'Asie centrale, qui me « démasquaient » comme un homme ne comprenant rien à l'économie, incapable de calculer la rentabilité, déformant les faits, etc.

Le Gosplan fut chargé d'étudier mon cas. Mais heureusement, à cette époque, se produisit un changement de direction du Parti : M. Gorbatchev devint secrétaire général. A son plénum d'avril 1985, le Comité central adopta la perestroïka ; on commença à réexaminer les anciennes options, et la question du détournement, qui semblait tranchée, resurgit.

Pour mettre en œuvre la perestroïka, le pays avait besoin d'importants investissements qu'il fallait affecter à la modernisation de l'économie nationale, à la solution de problèmes sociaux urgents. La nouvelle direction réagit avec beaucoup de sensibilité aux problèmes écologiques, on prit toute une série de décisions pour rendre plus strictes les mesures de protection de l'environnement. Tout cela allait contre le projet de détournement des fleuves sibériens vers le sud.

Cependant, ses défenseurs réussirent à inclure dans la proposition du Comité central intitulée *Orientations fondamentales du développement économique et social de l'URSS pour 1986-1990 et jusqu'à 2000,* qui fut présentée à l'examen du XXVIIᵉ Congrès du Parti, un point portant sur la nécessité de commencer les travaux. La proposition des *Orientations fondamentales* fut soumise à un débat national. La censure, alors, était déjà moins sévère, et je réussis, en compagnie de l'académicien Alexandre Yanchine, vice-président de l'Académie des sciences de l'URSS, et de plusieurs autres camarades, à publier dans la *Pravda* un grand article dirigé contre le projet et critiquant la politique du ministère de la Bonification et de l'Économie des eaux. Des écrivains prirent eux aussi activement position, avec, à leur tête, l'auteur sibérien installé à Moscou, Sergueï Zalyguine, qui est devenu, depuis, rédacteur en chef de la revue *Novy Mir.*

Nous étions tous des adversaires convaincus de ce détournement. A la suite d'un débat, le Comité central du Parti et le gouvernement décidèrent de supprimer des textes du Congrès le passage appelant à commencer les travaux, se réservant d'en discuter à part.

Il y eut ensuite toute une série de discussions plus objectives. Finalement, je dus assister et prendre la parole à toutes.

Je me souviens que le débat au Praesidium du Conseil des ministres de l'URSS, que présidait Nikolaï Ryjkov, notre Premier ministre, s'est déroulé de façon dramatique. Les partisans du détournement avaient suspendu des affiches voyantes. Ils avaient mobilisé leurs forces et rempli une bonne partie de la salle. Leurs interventions étaient actives et concertées, mais elles contenaient plus d'affirmations dogmatiques que de démonstrations. Les chiffres, énormes, des dépenses et ceux, relativement modestes, des résultats attendus étaient plus convaincants que n'importe quelle parole. Yanchine et moi nous sommes résolument prononcés contre le projet, et de nombreux camarades nous ont soutenus.

Les membres du Praesidium, voyant que Ryjkov ne le soutenait pas non plus, s'en tiraient avec des déclarations de compromis, se prononçant par exemple contre le détournement en Sibérie, car il était très impopulaire, mais soutenant celui d'une partie du débit des rivières européennes vers la Volga.

La séance dura plusieurs heures. 20 ou peut-être 30 personnes prirent la parole, et, en fin de compte, on décida d'interrompre les travaux en question, de faire une croix sur les quelque 100 millions de roubles déjà dépensés et de ne plus revenir là-dessus. Bientôt, cette décision fut publiée dans les journaux.

Mais la polémique ne s'apaisa pas pour autant. Les adversaires du projet commencèrent alors à prendre leur revanche. Dans les revues *Novy Mir* et *Nach Sovremennik* (« Notre contemporain ») parurent des séries d'articles où se faisait jour, avec peut-être certaines outrances dues à la passion, la vérité sur le caractère néfaste du détournement, sur certains défenseurs de cette idée déplorable, etc. Ses partisans virent de même leurs réponses, très virulentes dans la forme, publiées. Ils obtinrent également la réunion d'une commission spéciale au plus haut niveau, qui examina, une fois encore, la question et confirma qu'il fallait renoncer au détournement. Je fus chargé de l'aspect économique du problème.

Aujourd'hui, ces gens ne parlent plus directement de détourner les fleuves. D'aucuns cherchent des voies parallèles pour revenir, après un certain laps de temps, à l'ancien projet.

En fait, le détournement d'une partie des fleuves du nord de l'Europe vers la Volga permettrait d'augmenter le débit de ce fleuve, afin de pouvoir acheminer une certaine quantité de ses eaux vers le Don (on est en train de construire la deuxième tranche du canal Volga-Don) et d'en utiliser également une partie pour irriguer les steppes de Kalmykie et les terres du Territoire de Stavropol (canal Volga-Tchograï).

Il est également question de détourner une partie des eaux de la Volga vers l'est, vers le fleuve Oural, sur les eaux duquel de nombreuses entreprises industrielles ont fait main basse, ce qui a sensiblement détérioré les conditions de reproduction des esturgeons, qui frayaient non seulement dans le delta de la Volga, mais aussi dans celui de l'Oural, qui est partiellement ensablé.

Bien que les travaux de détournement d'une partie du cours des fleuves du nord vers la Volga soient interrompus, la construction des canaux mentionnés, qui était liée à ce détournement, se poursuit. Le chantier du canal Volga-Don progresse très rapidement. On a entrepris les travaux de préparation du canal Volga-Tchograï, mais la décision n'était pas prise, et de nombreux spécialistes, ainsi qu'une partie de l'opinion publique, y étaient opposés. Récemment, sur l'insistance de ces forces, le Conseil des ministres a publié un arrêté décidant l'interruption des travaux de construction de ce canal, et la préparation d'un nouveau projet.

Si la construction de ces canaux n'est pas stoppée, tout le cours de la Volga finira par être touché. Le delta de ce fleuve, qui est déjà ensablé à la suite de la construction des barrages hydro-électriques, particulièrement sur la basse Volga (centrale hydro-électrique de Volgograd), se rétrécira considérablement et tout cela a une influence négative sur la reproduction des poissons. Une fois qu'une partie des eaux de la Volga coulera dans les nouveaux canaux, la situation dans le delta s'aggravera encore, et sera tout simplement catastrophique dans les années de sécheresse. On peut s'attendre non seulement à une baisse de la pisciculture et de la pêche, mais également à la chute de la production agricole, qui est concentrée autour de la basse Volga. Alors se reposera la question de la nécessité de renforcer la Volga par les eaux des fleuves du Nord.

C'est là, à mon avis, le calcul des partisans du détournement des fleuves du nord vers le sud : après avoir dû sortir par la porte, tenter de rentrer par la fenêtre.

Si toutes ces dépenses étaient assumées non par le Budget d'État, qui le fait à fonds perdus, mais par les régions désireuses de recevoir cette eau, celles-ci seraient bien obligées de se préoccuper de la rentabilité de tels travaux, et le problème serait vite résolu.

Mais aujourd'hui, la situation est différente : tous les dirigeants des régions trouvent intéressant de pouvoir faire venir de l'eau chez eux, gratuitement, aux frais de l'État. Il est vrai que cette situation prendra bientôt fin, puisque la décision a été prise d'instaurer une taxe sur l'eau à partir du quinquennat à venir. Il est question d'exiger également le remboursement des subventions budgétaires accordées pour la construction d'infrastructures économiques. Mais pour le moment, cela n'est pas le cas, et les amateurs de dotations budgétaires sont très nombreux.

Dans l'ensemble, la perestroïka a apporté d'importants changements dans la procédure de préparation et d'adoption des décisions économiques, en y introduisant la démocratisation et la transparence.

Mais, comme je l'ai déjà dit, nous nous trouvons actuellement dans une période transitoire. Nous avons mis le cap sur la démocratisation, beaucoup de choses ont déjà été réalisées. Mais il convient de faire encore davantage, conformément aux décisions de la XIXe Conférence du Parti sur la réforme du système politique, sur celle du droit, sur le développement de la glasnost, sur la lutte contre la bureaucratie. Cette situation de transition influe également sur l'élaboration et la prise de décision. Et, à côté d'autres exemples où l'on peut voir que les citoyens y participent largement, en toute transparence, nous nous heurtons parfois aujourd'hui encore aux anciens comportements, se traduisant par des décisions élaborées en cercle restreint et adoptées en catimini, y compris lorsqu'il s'agit de questions graves.

Maintenant, je voudrais simplement décrire comment tout

cela se passe dans la pratique. Si l'on élabore une décision – à plus forte raison, si on l'adopte –, c'est qu'elle répond à certaines motivations. Pour ne parler que d'un sujet réellement important, on peut prendre comme exemple le changement de politique économique : sa mise en œuvre appelait toute une série de décisions.

Ainsi, la nouvelle stratégie économique de notre pays, définie par le Comité central lors de son plénum d'avril 1985, a donné lieu à un ensemble de résolutions qui reflétaient la nouvelle politique sociale, la refonte de notre gestion, les modifications dans la politique d'investissement et la politique structurelle, une nouvelle approche de la politique économique extérieure, etc.

J'ai décrit dans la mesure de mes moyens, au cours des chapitres précédents, comment avait mûri et comment était née la perestroïka, quels facteurs y avaient conduit, quelle avait été la genèse de ses idées. Maintenant, ce qui nous intéresse, c'est la préparation de la décision économique elle-même, après qu'elle a été reconnue nécessaire pour telle ou telle raison. Dans l'ancien système administratif, comme on l'a déjà vu, les décisions étaient préparées par l'appareil, et celui-ci s'efforçait de tenir les spécialistes à l'écart, sans même parler de milieux plus larges.

Aujourd'hui, la situation se modifie. Les nouveaux dirigeants, avec à leur tête M. Gorbatchev, font largement participer les spécialistes et la société à la préparation et à la discussion des décisions importantes. On crée même à cet effet des organes spéciaux. Par exemple, une décision concernant tel ou tel aspect de la restructuration de la gestion est habituellement préparée dans le cadre de la Commission gouvernementale de gestion, que dirige Iouri Maslioukov, président du Gosplan et premier vice-président du Conseil des ministres.

Cette commission comprend les présidents des principales administrations économiques – le Comité d'État à l'approvisionnement, le Comité d'État à la science et à la technique et la Commission d'État aux relations économiques extérieures –, tous trois également vice-présidents du Conseil des ministres. En font également partie le ministre des Finances, le président du Comité d'État au travail et aux questions sociales, ceux de la Banque d'État et du Comité d'État aux prix, le secrétaire du

Conseil central des syndicats, des représentants des organes permanents du Conseil des ministres, du département d'économie et du département de gestion du Conseil des ministres de l'URSS, et d'autres responsables de l'économie.

Plusieurs économistes sont également membres à part entière de la commission. On m'a confié la direction de leur groupe.

Cette commission est, en outre, assistée d'une section scientifique que je préside. Les décisions les plus importantes concernant la restructuration de la gestion, qui demandent à être étayées sur le plan économique, sont tout d'abord examinées par la section scientifique. Le plan de travail de celle-ci est adopté par la commission. Et lors de ses réunions, le président ou le vice-président de la section présente un rapport, de même que les dirigeants de l'administration économique compétente. Le vice-président est l'académicien Leonid Abalkine, directeur de l'Institut d'économie de l'Académie des sciences de l'URSS.

Je citerai, parmi les questions récemment examinées par la section scientifique, la réforme du système bancaire soviétique, la législation concernant les actions et les obligations, l'autonomie comptable des républiques et des régions et leurs rapports avec les organes centraux, la location des entreprises industrielles par les collectifs de travailleurs, le bilan provisoire du fonctionnement des entreprises industrielles selon le nouveau système de gestion. En outre, la section scientifique étudie les expériences de réforme économique dans les autres pays et les possibilités de les adopter en URSS.

La section scientifique est constituée de chercheurs qui se consacrent aux problèmes de la gestion et du mécanisme économique, et regroupe les instituts scientifiques compétents en la matière, indépendamment de leur organisme de tutelle.

Un dirigeant du Gosplan et des représentants des administrations économiques centrales assistent habituellement aux réunions de cette section. Ils présentent fréquemment des rapports. Par exemple, les directeurs de banque prennent la parole lors de l'examen des questions bancaires, etc.

Une fois la question examinée, la section scientifique crée des commissions qui préparent des recommandations.

Dans notre pays, c'est généralement le travail en groupe qui prédomine lors de l'élaboration des décisions économiques importantes. On crée des commissions ou un groupe de travail, auquel on confie la tâche de préparer telle ou telle résolution. Si celle-ci revêt un caractère particulièrement important, comme le projet de loi sur les coopératives, le groupe va en général s'installer dans l'une des maisons dont le gouvernement dispose à la campagne, afin d'y travailler en toute tranquillité, mais chacun de ses membres peut être rappelé à n'importe quel moment pour recueillir les éléments nécessaires.

Ensuite ce projet est discuté à divers niveaux et devant divers auditoires. S'il touche aux problèmes de gestion, il est examiné en priorité par la Commission gouvernementale de gestion. En général, les projets importants sont communiqués à plusieurs instances, tels les ministères et administrations concernés, l'Académie des sciences, les républiques fédérées, afin de susciter leurs réflexions.

Si ce projet concerne les entreprises, on l'envoie à quelques entreprises sélectionnées.

Parfois, les membres de la Commisssion gouvernementale ou de la section scientifique, en compagnie de responsables de l'appareil de direction et des administrations économiques centrales, se déplacent dans les différentes régions et républiques pour présenter un projet, puis en débattre. Cela a été en particulier le cas de la loi sur l'entreprise. Ensuite, après différentes discussions et remarques, le projet est adopté.

Ces derniers temps, le Conseil des ministres de l'URSS se réunit en séances élargies ; les projets importants sont alors étudiés non seulemnt par les membres du gouvernement, mais aussi par des spécialistes invités et des représentants de la société civile. Par exemple, le projet de règlement provisoire sur les commandes d'État pour 1989-1990 a été par deux fois discuté à des séances du Conseil des ministres de l'URSS, auxquelles j'ai assisté.

La première séance s'est déroulée en présence de représentants des ministères et de spécialistes. Après six heures de discussion, le projet n'était toujours pas adopté. Il fut décidé de consulter des dirigeants d'entreprise et de les inviter à la séance suivante.

Au bout d'un mois et demi, au début d'août 1988, on réunit

au Kremlin, dans la salle Sverdlov, qui est assez grande, 100 ou 150 personnes, parmi lesquelles des dirigeants de nombreuses entreprises et des spécialistes. Le débat, commencé à 10 heures du matin, dura jusqu'à 17 heures. Plus de 30 personnes prirent la parole. On avait auparavant distribué le texte des propositions. Cette fois-ci, bien que certains, dont moi-même, aient émis de grandes réserves sur le fond, le projet fut adopté à la majorité des voix.

Il fut ensuite publié sous forme d'arrêté dans la *Gazette économique,* et c'est sur sa base que devaient être fixées, dans le plan pour 1989-1990, les commandes d'État, à la différence de 1988, où c'étaient les ministères qui avaient été entièrement chargés de définir ces commandes ; ils les avaient traitées comme ils le faisaient dans l'ancien système, les muant quasiment en objectifs du plan. Ils y avaient inclus de 80 à 100 % de la capacité de production de l'industrie, s'arrogeant ainsi, dans la pratique, tout pouvoir sur les entreprises. En 1989-1990, au contraire, la part des commandes d'État allait être sensiblement réduite. Dans l'ensemble de l'économie nationale, elle devrait constituer de 50 à 60 % du volume total de la production, et environ 40 % en ce qui concerne les industries de transformation. Désormais, ces commandes ne sont plus du ressort des ministères : elles sont définies, au nom du gouvernement, par le Gosplan et figurent dans le Plan d'État.

Lorsqu'il s'agit de décisions intéressant tous les citoyens, on organise des débats au niveau national. On peut citer là comme exemple la publication des projets de loi sur l'entreprise d'État, sur les coopératives, sur l'activité économique privée. Celui qui concernait l'entreprise d'État a été discuté pendant six mois. Environ 140 000 propositions ont été recueillies. La commission les a examinées, puis a soumis au débat, lors du plénum du Comité central, un projet corrigé en conséquence.

Après quoi le texte a encore été réexaminé, puis présenté au Soviet suprême de l'URSS. Les amendements avaient été auparavant étudiés par les députés réunis en commissions. Le Soviet suprême a adopté la loi lors de sa session de fin juin 1987.

On a déjà annoncé qu'une telle procédure serait également suivie à propos des projets de loi en préparation sur les pensions et sur la réforme des prix de détail. Il est prévu qu'aucune modification importante touchant à la vie des citoyens ne sera adoptée sans débat. Il en fut déjà ainsi pour le programme d'amélioration de la santé de la population et de restructuration fondamentale de la protection de la santé. Le projet du prochain Plan quinquennal est bien entendu, lui aussi, l'objet d'un débat : c'est devenu une tradition.

En même temps, on peut noter que les députés du Soviet suprême, notre organe législatif, ne prennent part qu'en des moments assez brefs à tout ce processus, puisque les sessions du Soviet suprême de l'URSS sont très courtes. Peu avant le début de celles-ci se réunissent les commissions, juste pour quelques séances. Chaque député, outre ses obligations d'élu, continue d'assumer ses engagements professionnels ; il est surchargé de préoccupations, et il ne lui reste que peu de temps pour se plonger véritablement dans les textes qui seront débattus lors de la session.

C'est pourquoi, dans le passé, la discussion des projets aux sessions du Soviet suprême revêtait fréquemment un caractère formel, et le vote était toujours unanime.

On projette de modifier cet état de fait dans le cadre de la réforme du système politique, dont les fondements ont été discutés et approuvés lors de la XIXᵉ Conférence du Parti. Le gros de cette réforme consiste à rendre leurs pleins pouvoirs aux soviets, instruments de la puissance populaire. L'organe suprême sera le Congrès des soviets. Ses députés seront élus par la population au suffrage direct dans les circonscriptions électorales, mais aussi par les congrès des organisations sociales, selon des règles déterminées[1].

Le Congrès des soviets élira le Soviet suprême de l'URSS. Celui-ci sera, en nombre, plus restreint qu'aujourd'hui, et les membres du gouvernement ou assimilés ne pourront pas en faire partie. C'est lui qui doit incarner le pouvoir législatif. Siéger au Soviet suprême deviendra un travail à part entière ; aussi ses membres devront-ils être au moins partiellement libérés de leurs obligations professionnelles antérieures, afin de pouvoir se consacrer davantage à leur mandat.

Le Soviet suprême mettra sur pied plusieurs commissions

---

1. De telles élections ont déjà eu lieu, on le sait, le 23 mars 1989 *(NDT)*.

qui étudieront de façon minutieuse toutes les questions, y compris les projets concernant de grandes décisions économiques. Elles-mêmes pourront également avancer des propositions touchant à n'importe quel domaine.

Le Soviet suprême élira un organe exécutif, le Conseil des ministres de l'URSS, qui lui sera entièrement soumis. Ce système sera adopté non seulement au niveau national, mais également au niveau de toutes les républiques et de certaines régions.

Il est très important que les décisions économiques importantes soient préparées collectivement, en se fondant sur les perspectives les plus larges de l'économie nationale, et non pas sur les intérêts particuliers de telle ou telle administration. Auparavant, on confiait la préparation d'un projet de décision à l'instance concernée.

Par exemple, les statuts de la Banque d'État ont été préparés par l'appareil même de cette dernière ; il va de soi que celui-ci s'est efforcé de se réserver, par ces statuts, les fonctions les plus importantes, tentant de placer sa banque largement au-dessus des autres et de faire en sorte que non seulement elle ait plus de droits que celles-ci, mais qu'en outre elle n'ait à leur égard pratiquement aucune obligation.

De même, c'est au ministère des Finances que revenait le soin de préparer son propre règlement. Il y a ainsi inclus, entre autres prérogatives, la direction du système bancaire, s'attachant, lui aussi, à se placer au-dessus de tout le monde et à obtenir des droits et des pouvoirs particuliers.

Bien entendu, ces projets sont ensuite examinés par un cercle plus large de personnes, et avant tout par la Commission gouvernementale de gestion. Au cours de ces discussions sont créés des groupes de travail qui doivent – en tenant compte des remarques – débarrasser ces textes de leurs aspects trop particularistes et leur conférer un caractère plus généraliste qui leur permette de s'intégrer dans une vision globale de l'économie nationale. Mais cela n'est pas toujours aisé, car le contenu initial pèse sur ceux qui sont chargés de le modifier.

A présent, les groupes de travail qui ont pour tâche de préparer tel ou tel texte comprennent de plus en plus de spécialistes. On leur donne davantage de temps pour élaborer des propositions qui soient fondées scientifiquement. Malheureusement, les délais restent contraignants.

Cette transformation au niveau de la préparation des décisions ne revêt encore pour le moment qu'un caractère partiel et timide. Jusqu'à présent, ce sont toujours les instances concernées qui mènent le jeu, s'efforçant de maintenir leur pouvoir et leurs privilèges. Les antidotes utilisés ne suffisent pas à y remédier. Les seules résistances ne viennent guère que des scientifiques et, dans certains cas – surtout lorsqu'il s'agit d'écologie –, de la société civile.

Une fois les projets élaborés, on ouvre les débats, et, là, le cercle s'élargit. Ces discussions apportent effectivement beaucoup d'éléments précieux. Mais il faut dire que les experts qui y prennent part n'y sont souvent pas assez préparés et qu'ils ne peuvent donc démontrer de façon convaincante la nécessité de telle ou telle modification de fond du projet qui leur est présenté ni lui opposer une quelconque variante de leur cru qui soit mieux équilibrée et plus efficace. Ce retard de la science sur la pratique administrative a des racines historiques et illustre de manière éclatante le fait que, immanquablement, la recherche, si ses résultats ne font l'objet d'aucune demande, est vouée à dépérir. Or telle était justement la situation de ce secteur pendant la période de stagnation. Non seulement il n'y avait pas de demande, mais les chercheurs étaient même en butte aux tracas lorsqu'ils exprimaient des idées hardies, des propositions novatrices, s'ils ne s'accommodaient pas sans broncher de telle ou telle décision.

Maintenant, fort heureusement, tout cela est du passé. Nous nous sommes sans aucun doute engagés dans la voie de la transparence et de la démocratie. Le processus de la perestroïka est enclenché. Mais, comme l'a à juste titre noté, il y a peu de temps, M. Gorbatchev, nous nous restructurons, mais nous ne sommes pas encore restructurés.

Et dans cette période de transition continuent de se manifester, çà et là, d'anciens réflexes. Dans le système administratif de gestion, le fonctionnaire, tout-puissant, imposait d'un coup de plume ses ukases, sans se préoccuper, généralement, d'un quelconque fondement juridique. Les juristes étaient à ses yeux des gens qui mettent en forme ce qui est déjà tranché, mais qui ne participent pas à l'élaboration des décisions.

Malheureusement, cette attitude n'a pas, aujourd'hui, tout à fait disparu. En particulier, au sein de la Commission gouvernementale de gestion – qui, justement, s'occupe de mettre au point diverses résolutions : sur 20 membres, on ne trouve pas un seul juriste. Et lorsque tel ou tel projet de loi est discuté, en Conseil des ministres entre autres, on demande, si nécessaire, un renseignement aux juristes, mais jamais on ne s'enquiert de leur avis.

Quant on lit les derniers textes réglementaires qui ont été adoptés – par exemple, sur l'organisation des sociétés à capital mixte –, il est facile de voir qu'on n'a pas véritablement fait participer des juristes qualifiés à leur élaboration : de nombreuses formulations, manquant de précision, peuvent donner lieu à diverses interprétations, et certains articles en contredisent d'autres. Mais tout cela arrange bien les bureaucrates, qui veulent conserver pouvoir et privilèges. De telles lacunes leur vont comme un gant, car ils ont ainsi la possibilité de choisir les points qui les avantagent le plus et faire l'impasse sur ce qui leur déplaît.

Il faut dire que ce mépris de l'aspect juridique s'explique aussi par l'ignorance en matière de droit. En URSS, l'initiation au droit des non-juristes est très mal organisée. Même dans les instituts d'économie, pendant des années, le droit n'était pas obligatoire. Et, s'il y avait des cours, ceux-ci étaient plus que succincts. Aucun enseignement juridique digne de ce nom n'était dispensé, alors que quiconque veut réellement se consacrer à la solution des problèmes économiques ne saurait s'en passer.

A présent, on a apparemment compris qu'il y a là un manque. La tâche qui s'impose est de faire de notre pays un État de droit, où la primauté de la loi soit assurée, ainsi que le respect des droits de chaque citoyen, l'égalité de tous devant la loi. L'instauration d'un État de droit permettra sans aucun doute d'améliorer fondamentalement la qualité juridique des décisions économiques.

II.

LA PERESTROÏKA
EST-ELLE IRRÉVERSIBLE ?

*Les analogies historiques ont-elles un sens
pour l'analyse des réformes économiques ?*

Lorsque l'on répond à des questions sur la marche de la perestroïka en URSS, qu'on donne des interviews à ce sujet, on se heurte toujours à la question : la perestroïka est-elle irréversible ? Habituellement, celui qui pose cette question s'explique : « Nous nous souvenons qu'il y a eu dans votre pays d'autres perestroïkas, et comment elles ont fini. » La Nouvelle Politique économique proclamée par Lénine a duré huit ou neuf ans, et ensuite, elle a été remplacée par les méthodes de commandement, presque une économie de guerre, liée en outre à de dures répressions, sous Staline. En 1953-1954, on a assisté brusquement à un nouveau tournant vers les méthodes économiques de gestion, surtout dans l'agriculture, et vers le développement du commerce de détail, dans le dessein de relever le niveau de vie de la population. Six ans se sont écoulés, avant que l'on retombe dans une période de volontarisme, de gestion administrative, de réorganisations incessantes. En un mot, tout cela s'est soldé par un échec, une baisse du niveau de vie dans la première moitié des années 60, l'augmentation des prix de la viande et des produits laitiers. Enfin, pendant les années 1964-1965, période dite « de la réforme économique » dans l'agriculture et l'industrie, on recourut de manière plus large aux méthodes économiques de gestion, l'accent étant mis sur l'intéressement, les incitations matérielles, le besoin de revivifier l'économie et d'améliorer sensiblement le niveau de vie. Puis, au bout de cinq ou six ans, retour aux méthodes administratives : on met un terme à l'autonomie des entreprises, à l'autonomie comptable, et le nivellement se généralise. Conséquence : la baisse des taux de croissance a installé notre pays, à l'aube des années 80, dans la stagnation et dans une situation de précrise.

Puis voici encore du nouveau : la perestroïka de 1985. Pourquoi devrait-elle être irréversible, durable où sont les garanties qu'elle ne subira pas le sort des réformes économiques précédentes ? Oui, c'est une question sérieuse, cruciale, pourrait-on dire. On ne peut pas s'y dérober, s'en tirer par un mot d'esprit. Et d'ailleurs ce n'est pas souhaitable.

De même sans doute que les autres personnes engagées dans la perestroïka, je me suis demandé quelles étaient effectivement les conditions à remplir pour que la perestroïka soit irréversible. Ce n'est pas là, en effet, question de polémique, de propagande. C'est un sujet qui concerne notre vie, notre destin. Il faut reconnaître qu'aujourd'hui plus de quatre ans après le plénum du Comité central du PCUS d'avril 1985, où Mikhaïl Gorbatchev a proclamé notre nouvelle stratégie économique, nous n'avons pas encore obtenu, pour l'instant, que la perestroïka soit irréversible, et cela a été honnêtement reconnu à la XIXe Conférence fédérale du PCUS, qui s'est déroulée en juin 1988. En fait, la principale tâche de cette conférence a été de mettre au point un ensemble de mesures qui, une fois réalisées, seront véritablement un gage de cette irréversibilité.

Penchons-nous maintenant sur ce problème, et tentons de dégager des arguments qui confirment ou infirment notre position.

Dans les questions que posent mes interlocuteurs, ceux-ci mettent généralement l'accent sur les analogies historiques. Bien sûr, nous devons tirer des leçons de l'Histoire. Ce n'est pas pour rien que le grand historien russe Karamzine disait de cette dernière qu'elle était le « livre sacré du peuple ». Et pourtant, on peut se demander aujourd'hui, en premier lieu, si la comparaison se justifie. Notre perestroïka ressemble-t-elle tellement aux autres tournants de la politique économique que l'on a pu observer au cours de notre histoire ?

Je reconnais qu'il y a, certes, beaucoup de ressemblances : les tournants vers une politique de progrès qu'on a pu observer au temps de la NEP, dans la période poststalinienne, ou lors de la réforme du milieu des années 60 présentent tous des aspects communs, notamment le fait qu'ils ont toujours été liés à une réorientation sociale du développement économique, visant à améliorer la vie des citoyens. Pendant la NEP, nous sommes venus à bout de la famine, nous avons non seulement atteint mais dépassé le niveau des revenus réels des travailleurs d'avant la Révolution et la Première Guerre mondiale. A la fin de la NEP, on en avait éradiqué le chômage, et les travailleurs avaient acquis de nombreux avantages sociaux. Hélas, ces réalisations furent réduites à néant par la collectivisation forcée, la politique volontariste axée sur le gonflement des objectifs liés au développement de l'industrie pendant le premier quinquennat. Le résultat, ce fut le retour de la famine, avec ses morts, et de nouveau le rationnement et la dégradation des conditions de vie, même si, par la suite, le IIe quinquennat a permis de redresser quelque peu la situation.

Les années 1954-1959 ont été celles d'un grand bond en avant quant à l'amélioration du niveau de vie. Au cours de ces six années, la production de denrées alimentaires augmenta de 60 %, et la qualité de l'alimentation des Soviétiques se fit nettement meilleure. Les gens s'habillaient mieux, leur aspect extérieur se modifia de façon sensible. Je suis entré à l'institut en 1950. La majorité des garçons étaient alors vêtus des tuniques militaires de leurs pères qu'on avait remises à leur taille, de pantalons incroyablement usés, chaussés de souliers éculés. Même pour les soirées, on n'avait rien de neuf à se mettre sur le dos. On vivait très pauvrement. A l'Institut d'économie de Moscou, où j'étudiais, un repas à la cantine coûtait 2 roubles (20 kopecks d'aujourd'hui), et il n'y avait de viande ni dans la soupe ni dans le plat de résistance. On se nourrissait surtout de semoule et de pommes de terre à l'eau, qui étaient considérées comme le fin du fin. Seuls les repas « privilégiés », à 3 roubles (30 kopecks), comprenaient de la viande dans l'un des plats, et encore, en général, ne réussissait-on même pas à en pêcher un morceau dans la soupe. Je me souviens que ce fut un grand événement (il me semble que cela se produisit à la fin de mes études), quand le pain fut mis sur la table et que l'on put en prendre à volonté. Pour les conditions de logement, ce n'était pas mieux. Je connaissais beaucoup de monde, mais je n'avais pas un camarade dont la famille habitât dans un appartement séparé, et pourtant il y en avait. Mon oncle, médecin émérite, directeur d'un grand hôpital, vivait modestement : ils étaient trois dans une grande pièce claire de 20 mètres carrés. Ce n'est que plus tard qu'il put se faire attribuer – chance exceptionnelle – une pièce supplémentaire, dans cet appartement communautaire où habitaient, en outre, un professeur de l'université de Moscou avec sa famille – également dans une pièce – et un autre médecin connu – en tout, six ou sept familles. En dehors de vieux postes de radio à lampes, dans les familles les plus à l'aise, et d'une machine à coudre manuelle, les gens n'avaient aucun bien de consommation durable, ni téléviseur, ni réfrigérateur, ni voiture.

Et voilà qu'à partir de cette situation de semi-misère, en six ans, littéralement, tout a changé. On a mis au point la production en série de biens de consommation durables – réfrigérateurs, téléviseurs, machines à laver, machines à coudre électriques, bicyclettes –, on a commencé à produire des voitures pour les particuliers, et on a également entrepris de développer un commerce moderne. C'est à cette époque que furent inaugurés le Goum et Le Monde des Enfants, à Moscou, et chaque mois s'ouvrait un nouveau restaurant, un nouveau café. Puis on entreprit la construction de maisons en préfabriqué, et des millions de gens ont pu s'installer dans des appartements séparés avec tout le confort.

Alors que, dans les années d'après-guerre, la vie étant devenue très difficile, beaucoup de mendiants, assis sur le trottoir, demandaient l'aumône ou, parcourant les trains de banlieue, suppliaient qu'on les aidât, la mendicité disparut peu à peu. Le salaire minimum augmenta considérablement. En 1956 fut adoptée une nouvelle loi sur les retraites, qui fixait leur montant à un niveau élevé pour l'époque (60 % du salaire, en moyenne), avec un âge de départ à la retraite qui était le plus bas du monde (cinquante-cinq ans pour les femmes, soixante pour les hommes). Globalement, de 1954 à 1959, le revenu réel par habitant a augmenté en moyenne, en URSS, de 39 %.

Puis on en revint à une politique de gestion volontariste. La croissance de l'agriculture fut presque complètement stoppée. Les revenus monétaires ayant augmenté, cela aboutit aussitôt à la pénurie de denrées alimentaires. On distribua des tickets pour l'achat de farine, et même le pain, en 1962 et 1963, faisait parfois défaut dans les magasins, et sa qualité se détériora sensiblement. En 1962, il fallut relever les prix de la viande et des produits laitiers dans le commerce d'État. Mais les pénuries ne disparurent pas pour autant. A certains moments de l'année, il fallait se battre, même, pour acheter du sucre. Après une amélioration aussi sensible des conditions de vie dans la période précédente, la population acceptait mal les longues files d'attente, les pénuries, les hausses de prix sur les marchés kolkhoziens. C'est à cette époque, en 1963, que, pour la première fois, l'URSS, au lieu de vendre son blé, s'est mise à en acheter à d'autres pays. Cette situation pénible, de stagnation, pourrait-on dire, fut rapidement redressée après le remplacement de Khrouchtchev. En quelques mois furent élaborées des propositions de fond pour réactiver le développement de l'agriculture, grâce à une politique d'incitations et au renforcement des méthodes de gestion fondées sur l'économie. Et le secteur alimentaire se mit de nouveau à prospérer : 4 % de croissance par an, et même davantage. Aussitôt la viande et le lait réapparurent dans les magasins, le pain redevint de meilleure qualité. On continua de construire des logements sur une grande échelle, et, chaque année, environ 10 millions de personnes ont pu voir leurs conditions d'habitat s'améliorer. La production de biens de consommation augmenta de plus de 50 % au cours du quinquennat 1966-1970, et les entreprises de l'industrie lourde et de l'industrie de la défense participèrent réellement à ce progrès. Mais tout cela, hélas, ne devait encore une fois pas durer : dès le début des années 70, la situation se détériora, et, en 1979-1982, on retomba au-dessous des résultats antérieurs. Le développement des infrastructures sociales ne fut plus désormais financé que selon le principe résiduel, on réduisit sensiblement les dépenses pour l'enseignement et la santé dans le Budget de l'État.

Puis est arrivée la perestroïka, avec la proclamation d'une nouvelle politique sociale : relance des investissements dans ce secteur, construction de logements et d'infrastructures sociales, amélioration des services, augmentation importante des budgets de l'enseignement et de la santé ; à quoi s'ajoutaient le doublement des taux de croissance du secteur agro-industriel, le triplement de la croissance dans le tertiaire et une injection considérable de devises dans le développement de l'industrie textile.

Bien entendu, à chaque étape de l'édification du socialisme, il a fallu résoudre des tâches spécifiques en ce qui concerne le niveau de vie. Celui-ci est, à l'heure actuelle, incomparablement plus élevé que dans les périodes précédentes. Mais cela n'empêche pas de noter une particularité commune : toute stratégie économique de progrès est liée en premier lieu à une réorientation de la politique économique vers une amélioration du niveau de vie.

Et cela est profondément logique. Pour relever l'économie, il faut s'appuyer sur les gens, car l'homme est la principale force productive et le principal moteur du progrès. Et, comme le montre notre expérience (de même que celle des autres pays socialistes), chaque fois que, dans l'histoire, on a connu de grands tournants et que l'on a alors pris en compte l'intérêt des gens, cela a toujours entraîné une augmentation de leur activité professionnelle et sociale, avec, pour conséquence, une croissance de la production, une multiplication de la richesse nationale et donc un renforcement de la puissance économique du pays.

Nous parlons, concrètement, du nôtre, l'URSS. L'agriculture y joue, dans l'économie, un rôle particulier. Près des deux tiers des biens de consommation sont produits à partir de matières premières agricoles : produits alimentaires, articles en fibres naturelles, cuir. L'agriculture est reliée à la ville par des milliers de fils invisibles, car la majorité des citadins sont originaires de la campagne. C'est pourquoi chaque tournant de notre politique économique est directement lié à l'organisation de l'agriculture, à la modification des comportements à son égard, à la recherche de stimulants et à des efforts tendant à démocratiser son développement. Et il est symbolique que les changements dans la politique économique commencent habituellement avec des plénums du Comité central consacrés à ces problèmes. Je ne parlerai pas de la NEP, bien que la célèbre idée qu'a eue Lénine de remplacer l'impôt en nature par la livraison de produits alimentaires se soit directement adressée aux paysans. Le tournant qui a suivi la période stalinienne a pris naissance lors du plénum de mars 1953, portant sur les mesures à prendre pour relever l'agriculture. La réforme économique du milieu des années 60 a, de même, débuté avec le plénum de mars 1965, consacré lui aussi à l'agriculture. Et au cours de la perestroïka, la réorganisation de la gestion et les premières innovations au niveau du mécanisme économique ont tout d'abord été mises en œuvre dans le secteur agro-industriel. On a liquidé le système de gestion sectorielle dans l'agriculture et créé le Comité d'État à l'agro-industrie selon le principe territorial. On s'est mis à encourager les exploitations auxiliaires, les jardins collectifs. Le contrat familial a connu une large diffusion. Et, ces derniers temps, cela a été le tour de formes plus élaborées de contrats, reposant sur le bail. Les droits des kolkhozes et des sovkhozes en ce qui concerne la vente de leurs surplus ont été élargis. On a introduit encore bien d'autres nouveautés, – avec, et en particulier, la création d'une banque agricole, l'Agroprombank.

Je parle de cela, parce que, lors de rencontres avec les soviétologues, des gens bien informés sur notre développement, je m'entends assez régulièrement demander : « Pourquoi, à la différence du passé, n'avez-vous pas commencé la perestroïka par l'agriculture ? » Et mes interlocuteurs s'expliquent : la Chine, qui a commencé sa restructuration par la réforme agraire, a tout de suite remporté de grands succès ; à partir de 1978, date où ces mesures ont commencé à être appliquées, le volume de la production agricole a doublé dans ce pays, qui s'est ainsi placé au premier rang mondial pour la production de céréales (400 millions de tonnes, dépassant les États-Unis). Tout cela a conduit à une amélioration sensible des conditions de vie des citoyens. Je réponds habituellement, alors, que nous avons, en réalité, pratiquement commencé la restructuration du système de gestion au niveau de l'agriculture. Mais c'était au tout début de la perestroïka. Nous n'avions pas, à ce moment, de conception d'ensemble du nouveau système de gestion ; en outre, les forces d'inertie – à quoi s'ajoutait encore l'illusion que l'on pourrait combiner méthodes administratives et méthodes économiques de gestion – continuaient de peser lourdement. Par ailleurs, la mise au point des mesures concernant l'agriculture ne s'est pas effectuée de façon aussi publique et aussi démocratique que cela a été le cas, par exemple, lorsque le projet de loi sur les coopératives fut proposé au débat. On n'a même pas réuni le Congrès des kolkhoziens à l'occasion de la restructuration de la gestion dans l'agriculture.

De sorte que, pour conclure, aujourd'hui, les mesures prises pour la restructuration de la production agricole apparaissent comme insuffisamment révolutionnaires. On a tout de même conservé le joug administratif sur les kolkhozes et les sovkhozes, avec les directions régionales de l'agriculture (RAPO, OBLAPO) et les départements agricoles des organes du Parti. Il est clair, maintenant, qu'il fallait aller plus loin, prendre des mesures plus radicales. Aussi le Comité central, lors de son plénum de mars 1989, a-t-il décidé de liquider le Gosagroprom [1] et ses directions régionales. Il aurait fallu le faire beaucoup plus tôt. Mais nous avons l'esprit d'escalier !

En remontant dans le temps, le passage le plus net d'une économie de commandement à une économie qui utilisait largement les formes et les méthodes économiques de gestion fut l'instauration de la NEP (Nouvelle Politique Économique), venue remplacer le communisme de guerre. Alors que, sous le coup de ce dernier, la majeure partie des récoltes était réquisitionnée, faisant figure d'impôt en nature, et cela sans compensation aucune pour les paysans, à qui on ne laissait que le minimum vital, avec l'instauration de la NEP, sur proposition de Lénine, cette contribution fut remplacée par la livraison de produits alimentaires : le paysan fournissait à l'État une partie de sa récolte, moins importante que l'impôt en nature, et était payé en fonction de prix fermes fixés par l'État. Mais l'essentiel était que ce qu'il conservait de sa récolte – et qui représentait un volume non négligeable – demeurait sa propriété, qu'il pouvait vendre sur le marché à prix libre. Cela augmenta considérablement la motivation à travailler, à engranger une meilleure récolte ; l'agriculture se développa, et les fabriques et les usines devinrent elles aussi plus actives, avant tout pour produire ce qui était nécessaire aux paysans et obtenir, en échange, des denrées alimentaires. A la suite

---

1. Organisme d'État responsable de la gestion de l'agriculture et des industries agro-alimentaires *(NDT)*.

de cela, le commerce entre la ville et la campagne s'activa, ce qui entraîna le développement de toute l'économie nationale dans la période de la NEP. L'existence de surplus agricoles et la possibilité pour les paysans de les vendre conduisit à la formation d'un important marché et à une réactualisation des rapports marchandises-monnaie. En outre le commerce ville-campagne reposait sur une base égalitaire ; la classe ouvrière et la paysannerie avaient toutes deux intérêt à travailler de façon plus efficace.

C'est au cours de ces années de formation d'un marché que s'opéra la mise en place, dans les entreprises et les conglomérats, de l'autonomie comptable, qui impliquait un travail rentable, générant du profit. On commença à rechercher des méthodes pour renforcer la stimulation par le salaire, et l'État, à l'aide de la planification et de la politique de crédit, se rendit peu à peu « maître » du marché, exerçant une influence régulatrice sur son développement. Après le blocus économique et l'absence quasi totale de relations commerciales extérieures qui avaient suivi la Première Guerre mondiale, pendant la période de la NEP, on assiste à la renaissance des relations économiques de l'URSS avec le reste du monde. Les premiers pas encourageants dans ce domaine avaient été accomplis du vivant de Lénine, lequel salua le développement de ces relations.

L'anéantissement de la science économique sous Staline

L'histoire économique de notre pays dans les années 20 est exceptionnellement intéressante. C'est en effet la période pendant laquelle se sont développées les formes socialistes de gestion en temps de paix et où la mise en place de la pratique économique du socialisme a permis de confronter théorie et réalité. C'est le règne des débats et des discussions passionnés sur les alternatives du développement à venir de notre pays.

Le pays disposait alors de brillants économistes, venant des départements de statistiques des zemstvos[1] : l'école économique

---

1. Organes d'auto-administration locale qui existaient avant la Révolution de 1917, et qui formèrent des départements de statistiques pour étudier la production agricole *(NDT)*.

socialiste était connue dans le monde entier. Les débats étaient animés par des hommes éminents, tels que Boukharine, auteur d'un livre renommé sur l'économie de l'époque transitoire, Preobrajenski, Kondratiev, à qui l'on doit une célèbre théorie sur les cycles de longue durée, Tchaïanov, grand spécialiste du développement des coopératives, et de nombreux autres. On publiait quantité de revues économiques et de publications destinées aux gestionnaires, des centaines d'ouvrages consacrés à la statistique, à l'analyse économique. Toutes les discussions étaient ouvertes et publiques, et se reflétaient largement dans la presse.

Lorsque se met en place le culte de Staline, les répressions s'abattent en premier lieu sur les idéologues et les économistes. On élimine Boukharine, Preobrajenski, Tchaïanov, Kondratiev et bien d'autres encore. Nombre de revues économiques doivent disparaître, et on liquide les instituts d'économie, comme l'Institut de conjoncture ou l'Institut central du travail, ou encore l'Institut des professeurs rouges, qui était l'un des principaux centres de discussion. On commence à déformer les statistiques, puis on cesse purement et simplement de publier les données concernant plusieurs secteurs. Les comparaisons diverses deviennent particulièrement insupportables au pouvoir : c'est ainsi que la tentative d'un spécialiste connu, le Pr Koubanine, de comparer dans un article le parc de tracteurs de l'URSS et celui des États-Unis se solde par l'arrestation de l'auteur et de certains membres du comité de rédaction de la revue, laquelle se voit interdite. Staline et son entourage ne supportaient aucune idée nouvelle en économie qui ne soit pas avancée par eux-mêmes. Lorsque le célèbre économiste Stroumiline, membre de l'Académie, l'un des idéologues du Gosplan, entreprit d'analyser en perspective les problèmes de l'élaboration de la balance de l'économie nationale de l'URSS, on mit immédiatement un coup d'arrêt à ses travaux. Et, dans la principale revue soviétique de l'époque, *Bolcheviki,* parut un article sur Stroumiline intitulé « La balance des erreurs grossières ». Il fut licencié, et, même s'il échappa aux répressions, il fut pendant longtemps interdit de publication et contraint de se consacrer à l'histoire de la métallurgie en Russie. Il écrivit d'ailleurs un ouvrage remarquable sur ce thème, pour lequel plus tard, après la période stalinienne, il fut à juste titre couronné du prix Lénine.

146

Il m'est pénible de parler de tout cela, car, ayant commencé à travailler dans le domaine de l'économie dans les années 50, j'ai eu des liens amicaux avec plusieurs représentants de cette génération d'économistes qui, dans leur jeunesse, pendant les années 20, s'étaient consacrés à des recherches sérieuses, pour ensuite connaître la prison et le bagne ; ce n'est qu'au milieu des années 50 qu'ils avaient été libérés, après la condamnation du culte de la personnalité de Staline, et ils se consacraient à nouveau aux problèmes économiques. Je me souviens avec une chaude sympathie de Lev Mintz, un ami de Stroumiline ; j'ai été son rapporteur lors de sa soutenance de thèse, et j'ai été frappé alors par le fait que ses travaux sur les problèmes de la statistique et du travail se référaient ou bien aux années 20 ou bien à la fin des années 50. Entre-temps, il se trouvait, comme on dit chez nous, « dans des lieux pas si éloignés ». Il rédigea une étude remarquable, et nous avons voté pour lui à l'unanimité. En dehors de ses recherches, Mintz s'était chargé d'importantes responsabilités, à titre bénévole, travaillant dans les sections économiques de la Maison des savants de Moscou, s'occupant activement des problèmes de localisation des forces productives, organisant diverses conférences et séminaires. Je me souviens d'être allé chez lui : il habitait une petite pièce, seul (sa femme n'avait pas attendu son retour de détention), il se faisait lui-même la cuisine, et son travail était toute sa vie.

Un autre économiste éminent, Albert Weinstein, occupa dès sa sortie de prison un poste important dans la recherche économique. C'était un homme aux horizons très vastes, un brillant polémiste, qui rédigea dans des délais très brefs une thèse de troisième cycle sur le revenu national de la Russie. Ce travail était d'un tel niveau professionnel, si poussé, avec une telle abondance de sources, qui, souvent, étaient des documents uniques, que proposition fut faite d'attribuer tout de suite à Weinstein le grade de docteur ès sciences économiques. Et la quasi-unanimité se fit dans ce sens. C'est un cas assez rare dans notre pratique. Albert Weinstein racontait qu'il avait été l'un des premiers à être arrêté alors que les répressions ne faisaient que commencer, en tant que membre du prétendu « parti industriel », dont on disait qu'il constituait une opposition au Parti communiste. Preobrajenski et d'autres économistes furent jugés au cours du même procès. Weinstein racontait que, en réalité, grand amateur de jolies femmes et faisant en particulier la cour à la femme de Preobrajenski, c'est ainsi qu'il s'était fait remarquer par les agents de la Sécurité, qui l'avaient mis derrière les barreaux. C'était un homme très spirituel, et, quand on lui demandait s'il était vrai qu'il eût connu beaucoup de femmes, il répondait que seules les peuplades primitives considéraient qu'en avoir beaucoup, c'était de ne pouvoir les compter sur les doigts des deux mains. « Mais nous, ajoutait-il avec un sourire, nous sommes des gens civilisés. » Après sa soutenance de thèse, lors du banquet qui était à l'époque de rigueur, on lui demanda : « Comment avez-vous fait pour passer au bagne, en prison, plus de vingt ans et rédiger une thèse tout de suite après votre retour ? Est-ce que vous aviez la possibilité là-bas d'avoir des livres, de vous consacrer à l'économie ? – Pensez-vous, répondit-il, je remercie le destin d'avoir réussi à me placer pendant quelque temps comme préposé à la chaudière dans le camp où je me trouvais. Bien entendu, à cette époque, j'ai baissé en tant que scientifique, mais notre science économique baissait aussi, alors nous nous sommes rejoints. » Il y a une part de vérité dans ces paroles amères. Sous Staline, la science économique avait en effet pris du retard. Elle s'exprimait par citations et exégèses, avec dogmatisme ; elle s'était détachée de la réalité, de la statistique, et dans une grande mesure elle remplissait des fonctions d'apologie et de propagande, perdant son rôle de fil conducteur pour l'édification du socialisme. Nous pouvons très bien imaginer ce que furent la puissance intellectuelle et les méthodes de pensée des économistes des années 20. En effet, si les plus éminents d'entre eux ont été éliminés, ceux qui ont survécu – des hommes âgés de vingt-cinq à trente ans lors de leur arrestation –, lorsqu'ils sont revenus après avoir traversé tous les cercles de l'enfer, non seulement ont trouvé en eux la force de continuer de vivre, de se remettre à travailler de façon productive, mais ils sont devenus rapidement les premiers économistes du pays. Ils nous frappaient, nous, qui étions plus jeunes, par leur énergie indomptable, leur capacité de travail, la profondeur de leurs connaissances.

J'étais par exemple empli du plus profond respect pour notre éminent statisticien Yakov Kvacha. Lorsque je travaillais en Sibérie, je me rendais fréquemment dans la région de Magadan, sur la route de la Kolyma ; quand je venais à Moscou, j'allais voir Kvacha, et il me demandait immanquablement si j'avais vu la mine d'or située dans la vallée des Quatre-Maréchaux, dans la Kolyma – c'est ainsi que l'on appelait cette vallée avant que ces maréchaux, Toukhatchevski, Yakir et les autres aient été exécutés. Je suis allé spécialement voir cette mine, mais rien, en dehors de restes de fondations et de poteaux, sans doute à l'emplacement qu'avaient occupé les baraques abritant les détenus, ne rappelait qu'il y avait eu là un grand camp, où, sous un numéro matricule, privé de son nom et de son prénom, avait vécu Yakov Kvacha. C'était un statisticien, un esprit fin, qui détectait fort bien les déformations de la vérité. Il aimait à répéter les paroles de Disraëli, comme quoi il y a trois sortes de mensonges : le mensonge ordinaire, le mensonge éhonté et la statistique. Je me souviens très bien de son étude remarquable sur le niveau de mécanisation et la proportion du travail manuel en URSS. Bien que je m'occupe depuis longtemps des problèmes du travail (j'ai travaillé pendant sept ans, de 1955 à 1961, à la section Économie générale du Comité du travail du Conseil des ministres de l'URSS), je fus frappé, en le lisant, du retard que connaissait notre pays à l'époque. Je ne pouvais pas m'accoutumer à l'idée qu'après l'industrialisation plus de la moitié des ouvriers de l'industrie soviétique effectuaient encore un travail manuel, que les taux de mécanisation que nous publiions sans cesse déformaient la réalité, car les calculs prenaient en compte non pas la quantité, mais les unités de travail.

Notre meilleur spécialiste de l'efficacité des investissements et des problèmes de la construction est Victor Krassovski, qui, lui aussi, a passé de nombreuses années en camp, dans la région de Norilsk. Auparavant, quand il était bien plus jeune, il avait pendant longtemps dirigé le département des investissements de l'Institut de recherches économiques du Gosplan et avait ensuite été mis à la tête du département correspondant à l'Institut d'économie de l'Académie des sciences de l'URSS, où il collaborait étroitement avec l'académicien Tigran Khatchatourov. Ce qui me frappait chez lui, c'était sa profondeur de pénétration du sujet étudié. De même que les autres représentants de la vieille garde économique, il aimait et comprenait la statistique, étudiait une grande quantité de données factuelles, participait activement à l'expertise de différents projets, et fut à l'origine de la rationalisation des choix budgétaires pour l'investissement. Il est encore l'un des dirigeants du très actif Institut scientifique de l'Académie des sciences de l'URSS pour les problèmes d'investissements.

Semion Heinman est l'un des meilleurs amis de ma famille. Il a dépassé les quatre-vingts ans, mais il demeure au premier rang de nos économistes. Les travaux très importants qu'on lui doit sur la structure de notre production, son organisation, sa spécialisation, les problèmes de développement des constructions mécaniques, les orientations du progrès scientifique et technique sont sans cesse présents à l'esprit des spécialistes d'aujourd'hui. Sa productivité est étonnante, il publie sans discontinuer dans la presse des articles du plus haut intérêt, suit attentivement tout ce qui se fait sur le plan de l'équipement aux États-Unis, la sortie des nouveaux ouvrages économiques, participe aux polémiques concernant les idées et les approches nouvelles. Il y a quelques jours, il m'a téléphoné et m'a dit : « Et si nous écrivions ensemble un livre sur notre pays ? Il s'intitulerait *L'Économie du gaspillage* » – c'est le titre d'un livre paru dans les années 20 sur l'Amérique, mais le gaspillage, chez nous, a ses causes propres, et nous avons nos propres moyens de le combattre. Lorsque j'ai fondé ce qui est aujourd'hui la plus populaire des revues d'économie soviétiques, à très gros tirage, EKO (les trois premières lettres du mot *ekonomika*), j'ai proposé à Semion Heinman de faire partie du comité de rédaction, et j'ai bien eu raison. Il avait presque le double de l'âge de beaucoup d'entre nous, mais c'était l'âme de la rédaction : présent à pratiquement toutes les réunions, et se rendant spécialement pour cela à Novossibirsk, il nous donnait tout le temps des idées d'articles. Après des débuts très modestes, avec seulement 8 000 exemplaires la première année, nous avons augmenté le tirage tous les ans. Aujourd'hui, il dépasse les 160 000 exemplaires, et c'est largement à lui que nous le devons. Malheureusement, il y a peu de temps, Heinman et moi avons dû faire nos adieux à la revue, car l'Académie des sciences a adopté une décision comme quoi on n'a plus le droit d'être rédacteur en chef ou membre du comité de rédaction d'une revue pendant plus de deux périodes

150

de cinq ans successives. Or nous avions déjà tous les deux dépassé trois périodes (de 1970 à 1985).

Si je parle de ces hommes qui me sont proches, ce n'est pas seulement pour souligner le rôle immense qu'ils ont eu dans ma formation en tant qu'économiste, mais surtout pour que le lecteur comprenne quel dommage irréparable a été fait à notre société par les répressions sous Staline et par le culte de la personnalité qu'entretenait ce dernier. En voyant comment lui et son entourage ont frappé les économistes, on comprend ce que nous avons perdu du fait que, dans les décennies 30 et 40, qui furent si difficiles, nous avons été privés de ces brillants chercheurs des années 20.

Il faut noter en outre que, tout de suite après la guerre, grâce à l'essor engendré par notre formidable victoire, les gens se sont mis à respirer un peu plus librement et que beaucoup d'économistes, rentrés du front aguerris, enivrés par la victoire, se sont mis activement à la recherche, s'informant sur les idées et les réalisations économiques dans le monde entier. A cette époque, notamment, on s'est beaucoup intéressé au rôle que l'on accordait à l'économie en Occident.

Mais il n'était pas question de suivre cette voie. Staline ne voulait pas perdre son monopole sans partage sur les sciences sociales, en particulier en ce qui concernait l'économie. En 1948 commença la campagne inspirée par lui et par Jdanov contre le « cosmopolitisme », l'attitude obséquieuse qu'auraient manifestée les intellectuels soviétiques, y compris les savants, devant ce qui venait de l'étranger. On se mit à « démasquer » en masse. Les dogmatiques et les hommes chargés d'appliquer la volonté de Staline et de Jdanov, se prenant au jeu, entreprirent d'accuser des savants porteurs d'idées d'avant-garde d'être les propagateurs d'idées antimarxistes, – ou pis, encore : bourgeoises, antisocialistes –, de vouloir « restaurer le capitalisme ». Un de mes professeurs, dont je considère les travaux comme des classiques de la science économique, le Pr Victor Novojilov, eut l'audace, lors d'une discussion sur la rentabilité des investissements, de proposer de fixer des normes d'efficacité : ce fut un scandale, on se mit à crier qu'il proposait de revenir au capitalisme, avec sa norme de profit, ses pourcentages sur le capital, etc. Finalement, Novojilov, qui était professeur à l'Institut polytechnique de

151

Leningrad, fut chassé de son poste. Il vécut pendant quelque temps de petits travaux, et des années passèrent sans qu'il puisse publier quoi que ce soit.

Un autre grand économiste et statisticien soviétique, l'académicien Vassili Nemtchinov, qui fut également mon maître, resta lui aussi longtemps sans travail. En tant que représentant de l'école statistique des zemstvos et éminent spécialiste de la statistique agricole, il était recteur de l'académie agricole Timiriazev. Cette académie résistait aux entreprises de Lyssenko, le fossoyeur de la biologie moderne, « combattant » la génétique et ce qu'il appelait le « weismannisme ». La séance de l'Académie consacrée, en 1948, à cette question fut une tragédie pour la science soviétique, en particulier la biologie et l'agronomie, car elle se transforma en règlement de comptes grossier : seuls quelques savants parmi ceux qui avaient été critiqués par Lyssenko, au nom du Comité central et en des termes inadmissibles, osèrent défendre leur point de vue et, parmi eux, l'inoubliable Nemtchinov. Il prit deux fois la parole, et parla à deux reprises du caractère scientifique de la génétique, des théories de Mendel et de Weismann. Il fut bien entendu destitué de son poste de recteur, privé de son travail, on cessa de le publier, etc. Et pourtant, on doit à Novojilov et à Nemtchinov un énorme apport dans le développement de la science économique. Mais cela ne fut reconnu que vers la fin de leur vie. Dans les années 60, Novojilov publia un ouvrage qui allait devenir célèbre dans le monde entier, *Les Mesures des dépenses et leurs résultats dans l'économie socialiste,* posant ainsi, avec son ami Leonid Kantorovitch, futur prix Nobel d'économie 1975, les bases de la théorie de l'optimum en économie socialiste. Nemtchinov, quant à lui, fut l'un des premiers économistes soviétiques qui estima à sa juste valeur l'importance pour nous de l'approche optimale, et la nécessité d'utiliser largement les modèles mathématiques et l'informatique dans les recherches et la planification économiques, comme dans toute la science.

Après que Nemtchinov eut été exclu de l'académie Timiriazev, où, en dehors de ses fonctions de recteur, il dirigeait le département de statistique, il entra à l'Académie des sciences. Il faut dire, pour l'honneur de notre académie, que la majorité de ses membres s'étaient toujours prononcés contre Lyssenko, soutenant les véritables savants que celui-ci pourchassait. C'est pourquoi Lyssenko détestait la « Grande Académie », la dénonçant constammant aux instances du Parti et tentant d'y introduire ses partisans, lesquels se voyaient souvent refoulés. C'est ainsi que lors des élections à l'Académie de 1964, un des adeptes de Lyssenko, un certain Noujdine, fut repoussé avec pertes et fracas : l'académicien Andreï Sakharov avait pris la parole contre lui, ce qui était quelque chose d'incroyable pour l'époque, car il allait ainsi à l'encontre de la recommandation des organes du Parti. Les vieux académiciens racontent (je suis, pour ma part, entré à l'Académie cette même année 1964 en tant que membre correspondant pour le département d'économie et, par conséquent, je n'ai pas assisté à cette session) que Lyssenko s'était plaint à Khrouchtchev, arguant que l'Académie des sciences était une survivance du régime tsariste et qu'il fallait la fermer. Khrouchtchev, dans les derniers mois de son règne, aurait selon eux examiné sérieusement la question. C'était l'époque où il passait son temps à tout réorganiser – il avait, notamment, divisé les comités régionaux du Parti en sections agricoles et industrielles, changé le nombre d'années d'études à l'école, dissous le Gosplan, pour ne citer que quelques exemples...

Les réformes économiques de Khrouchtchev et de Kossyguine, précurseurs de la perestroïka

Après la mort de Staline commença une ère nouvelle. Comme on l'a déjà dit, ce fut le moment d'un important tournant dans la stratégie économique. Le plénum du Comité central de septembre 1953 marqua le début du changement, en portant un coup au système administratif de gestion dans l'agriculture, en permettant que soit fait un grand pas en direction des méthodes de gestion fondées sur l'utilisation des leviers économiques et en remettant à l'honneur l'intéressement des kolkhozes aux résultats de leur activité. On peut sans doute dire, sans exagération, que les décisions de ce plénum furent d'une importance comparable à celle qui avait conduit à remplacer l'impôt en nature par la livraison des denrées alimentaires. Cette dernière avait d'ailleurs marqué le début de l'adoption de méthodes économiques de gestion en régime socialiste. Staline a laissé un héritage très lourd dans l'agriculture. Disposant d'un pouvoir presque illimité, il allait, dès la fin des années 20, anéantir le plan de Lénine concernant les coopératives.

Les dernières années de la vie de Lénine se déroulèrent sous la NEP. L'économie, enterrée sous les gravats de la guerre, renaissait sous ses yeux. Après la famine de 1921, qui avait emporté des millions de vies, le pays faisait un pas vers l'abondance. On sait que pendant les dernières années de sa vie, Lénine était gravement malade et participait peu aux affaires. Rassemblant le reste de ses forces, il se concentrait sur les réflexions concernant l'avenir. Lorsque sa maladie s'aggrava et qu'il comprit qu'il lui faudrait apparemment bientôt quitter ce monde, il se mit à dicter – car il ne pouvait plus écrire – de brefs articles, notes et lettres (il n'avait plus assez de force pour des textes plus développés), dont l'ensemble est considéré comme son testament politique. Dans l'énorme masse de questions touchant à l'avenir de l'URSS, Lénine en sélectionna quelques-unes et, parmi elles, la place centrale revient au texte intitulé *De la coopération*. Lénine voyait dans la coopération la voie des millions de paysans soviétiques vers le socialisme. La bibliothèque personnelle de Lénine, dans son appartement du Kremlin, contenait environ 200 ouvrages consacrés à ce sujet, dont beaucoup portent des notes rédigées de sa main. Parmi ces ouvrages se trouvait d'ailleurs celui de Tchaïanov, dont nous avons parlé plus haut. Lénine insistait particulièrement sur le caractère volontaire que devait revêtir l'adhésion des paysans aux coopératives, et soulignait que celles-ci devaient avoir des formes multiples, qu'il fallait commencer par les coopératives d'approvisionnement et d'écoulement, plus faciles à organiser et plus avantageuses pour les paysans, et seulement plus tard, en tenant compte des desiderata des gens, organiser des coopératives de production.

Staline ne tint pas compte de cette exigence fondamentale de Lénine. On décida de faire coopérer les paysans de force, et on choisit une seule forme de coopérative, celle de production, que représentait le kolkhoze. On confisqua aux paysans leur bétail, leurs outils, on leur prit la terre qu'ils exploitaient, au profit de ce

154

dernier. En outre, on fit la guerre aux paysans aisés qui utilisaient des salariés saisonniers, et à qui on donna le nom de « koulaks ». Ils furent victimes de répressions, quand ils n'étaient pas liquidés sur place. On classa parmi les koulaks des paysans tout simplement aisés mais sans salariés, et même ceux qui ne voulaient pas donner au kolkhoze leur unique cheval ou vache, ou ceux qui ne se pressaient pas d'apporter leur sac de blé à la grange communautaire ; on les « dékoulakisa » de force, puis on les envoya, par vagues, en Sibérie. La création des kolkhozes n'avait absolument pas été préparée : souvent, le bétail réquisitionné chez les paysans n'était pas nourri, le blé pourrissait dans les granges aux toits percés des kolkhozes. Toute motivation au travail disparut, on abattit la moitié des vaches, on laissa perdre une partie du blé, le volume de la production agricole diminua de moitié ; on fut bientôt contraint d'imposer le rationnement, les rayons des magasins se vidèrent, et le marché noir fleurit. Ce fut la famine, qui, avec les cruelles répressions contre les paysans, causa des millions de morts.

Lorsque tout cela apparut clairement, Staline fut forcé de donner un coup de frein, et même de faire partiellement marche arrière, rendant responsables les autorités locales. « Les succès qui tournent la tête », c'est ainsi qu'il intitula son article dirigé contre les « excès » de la collectivisation. On lâcha un peu la bride, la production se mit à augmenter, on finit par supprimer le rationnement, mais l'agriculture était toujours en retard et demeurait sous le joug. La guerre ruina les campagnes sur d'immenses territoires. Les hommes rejoignirent l'armée, tout le poids de l'agriculture retomba sur les femmes. La période d'après-guerre fut également très difficile, la population avait faim. Le paysan était réduit en esclavage par le système administratif, il ne pouvait pas quitter le kolkhoze, s'en aller ailleurs, ni à plus forte raison, s'installer en ville. Il lui fallait d'abord pour cela obtenir l'autorisation administrative, puis recevoir un passeport intérieur ; et ce n'est qu'une fois ces conditions remplies qu'il pouvait aller travailler en ville. Staline rétablit en fait l'impôt en nature en instaurant la collecte : l'État prélevait une grande partie de la récolte des kolkhozes contre un paiement symbolique, qui ne couvrait même pas les coûts. En outre, les moyens de production (tracteurs, moissonneuses-batteuses et autres machines agricoles) se trouvaient en dehors des kolkhozes, dans les stations de machines et de tracteurs d'État, les MTS. Celles-ci bénéficiaient d'une situation privilégiée par rapport aux kolkhozes. Les conducteurs de machines qu'elles employaient étaient bien payés, on devait leur donner les maisons les plus confortables, etc. Ils labouraient la terre et récoltaient la moisson des kolkhozes avec leurs machines, tandis que ces derniers payaient ces services en nature à l'État ; mais ce paiement n'était pas équitable, car il dépassait en valeur le service rendu. Le reste de la production était également livré à l'État à des prix fixés de même, par celui-ci, à un niveau plus élevé, certes, que les prix de collecte, mais toujours pas équitable. En conséquence, le kolkhoze gardait peu de produits et avait encore moins d'argent. Les kolkhoziens travaillaient souvent sous la menace : ils y étaient obligés, autrement on leur aurait confisqué les lopins grâce auxquels toutes les familles se nourrissaient. Le travail du kolkhozien était dépersonnalisé, on lui comptabilisait des « journées de travail ». A la fin de l'année, en se fondant sur la récolte et les recettes, les kolkhoziens recevaient pour ces « journées de travail » un paiement, généralement en nature. Par exemple, pour une journée, 300 grammes de blé, un peu de foin, quelques kopecks. Pour l'essentiel, les kolkhoziens pratiquaient une économie naturelle. Pratiquement chaque foyer avait une vache, des poules, des cochons et pouvait ainsi se nourrir. Les kolkhoziens allaient plusieurs fois dans l'année vendre une partie des produits de leurs lopins au marché kolkhozien de la ville voisine, et avec l'argent ainsi gagné, ils s'achetaient du sucre, des vêtements, des outils, etc. Au cours de cette période (1953-1954), j'ai eu l'occasion de me rendre dans quelques villages de Russie centrale, pas très loin de Moscou. Je m'étais marié en 1953 avec Zoïa Kouprianova, qui était alors étudiante à l'Institut d'économie de Moscou ; ses parents étaient originaires du village de Jokhovo, dans la région de Vladimir, à environ 150 kilomètres de la capitale, et de nombreux parents et amis de ma femme résidaient là-bas. Je m'y rendis plusieurs fois, ainsi que dans les villages voisins. Jokhovo ne disposait d'aucun confort, il n'y avait pas de boutiques, il fallait aller faire ses achats au village d'à côté, et encore les boutiques n'y étaient-elles ouvertes que quelques heures par jour deux fois par semaine, et on n'y trouvait pas grand-chose : de la vodka, du sucre, un assortiment limité de biens de consommation. C'était vraiment l'économie naturelle. La majorité des familles cuisaient elles-mêmes leur pain. La viande, le lait, les œufs, les pommes de terre, les légumes, les champignons, tout cela était cultivé ou préparé par la famille. Pour accéder au village il fallait suivre un chemin à travers champs. Il était situé sur une colline au bord d'une rivière, et au printemps, pendant la période des crues, on ne pouvait pratiquement pas l'atteindre, sauf à cheval ou avec un tracteur. Certaines années, on ne donnait pratiquement rien en paiement des « journées de travail ». Je me souviens comme si c'était hier que les kolkhoziens se plaignaient de changer de président pratiquement chaque année : c'étaient tous des ivrognes invétérés. Une fois, ils avaient exigé d'élire une présidente, mais elle aussi s'était bientôt mise à boire. Sans doute que la situation n'était pas la même partout, mais près de la moitié des villages du pays n'étaient même par reliés au réseau électrique. Les parents de ma femme recevaient de temps en temps des kolkhoziennes qu'ils connaissaient et qui venaient vendre leurs produits au marché, comme tous ces gens que l'on appelait « porteurs de sacs ». Ils vendaient leurs produits au marché et achetaient du sucre et d'autres marchandises, puis retournaient dans leur village. Ils n'avaient bien sûr pas d'argent pour descendre à l'hôtel ou transporter leurs sacs en taxi. La vente de leurs produits leur rapportait des sommes ridicules vues d'aujourd'hui : quelques dizaines d'anciens roubles. Le rouble actuel vaut 10 roubles de l'époque.

L'avenir de l'Union soviétique dépendait de l'agriculture, d'autant que, à l'époque, les deux tiers des habitants du pays étaient des ruraux et que leur vie – de même, d'ailleurs, que celle des citadins – était donc principalement liée au développement de ce secteur.

Lorsque le Comité central du PCUS se réunit en plénum, en septembre 1953, Khrouchtchev présenta un rapport détaillé contenant une analyse de fond sur la misère de l'agriculture. Mais l'essentiel était l'ensemble de propositions qu'il fit pour la restructuration économique des campagnes. C'étaient des propositions étonnantes pour l'époque. Dans les temps de restructuration, tout va très vite. Staline était mort en mars, et, en septembre, on avait déjà préparé tout un programme, des textes détaillés qui prévoyaient pour toute une période les réalisations qui devaient permettre un développement rapide de l'agriculture.

Le plénum de septembre décida, avant toute chose, de supprimer les collectes, et, à partir de cette date, l'impôt en nature ne fut plus que de l'histoire ancienne. En ce qui concerne les achats de produits agricoles par l'État, on décida de relever considérablement les prix et d'établir des relations beaucoup plus équitables entre la ville et la campagne. En même temps, on réduisit l'impôt agricole. On commença à encourager le développement du lopin. On adopta diverses mesures d'aide de l'État à l'agriculture. Ce plénum fut le point de départ des grands changements qui se déroulèrent dans notre agriculture, laquelle s'inséra progressivement dans les rapports marchandises / monnaie. Peu à peu, on introduisit le paiement des kolkhoziens en espèces. En outre, ils purent percevoir des avances. A partir de ce moment, leurs revenus augmentèrent sensiblement, et, si auparavant ceux-ci étaient plusieurs fois inférieurs à ce que gagnaient les ouvriers, le mouvement était dès lors engagé vers le rapprochement des revenus de ces deux catégories. L'autonomie économique des kolkhozes se développa également. Dans de nombreux cas, des hommes nouveaux, énergiques et instruits, furent placés à leur tête. Sous Khrouchtchev, on lança même un appel, auquel répondirent des milliers de communistes d'avant-garde, à s'engager dans les kolkhozes retardataires pour aider à leur redressement. On modernisa l'agriculture, on respecta les plans d'assolement, afin de préserver la fertilité des sols. Aussi les rendements, qui étaient très bas et n'avaient pratiquement pas augmenté depuis la guerre, commencèrent-ils à s'accroître. Si avant 1953, le rendement du blé était habituellement en URSS de 7 à 8 quintaux par hectare, il atteignit, en 1958-1959, de 12 à 13 quintaux, et on parvint également à franchir le seuil de 2 000 kilos de lait par vache et par an.

En 1954 fut prise une décision importante, celle de mettre en valeur les terres vierges et en friche, afin de combiner le développement intensif de l'agriculture conduisant à de meilleurs rendements et la mise en culture de nouvelles terres, dans le dessein de résoudre ainsi le problème des céréales. Cette combinaison de la voie extensive et de la voie intensive permit d'augmenter la production agricole de 7,4 % par an, de 1954 à 1959. C'était le taux de croissance de l'agriculture le plus élevé de l'histoire de notre pays, et cela grâce à l'utilisation des méthodes économiques de gestion, grâce au développement du marché des produits agricoles.

Ces méthodes furent également appliquées aux branches de l'industrie produisant des biens de consommation, partiellement au commerce, mais les choses n'allèrent pas plus loin. On conserva tout de même le système administratif de gestion pour l'ensemble de l'économie, et il finit par reprendre le dessus.

Les événements qui allaient réduire à néant la réforme économique dans l'agriculture s'enchaînèrent peu à peu. Les choses commencèrent sans doute avec la décision, positive en elle-même, de supprimer les MTS et de remettre les machines agricoles aux kolkhozes et aux sovkhozes. Ainsi, le paysan récupérait enfin les moyens de production, et une nouvelle force productive, plus efficace, faisait son apparition. Mais si Khrouchtchev avait, là, initié une démarche juste et à longue vue, son caractère impatient et ses manières à la hussarde firent que ses idées furent malgré tout appliquées de façon administrative, par pressions venant du haut. On ne laissa pas aux kolkhozes le temps de se préparer : on leur prit leurs liquidités pour régler les achats de tracteurs et de moissonneuses-batteuses, et ils se retrouvèrent sans ressources pour leur développement ; on n'avait pas prévu non plus l'organisation des réparations, on n'avait pas pensé à l'approvisionnement en pièces détachées, en combustibles, etc. Dès le début furent imputés aux budgets des kolkhozes les salaires des centaines de milliers de conducteurs de machines qui étaient à présent leurs employés, et bien que l'État ait versé des subventions afin de maintenir leurs rémunérations au même niveau, le tout n'avait aucune assise. L'utilisation des machines agricoles ne s'améliora pas, bien au contraire ; le service des réparations se détériora, et la croissance de l'agriculture se ralentit aussitôt. En outre, sous la pression du ministère des Finances, l'État augmenta les prix des combustibles et des pièces détachées. Peu de temps après, Khrouchtchev proposa de faire flotter les prix des produits agricoles : ceux-ci diminueraient si la récolte était bonne et les coûts peu élevés, et ils augmenteraient si la récolte était faible et les coûts élevés. Et lorsque, en 1958, il y eut une bonne récolte, les prix, en effet, baissèrent. Mais les années suivantes, tandis que la récolte était moindre, ils ne furent pas relevés, et ne retrouvèrent même pas leur niveau antérieur. En d'autres termes, la pression de l'administration porta de nouveau atteinte à l'équilibre ville/campagne. On se mit à redistribuer de façon irréfléchie les ressources et les sommes retirées à l'agriculture. La base économique de la croissance de celle-ci s'en trouva ébranlée. En outre, les méthodes administratives de gestion dominaient à nouveau. Apparemment enivrés par les succès du développement de l'agriculture dans les années 1953-1959, Khrouchtchev et son entourage se mirent à avancer des objectifs irréalistes. Par exemple, le Plan septennal de développement de l'économie nationale (1959-1965) prévoyait une croissance de 70 % de la production agricole, et les buts que se fixait le PCUS dans son nouveau programme, adopté par le XXIᵉ Congrès du Parti en 1959, étaient encore moins réalistes. A l'époque, on parlait beaucoup de la nécessité de rattraper et de dépasser les États-Unis et d'autres pays développés pour la production de viande et de lait par habitant. On imposait aux républiques, aux régions et aux territoires la tâche de doubler en peu de temps la production agricole. On se lança dans une bataille de chiffres, chacun les manipulant à qui mieux mieux.

Conséquence : les taux réels de croissance de l'agriculture dégringolèrent, jusqu'à être trois à quatre fois plus bas. On en arriva pratiquement à la stagnation dans ce secteur, vital pour toute l'économie. Comme toujours dans pareilles circonstances, on cria haro sur les lopins individuels, accusés d'être une survivance de la propriété privée qui détournait les kolkhoziens de l'exploitation collective. Il devint difficile de se procurer du fourrage pour les bêtes élevées sur le lopin, on serra la bride aux paysans en ce qui concerne le nombre de bêtes autorisées, la surface du lopin, etc. En un mot, c'était la liquidation des méthodes économiques de gestion.

Après le limogeage de Khrouchtchev, prétendument démissionnaire pour raisons de santé, on mit rapidement au point une nouvelle politique agraire, présentée au Comité central lors de son plénum de mars 1965. Une nouvelle fois, on releva les prix des produits agricoles achetés par l'État, on fixa pour cinq ans le volume des livraisons – moyennant lequel l'État s'obligeait à payer aux paysans un supplément de 50 % pour tout surplus. L'aide de l'État à l'agriculture fut l'objet d'une attention très soutenue. On débloqua des sommes jamais atteintes auparavant pour la bonification, le développement de la production d'engrais et du machinisme agricole. On introduisit un règlement de la planification conférant aux kolkhozes et aux sovkhozes une certaine liberté d'action. On encouragea à nouveau les lopins individuels, c'est-à-dire que l'on remit l'accent sur les méthodes économiques, plus stimulantes.

Mais la nouvelle direction alla plus loin que Khrouchtchev. Sous l'égide du président du Conseil des ministres de l'époque, Alexeï Kossyguine, on mit au point une réforme économique dans l'industrie, dont les fondements furent adoptés au plénum du Comité central de septembre 1965. La « réforme Kossyguine », comme on l'appelle souvent en Occident, réduisait considérablement le nombre des indicateurs directifs du Plan pour les entreprises, donnant à celles-ci la possibilité de gérer leurs affaires avec davantage d'autonomie. En 1967 fut réalisée la réforme des prix de gros, et on renforça la stimulation matérielle. Les principaux indicateurs de l'activité des entreprises étaient désormais le volume de la production vendue et du profit. Les entreprises étaient autorisées, en fonction de normes données, à créer à partir du profit des fonds d'encouragement matériel, et la part de ceux-ci demeurant à la disposition de l'entreprise augmenta sensiblement. On devait également, dans le cadre de cette réforme, remplacer l'approvisionnement centralisé en matériaux et en équipements par le commerce de gros des biens de production, mais on ne parvint pas à réaliser ce projet.

Il faut dire que l'annonce de la réforme économique fut précédée par la liquidation des sovnarkhozes, les organismes territoriaux de gestion mis en place par Khrouchtchev en 1957 pour remplacer les ministères sectoriels. Ces derniers étaient à présent rétablis. A la place des divers organes de planification créés également par Khrouchtchev après la suppression du Gosplan, on restaura cette instance unique de planification de l'économie nationale. On réorganisa le Comité d'approvisionnement en matériaux et en équipements, le Comité pour la science et la technique et d'autres administrations centrales. Ne s'étant pas encore suffisamment renforcées, celles-ci ne purent pas exercer aussitôt une tutelle tatillonne sur les entreprises, mais se consacrèrent plutôt aux problèmes importants liés au développement de leur branche. En conséquence, parallèlement à l'extension de l'autonomie économique des entreprises, tout cela donna d'assez bons résultats. La productivité du travail s'éleva considérablement dans l'industrie, passant de 25 % à 32 % dans les années 1966-1970 ; la rentabilité du capital industriel, elle aussi, augmenta, alors que dans le quinquennat précédent, elle avait diminué. On se mit à mieux utiliser les ressources, on réduisit les réserves excédentaires en valeurs matérielles et la quantité d'équipements dans les entreprises, et les capacités de production furent sensiblement mieux employées. Surtout, c'était la première fois que l'on appliquait les méthodes économiques de gestion à une si grande échelle dans l'agriculture et l'industrie. Il y eut une tentative d'y recourir également dans la construction et les transports. Mais le projet qui avait été mis au point et introduit dans la construction ne donna lieu qu'à des demi-mesures, et on enregistra peu de résultats. L'idée consistait à modifier le mode de rémunération des ouvriers du bâtiment ; celle-ci ne serait désormais plus fonction du volume des travaux effectués, compte tenu des coûts réels, mais de la livraison du chantier au maître d'ouvrage, selon des prix établis à l'avance. Cela donnait ensuite la possibilité de faire dépendre les rémunérations d'un ensemble de travaux réalisés. Mais cette tentative de globalisation ne fut pas suivie d'effets, et, en fin de compte, on en revint au point de départ : c'était l'échec de la réforme économique dans le bâtiment. On déploya de même une grande activité pour mettre en place les nouvelles conditions de gestion dans le secteur des transports. Bien que l'expérience réalisée dans l'entreprise de transports routiers de Moscou Mosavtotrans ait démontré la forte rentabilité des méthodes économiques de gestion, celles-ci ne furent pas véritablement étendues à l'ensemble des transports routiers du pays.

Le système de gestion adopté au cours de la réforme économique ne subsista pas longtemps. Dès la fin des années 60, on en revint aux méthodes administratives de gestion. On peut citer beaucoup de raisons à cela. Dans l'industrie, par exemple, tout commença par l'augmentation assez rapide du salaire moyen qui devança dans certaines branches la croissance de la productivité du travail. Cela créait des problèmes sur le marché, qu'il fallait résoudre. On pouvait choisir deux directions : ou bien suivre une voie nouvelle, en introduisant un régulateur économique qui ne permette pas une croissance excessive des salaires (c'est ainsi que l'on a procédé en Hongrie, lorsqu'un processus semblable s'est engagé, et tout est rapidement revenu en ordre) ; ou bien revenir à l'ancienne – et c'est ce que nous avons fait : on introduisit un nouvel indicateur directif de planification sous forme d'objectifs d'augmentation de la productivité du travail. Bientôt apparurent des difficultés liées à la nécessité de diminuer les coûts de production, et on imposa, là encore, un indicateur central. A cette époque, les ministères avaient déjà réinstauré un contrôle rigide sur les entreprises, et ils se remirent, avec le Gosplan, à planifier toute la nomenclature des produits. Les entreprises se voyaient ainsi de nouveau privées de tout droit face au tout-puissant Gosplan et aux ministères sectoriels placés sous sa tutelle. En fait, les nouvelles conditions de gestion des entreprises n'avaient jamais pris forme de loi. Elles avaient été définies par des arrêtés gouvernementaux. Sous forme d'autres arrêtés adoptés plus tard, beaucoup des directives introduites au cours de la réforme purent ainsi être corrigées ou remplacées. L'un après l'autre, les articles contenus dans le règlement sur l'entreprise socialiste accepté en Conseil des ministres, qui codifiait les droits et les obligations économiques des entreprises, cessèrent d'être observés, puis furent modifiés. Il n'existait aucun organisme qui puisse défendre l'entreprise. La Commission interadministrative pour le perfectionnement de la gestion n'avait pas de poids : elle était composée de vice-ministres et d'adjoints de diverses administrations qui ne disposaient d'aucun pouvoir de décision et tiraient à hue et à dia. Par la suite, c'est cette commission elle-même, conduite par un vice-président du Gosplan, qui, peu à peu, liquidera la réforme.

Pour ce qui est de l'industrie, il faut dire que les organes du Parti, même s'ils avaient accepté en paroles la nécessité d'élargir les droits économiques de l'entreprise, n'étaient pas, en fait, partie prenante dans cette réforme. Ils ne pouvaient pas à plus forte raison se faire les défenseurs des droits économiques. C'était plutôt l'inverse : eux aussi dirigeaient selon des méthodes de commandement, prenant fréquemment la place des organes des soviets et des directions économiques. Cette fureur administrative qui saisit les instances centrales du pouvoir et les ministères sectoriels à la charnière des décennies 60 et 70 s'étendit également à l'agriculture. On se remit à planifier les surfaces à ensemencer et le volume du cheptel. C'est à cette époque qu'est né le dicton selon lequel les vaches font partie de la nomenclature du comité de région du Parti. En d'autres termes, les kolkhozes et les sovkhozes ne peuvent décider de rien, ne serait-ce que pour une seule vache : même si celle-ci ne donne pas de lait, ils ne peuvent ni l'abattre ni la vendre. Tout ce qui importe, aux yeux des autorités, c'est le nombre de têtes dans le troupeau.

Où en était la science économique pendant la période de stagnation, à la veille de la perestroïka ?

Après le retour aux méthodes administratives de gestion, on assista à un ralentissement de la croissance socio-économique du pays et à des déséquilibres de plus en plus graves. Le lecteur pourrait me demander, à moi, l'un des représentants de la science économique soviétique – et d'ailleurs, on me pose souvent ces questions : « Et vous, où étiez-vous ? Quelle position occupaient alors les économistes ? » Il faut dire que la critique du culte de la personnalité de Staline, la démocratisation relative de la société soviétique qui se produisit dans les premières années du règne de Khrouchtchev influèrent de la façon la plus féconde sur le développement de la science économique ; on se mit à publier des recueils statistiques, de nouveaux instituts s'ouvrirent. Le plus important était l'Institut de recherche économique près le Gosplan de l'URSS, qui réunissait sans doute les meilleurs chercheurs de la jeune génération dans ce domaine. Le fondateur de cet institut, qui en demeura le directeur pendant des années, Anatoli Efimov – il entra par la suite à l'Académie –, réussit à orienter le collectif de cet institut vers les problèmes économiques réels, de sorte que l'on se référait aux chiffres pour analyser les facteurs et les conditions de l'évolution économique. Cet institut fut le premier à élaborer des balances intersectorielles planifiées de l'économie nationale du pays, et cela dès la fin des années 50. Il fut également le premier, dans son secteur, à utiliser largement les services d'un gros ordinateur. Sous la direction de Vassili Nemtchinov et de Leonid Kantorovitch se créa un puissant courant d'économie mathématique. La première cellule en fut le Laboratoire des méthodes d'économie mathématique de l'Académie des sciences de l'URSS. Les économistes conservateurs, avec à leur tête le vice-président de l'Académie du moment, Konstantin Ostrovitianov, menaient une lutte acharnée contre ce courant, interdisant à ses représentants de publier des ouvrages et mettant même des entraves à la tenue de séminaires et de conférences.

C'est justement pendant cette période, en 1956 précisément, que je me familiarisai avec les méthodes mathématiques en économie : je me mis à fréquenter les séminaires correspondants et à étudier tout seul les mathématiques. J'y fus encouragé par deux circonstances : tout d'abord, travaillant dans le département d'économie générale du Comité au travail et aux salaires, je m'efforçais de construire des modèles mathématiques du salaire, des revenus et des dépenses de la population, et j'utilisais les ordinateurs pour mes calculs. D'autre part, le soir, j'étais professeur vacataire à la chaire d'économie politique de la faculté des sciences de la nature de l'université de Moscou, et j'étais chargé d'un cycle de cours du soir dans la même matière à la faculté de mathématiques. Là, je me liai d'amitié avec les étudiants, dont beaucoup étaient de mon âge, ou un peu plus âgés. De sorte que mon intérêt pour l'économie mathématique dépassa bien vite les questions du salaire et du niveau de vie : je m'intéressai à la balance intersectorielle (j'écrivis un livre sur ce thème), puis à des problèmes d'optimum, en particulier de répartition en ce qui concerne la production agricole. On me proposa de donner des cours à la faculté de géographie de l'université de Moscou sur l'utilisation des méthodes mathématiques en géographie économique, ce qui me poussa à approfondir encore plus sérieusement mes recherches.

A cette époque se déroulait une lutte acharnée pour la publication du livre de Leonid Kantorovitch *Calcul économique et utilisation des ressources*. Je fus attiré dans cette lutte, dont les principaux acteurs étaient Kantorovitch, Nemtchinov et Ostrovitianov.

J'ai eu de la chance dans la vie : j'ai travaillé pendant près d'un quart de siècle au côté d'un savant éminent – un génie, je ne crains pas de le dire. Leonid Kantorovitch n'était pas seulement mon maître dans beaucoup de domaines de l'économie, mais aussi un ami proche, bien que de beaucoup mon aîné. J'ai fait sa connaissance à la fin des années 50, quand il essayait de publier son ouvrage. C'était un homme extraordinaire. Après avoir brillamment fini ses études secondaires, à l'âge de quatorze ans, il avait aussitôt manifesté des dispositions exceptionnelles pour les mathématiques ; à quinze ans, il entrait à la faculté de mathématiques de l'université de Leningrad. Il se mit tout de suite à la recherche. Vers dix-sept ou dix-huit ans, il était déjà un chercheur confirmé, qui commençait à publier des travaux originaux, non seulement dans les revues soviétiques, mais dans les principales publications étrangères. Il explorait alors une toute nouvelle direction dans les mathématiques, liée à l'analyse fonctionnelle concernant, en premier lieu, la normalisation de l'espace. Mais Kantorovitch était un esprit encyclopédique, et il travaillait simultanément dans plusieurs domaines des mathématiques modernes. Après avoir fini ses études en un temps record, il demeura à la chaire de mathématiques, et, à l'âge de vingt et un ans, dispensé de soutenance, il se vit attribuer, en reconnaissance de ses mérites, par l'Académie des sciences, le grade de docteur ès sciences mathématiques et physiques. J'ai déjà dit que je suis moi-même, depuis un quart de siècle, à l'Académie, et, au cours de ces vingt-cinq années, je n'y ai jamais connu aucun autre cas où ce grade ait été conféré dans des conditions semblables, même si cela est plus courant dans d'autres pays.

Kantorovitch fut une exception. Il devint bientôt professeur. En dehors de son enseignement, il se consacrait à la recherche dans le cadre de la section de Leningrad de l'Institut de mathématiques. C'était un homme aux horizons très vastes, et il s'intéressait à beaucoup de choses. Il me raconta que, dans les années 30, il s'était senti attiré par l'économie et qu'il s'était lancé comme ça, pour lui-même, dans les problèmes de développement économique. A cette époque, il tomba par hasard sur le problème de la charge des machines dans une fabrique de contre-plaqué de Leningrad. C'était, nous le comprenons aujour-d'hui, un problème classique d'optimisation de la pro-grammation linéaire, on ne pouvait pas le résoudre par les méthodes mathématiques habituelles. Kantorovitch s'y attaqua et apporta une solution en se servant d'une méthode découverte par lui, fondamentalement nouvelle pour traiter les problèmes d'optimisation en présence de contraintes linéaires. Il appela cette méthode le « multiplicateur ».

J'ai dit que Kantorovitch était un génie, et cela se manifesta dans la nouvelle branche des mathématiques découverte par lui, et liée à la solution des problèmes d'optimum. Dès 1939, il avait rédigé une brochure, *Méthodes mathématiques d'organisation et de planification de la production,* qui fut éditée par l'université de Leningrad. Il s'agit d'un remarquable petit livre dans lequel il pressentait, pour de nombreuses années, les principaux courants du développement de la programmation linéaire et de ses appli-cations. Il y formulait tout un ensemble de problèmes liés à l'op-timisation dans le domaine économique, touchant aux questions de transport, d'implantation et de charge des équipements, de localisation des surfaces ensemencées, de découpe des maté-riaux, et bien d'autres choses encore. D'un trait de plume, un problème à la solution duquel peinaient depuis près de dix ans d'éminents savants des États-Unis et d'autres pays était résolu. En fait, les travaux de Kantorovitch ne furent pas compris par ses contemporains. Et bien qu'il ait publié toute une série d'ar-ticles de fond dans les rapports de l'Académie des sciences de l'URSS, qui furent traduits dans de nombreuses langues, sa pen-sée ne fut pas véritablement assimilée, et le domaine de l'optimi-sation et de la programmation linéaire ne se développera en Occident que dans l'après-guerre, quinze ans après.

Comprenant toute l'importance des méthodes mathéma-tiques d'optimisation, Kantorovitch brûlait de les mettre au ser-vice de l'économie nationale. Il rédigeait des notes, frappait à diverses portes – rien n'y faisait. Alors il entreprit de rédiger un ouvrage de vulgarisation, *Calcul économique et utilisation opti-male des ressources.* La guerre l'empêcha de continuer, et il se consacra à la solution des problèmes que posaient les batailles navales. Puis, après 1945, nos meilleurs physiciens et mathéma-ticiens furent sollicités par la recherche nucléaire. Tout cela éloigna Kantorovitch de ses réflexions sur l'économie mathématique, mais il n'abandonna jamais ce terrain. A Leningrad, il étudia avec ses nombreux élèves les méthodes pour résoudre les problèmes de transport, s'efforçant d'adapter ces méthodes à la situation réelle. Ses élèves se consacraient à des problèmes de découpe dans les usines de Leningrad et à ceux du développement de l'agriculture. Plus tard, il organisa, à l'université de Leningrad, des cours où ceux qui le désiraient pouvaient se former aux méthodes d'économie mathématique, et il y enseignait lui-même. Beaucoup de nos économistes les plus éminents d'aujourd'hui, alors qu'ils étaient tout jeunes, ont fréquenté les cours de Kantorovitch. Mais il ne réussit pas à publier son livre. Les spécialistes les plus en vue se renvoyaient l'ouvrage de l'un à l'autre, portant dessus, dans l'ensemble, des jugements négatifs. En fait, à l'époque, l'utilisation des méthodes mathématiques en économie était considérée comme une tentative de déformer et d'occulter l'aspect qualitatif des catégories économiques, de remplacer la qualité par la quantité. Étant donné que de nombreux économistes des pays occidentaux utilisaient largement, surtout à des fins d'illustration, diverses formes mathématiques, nombre de nos experts en économie politique conservateurs se mirent à identifier l'utilisation des méthodes mathématiques aux théories économiques bourgeoises. J'ai eu l'occasion de lire des critiques rédigées en ce temps-là sur l'ouvrage de Kantorovitch. C'étaient des textes qui, du temps de Staline, auraient entraîné son arrestation ; il y était accusé de propagande au profit de l'idéologie bourgeoise, de renonciation au marxisme, etc.

Mon directeur de thèse de troisième cycle, le Pr Chamil Touretski, de l'Institut d'économie de Moscou, avait été auparavant chef du département des prix du Gosplan et avait travaillé avec l'ancien vice-président de cet organisme, N. Voznessenski, qui fut l'une des dernières victimes des répressions staliniennes (1949). Touretski me raconta qu'un jour – du temps de Staline – Voznessenski, l'ayant invité, lui avait demandé de lire le manuscrit de Kantorovitch et de lui donner son opinion. Touretski s'exécuta donc, mais son avis fut défavorable. Je pense qu'il n'avait pas bien compris l'intérêt des estimations optimales – Kantorovitch écrivait, certes, dans un style simple, mais il ne s'agit pas pour autant d'un ouvrage facile, et il faut le lire attentivement avec un crayon à la main, pour bien pénétrer son contenu, lorsque l'on est un économiste de l'école traditionnelle. Et il est très important de ne pas avoir d'idées préconçues. Touretski était un homme très occupé, il avait probablement jeté un coup d'œil sur le livre, sans approfondir. Il donna une appréciation orale, pas très flatteuse, en disant qu'il ne convenait sans doute pas de le publier. Voznessenski demanda alors à Touretski s'il fallait en arrêter l'auteur. Touretski répondit par la négative, précisant que celui-ci, certes, se trompait, mais qu'il était sincère, et que ce n'était pas un ennemi du pouvoir soviétique.

Voilà dans quelle ambiance travaillait Kantorovitch, qui entreprit de lutter pour la publication de son ouvrage en pleine période stalinienne. Les efforts que l'on fit pour mettre sous le boisseau ses réalisations finirent néanmoins par échouer. Au milieu des années 50, les travaux des savants américains sur les problèmes de programmation linéaire pénétrèrent en URSS. Ils furent étudiés dans des séminaires, et certains se souvinrent que Kantorovitch avait travaillé là-dessus. L'intérêt pour ses travaux se développa, et il ne fut plus possible de taire ses découvertes dans ce domaine, malgré la peine que se donnaient ses ennemis. Nemtchinov, qui avait décidé de publier, quoi qu'il arrive, le manuscrit de Kantorovitch, se jeta dans la bagarre. En fin de compte, Ostrovitianov, alors vice-président de l'Académie, et chargé des sciences sociales, donna son accord, mais à la condition que Nemtchinov rédige une préface négative. Celui-ci accepta, puis réunit ses proches et leur annonça sa décision. « Le livre, dit-il, est si important qu'il faut le publier à tout prix. Tant pis si les gens, en lisant ma préface, pensent que le vieux Nemtchinov est un imbécile. » Et effectivement, la première édition du livre, en 1959, parut avec la préface négative de l'académicien, qui travailla ensuite, jusqu'à sa disparition, en 1964, en collaboration avec Kantorovitch. Bien plus, Nemtchinov assura l'élection de ce dernier comme membre correspondant de l'Académie des sciences au département d'économie, pour le secteur Méthodes mathématiques dans les recherches économiques, créé à sa propre initiative.

Non seulement j'aimais ce bûcheur acharné qu'était l'académicien Nemtchinov, mais je pourrais dire que j'étais en admiration devant lui. C'était un éminent statisticien et économiste, le continuateur de la célèbre école de statistique des zemstvos, dont le principal objectif était l'agriculture. Lénine avait en haute estime la statistique agricole russe, et c'est en se fondant sur les rapports des zemstvos qu'il écrivit son célèbre ouvrage *Le Développement du capitalisme en Russie*, où il analysa en détail un énorme matériel statistique. On peut dire à bon droit que Nemtchinov a été le dernier des statisticiens des zemstvos, puisque, à partir de 1920, il rédigea de nombreux travaux et réalisa encore plus d'études statistiques sur le développement de l'agriculture du pays. Travaillant dans le domaine de la statistique économique, il s'appuyait en même temps sur les grandes réalisations de la statistique mathématique, que l'on devait en partie aux savants russes Tchouprov, Liapounov, et plus tard Kolmogorov et d'autres. Nemtchinov s'employa à appliquer les méthodes de la statistique mathématique à l'étude de l'agriculture. Elles revêtaient une importance particulière en ce qui concerne les processus de sélection fondés sur les théories de Mendel et de Weismann, que Nemtchinov soutenait activement.

Mais peu à peu, dans notre pays, les écoles scientifiques de biologie furent supplantées par la doctrine antiscientifique de Lyssenko, qui devint président de l'Académie des sciences agricoles. On a vu plus haut quels ont été ses exploits à ce poste et comment il fit évincer Nemtchinov.

J'ai eu le triste honneur d'être parmi les organisateurs des obsèques de Nemtchinov, en 1964. Mes camarades et moi avons rédigé la notice nécrologique, signée des dirigeants du Parti et du gouvernement ; c'est pourquoi j'ai eu entre les mains son dossier personnel, avec toutes les appréciations qu'on avait portées sur lui au cours des années, les lettres d'accusation écrites contre lui à l'époque où il plaidait pour la génétique.

C'était un homme d'un grand courage personnel, qui avait su défendre ses opinions au risque de sa vie, puisque de nombreux savants qui avaient soutenu la biologie scientifique, avec à leur tête l'académicien Nikolaï Vavilov, un biologiste de renommée mondiale, avaient terminé leurs jours en prison, Staline étant du côté de Lyssenko.

Et voilà que, au soir de sa vie, Nemtchinov était à nouveau monté au créneau, cette fois pour l'économie mathématique. Son action dans ce domaine a été considérable. Il a développé, à partir du concept de l'optimisation, une théorie des prix, à laquelle il a consacré tout un ouvrage ; il a développé les recherches sur la balance intersectorielle, en particulier considérée sur le plan territorial ; il a fondé le premier laboratoire d'économie mathématique du pays, dans le cadre de l'Académie des sciences, et en est devenu le responsable, la première chaire d'économie mathématique de l'université de Moscou et le premier conseil scientifique habilité à décerner un grade universitaire pour des travaux d'économie mathématique. C'est devant ce conseil que, sous la présidence de Nemtchinov, je soutins ma thèse de doctorat sur le système des modèles optimaux pour la planification à long terme, et mon principal contradicteur[1] fut l'académicien Kantorovitch.

C'est sous la direction de Nemtchinov que se déroula, en 1960, la première conférence organisée en URSS sur l'économie mathématique, au cours de laquelle les partisans de cette dernière, soutenus par les mathématiciens et autres représentants des sciences exactes, livrèrent le combat aux économistes de la vieille école. La lutte continua ensuite : pendant trois ans, on a discuté dans la presse, dans les réunions publiques, pour savoir si on pouvait attribuer le prix Lénine à Kantorovitch, à Nemtchinov et à Novojilov. Tout le monde soutenait Nemtchinov, car son apport à la science était incontestable. Les conservateurs lui proposèrent de présenter seul sa candidature à ce prix, lui garantissant le succès. Mais Nemtchinov refusa, n'acceptant de n'être candidat qu'aux côtés de Kantorovitch et de Novojilov. Par deux fois, ce fut l'échec : les adversaires des méthodes mathématiques en économie, qui s'exprimaient principalement dans la presse du Parti, accusaient les travaux de ces deux chercheurs d'être bourgeois, erronés, coupés de la pratique, etc. Mais la vérité finit par triompher. Il se trouva des organes de presse (les *Izvestia,* en particulier) où je réussis à publier, en compagnie d'autres camarades, un article défendant les candidats et mettant en lumière leur véritable apport à la science. On organisa toute une série de débats publics où j'eus également l'occasion, avec d'autres

---

1. En URSS, lors d'une soutenance de thèse, un contradicteur se fait en quelque sorte l'avocat du diable, en défendant des arguments opposés à ceux du candidat *(NDT).*

auteurs, de prendre la parole et de démontrer l'importance de leur œuvre pour le devenir de la science et de la pratique économiques. En fin de compte, en 1964, les mérites scientifiques de Leonid Kantorovitch, de Vassili Nemtchinov et de Viktor Novojilov furent estimés à leur juste valeur et récompensés du prix Lénine, la plus haute distinction dans notre pays. Plus tard, en 1975, Kantorovitch devait recevoir, pour ces travaux, le prix Nobel d'économie.

J'ai été très proche de Kantorovitch pendant des années, et dans le travail et personnellement. Lorsqu'en 1961 j'arrivai à Akademgorodok, la cité des savants de Novossibirsk, Kantorovitch y avait déjà mis sur pied, à l'Institut de mathématiques, un département de mathématiques économiques. Pour ma part, je venais en Sibérie pour organiser un laboratoire de recherches en économie mathématique. Nous nous étions déjà rencontrés à plusieurs reprises à Moscou. Il m'accueillit en Sibérie comme un proche parent. Il m'aida à m'installer et à m'accoutumer à mes nouvelles conditions de vie. Ce n'était pas simple à l'époque. Akademgorodok était en construction, il n'y avait ni boutiques, ni locaux pour travailler, ni transports en commun, et se rendre en ville ou à l'aéroport était toute une affaire, surtout en hiver, avec le froid et le vent. Il n'y avait pratiquement pas non plus de téléphones. Mais nous formions un groupe très uni, presque une communauté, et nous nous consacrions entièrement à la science. Kantorovitch et moi avons aussitôt créé un séminaire commun à l'Institut de mathématiques et à l'Institut d'économie, et nombre de travaux des économistes-mathématiciens et des mathématiciens-économistes de l'école de Novossibirsk ont pris naissance dans ce séminaire. Kantorovitch s'intéressait à énormément de choses. Il connaissait très bien le théâtre, et déploya une grande activité pour faire venir à Akademgorodok des troupes de Moscou et de Leningrad. C'était un homme généreux, dans le sens où il faisait toujours don à ses collègues de ses idées nouvelles – et il en avait plein la tête. Il avait sa propre vision de l'économie, et beaucoup de ce qu'il disait il y a vingt ou trente ans commence tout juste à entrer dans notre vie économique. Il cherchait à déterminer, par exemple, s'il était nécessaire d'instaurer, dans le cadre d'un plan d'optimisation, une taxe sur les ressources, susceptible de garantir au mieux une recherche d'efficacité maxi-

172

male lors de l'utilisation de celles-ci. Tout le monde reconnaît aujourd'hui la nécessité de cette redevance.

Je voudrais, encore, parler de Viktor Novojilov, professeur d'économie et de statistique de Leningrad. Je l'ai connu alors qu'il était déjà très âgé, et je l'ai vu pour la première fois chez Nemtchinov. Novojilov était un intellectuel russe dans la plus haute acception de ce terme, doué d'un très vaste horizon, parlant plusieurs langues étrangères, connaissant parfaitement la littérature économique et économétrique du monde entier. Et c'était en outre un économiste très original, élaborant avec persévérance depuis les années 30 des idées sur la mesure conjointe des dépenses et de leurs résultats en économie socialiste.

A la fin des années 40 se développa dans les revues économiques et dans le cadre de plusieurs conférences une discussion sur l'efficacité des investissements. Novojilov exposa pour la première fois devant un vaste auditoire ses idées, d'où il ressortait que cette question n'était que l'une des composantes du problème plus général de la mesure des dépenses et des résultats. On l'accuse aussitôt d'être un antimarxiste, un « cosmopolite », d'emprunter ses idées aux savants bourgeois et autres absurdités. Il fut durement frappé : on le priva de son poste de professeur, et il fut contraint pendant un certain temps de travailler comme enseignant vacataire.

Novojilov était sans aucun doute un savant de dimension mondiale, et son ouvrage *Les Mesures des dépenses et leurs résultats dans l'économie socialiste* est selon moi un classique de la science économique ; mais il ne fut pas estimé à sa juste valeur de son vivant. Tous les efforts de Nemtchinov et de Kantorovitch, et plus tard les miens, lorsque je fus entré à l'Académie, pour faire élire Novojilov ne serait-ce que comme membre correspondant (et il méritait certes d'être académicien à part entière) échouèrent. Et lorsqu'il mourut, Kantorovitch déclara à ses obsèques : « Ce n'est pas Novojilov qui a perdu à ne pas être membre de l'Académie des sciences – même sans cela, il reste un grand savant –, mais c'est l'Académie qui a perdu à ce qu'un savant si éminent ne figure pas parmi ses membres. »

Il ne serait pas juste de résumer l'évolution de la science économique à l'apparition de l'économie mathématique. Mais ce courant fut le symbole du progrès dans la recherche économique de cette époque. On surmonta progressivement les dogmes, et dans la période poststalinienne les discussions reprirent. Les débats étaient particulièrement acharnés entre les tenants de la production marchande et du marché en économie socialiste et les « anti-marché », qui considéraient que production marchande et marché saperaient le centralisme et le développement planifié de notre pays. Ce débat évolua en une dispute sur la nature des prix en économie socialiste, en liaison, cela va de soi, avec la question de l'efficacité dans l'utilisation des ressources, y compris au niveau des investissements. C'est à cette époque-là que fut démontrée la nécessité d'introduire dans notre économie des normes de rentabilité des investissements. La formule des coûts d'opportunité O + EK, où O est le prix de revient, E la norme d'efficacité des investissements et K les investissements, reçut alors droit de cité. Un groupe actif, qui était partisan de mettre en place des prix à un niveau unifié, calculés selon la formule citée, fit son apparition. A l'aide d'ordinateurs, on calcula ainsi les prix pour une nomenclature peu détaillée d'articles finis, et cela permit aux discussions d'être moins abstraites, et de s'appuyer sur des chiffres.

C'est à cette époque, à la fin des années 50 et au début des années 60, que se développèrent les idées sur les méthodes économiques de gestion. Les travaux de Kantorovitch et de Novojilov – ils étaient d'ailleurs tous deux originaires de Leningrad, amis depuis longtemps, et leurs idées se complétaient, bien que chacun d'eux soit arrivé par sa propre voie à la démonstration du fonctionnement optimal de l'économie socialiste – fournissaient le fondement théorique d'un système des prix et d'indicateurs permettant d'assurer une activité autonome des entreprises. Mais en pratique, c'était encore la méthode administrative de gestion qui était en vigueur et, parallèlement à la recherche théorique, d'importantes tentatives d'application eurent lieu, visant notamment à créer pour les entreprises un nouveau système d'indicateurs, à modifier leurs conditions économiques de gestion.

Parmi la pléiade de savants qui menèrent le combat pour la réforme économique dans l'industrie, et qui la préparèrent en théorie, se trouvait Evseï Liberman, un professeur d'économie de Kharkov. Je le connaissais bien, nous avions des relations amicales, je m'efforçais de publier ses articles et ceux de ses élèves dans la revue *EKO*. Malheureusement, de nombreux économistes, ainsi que des représentants de l'intelligentsia officielle, sous-estimèrent le rôle de Liberman dans la préparation théorique de la réforme économique. Et lorsqu'il mourut, parmi les publications spécialisées, seule la revue *EKO* publia un article qui soulignait encore une fois ses mérites. Par la suite, à la veille de la réforme économique, la *Pravda* décidera d'ouvrir ses colonnes à la discussion sur le perfectionnement du mécanisme économique : le premier grand article sur le sujet – qui proposait, notamment, de développer le marché socialiste, de faire du profit le principal indicateur de l'activité des entreprises, d'élargir les droits de celles-ci – était justement signé du Pr Liberman. C'est de là qu'est partie sa célébrité.

Dans une large mesure, la réforme économique suivit le chemin indiqué par les chercheurs. Bien sûr, il y avait parmi ceux-ci des gens très différents. En particulier, on avait organisé au praesidium de l'Académie des sciences une commission d'étude des problèmes de la réforme économique, en prévision du plénum du Comité central, qui allait se tenir en septembre – celui-ci prendra alors la décision de lancer la réforme dans l'industrie. Comme j'avais été récemment élu membre correspondant de l'Académie pour le secteur économique (il y avait à l'époque trois fois moins d'académiciens et de membres correspondants dans ce secteur qu'aujourd'hui), je fus inclus dans cette commission, nommée « Commission des 18 ». C'est le vice-président de l'Académie des sciences, l'académicien Piotr Fedosseïev – succédant à Ostrovitianov, décédé –, qui présidait cette commission. En faisaient partie, outre Kantorovitch, non seulement des économistes, mais des énergéticiens, des chimistes, etc. Dans l'ensemble, la commission était plutôt conservatrice, elle était composée en majorité de représentants de la vieille garde des économistes, dont les propositions étaient pénétrées de la plus extrême prudence. Je me souviens de discussions acharnées dans le cabinet du vice-président de l'Académie, où Kantorovitch, l'énergéticien Mikhaïl Styrikovitch, membre de l'Académie, moi-même et quelques autres insistions sur la nécessité d'une réforme des prix. Cependant, nous n'avons pu nous mettre d'accord au sein de la commission, et les propositions de l'Académie dans ce domaine se révélèrent moins radicales que celles qui furent adoptées par le plénum du Comité central, lequel décida tout de même de réaliser cette réforme, qui, comme on le sait, eut lieu en 1967.

A cette époque-là, Alexeï Kossyguine, notre Premier ministre, était entouré de toute une pléiade d'économistes de talent, des hommes érudits et ayant une bonne formation scientifique. Je veux parler de Korobov, vice-président du Gosplan, de Malychev, collaborateur du Premier ministre, et d'autres. C'étaient de véritables partisans de la réforme économique, et c'est pour beaucoup grâce à leurs efforts et à leurs études (Korobov, en particulier, dirigeait une commission de travail qui avait préparé la réforme), qu'on parvint en fin de compte à faire passer ces textes, et ensuite à mettre beaucoup de choses en pratique. Mais à l'époque, les partisans de la réforme économique ne jouissaient pas d'un appui véritable dans les milieux du Parti et du gouvernement. Et, bien que la décision ait été prise et que l'on ait commencé à la mettre en pratique, la réforme se heurtait à de multiples obstacles. A l'époque, j'ai rencontré à plusieurs reprises Alexeï Kossyguine, et j'ai eu l'impression que lui-même ne réalisait pas complètement combien était important le rôle des prix et du marché dans la mise en place des méthodes économiques de gestion. C'était bien entendu un brillant gestionnaire, connaissant parfaitement les problèmes de développement de certaines branches, doué d'une mémoire phénoménale, très travailleur, et on peut dire qu'il était, sous de nombreux aspects, homme de parole. Il jouissait d'un grand respect dans notre pays, parce qu'il se distinguait, notamment par son ardeur au travail, du reste de nos dirigeants, bornés, d'esprit étroit et faisant mal leur métier. Mais, en produit de l'époque, il était adepte des mesures centralisées. Je me souviens qu'après un voyage – au Vietnam, me semble-t-il – il s'était arrêté à Novossibirsk et était venu nous voir à Akademgorodok, ayant manifesté le désir de s'entretenir avec Kantorovitch et moi. Ce fut une conversation passionnante. Mais dès que Kantorovitch aborda la question de l'importance des prix pour l'instauration des nouvelles conditions de gestion, Kossyguine l'interrompit en s'exclamant : « Que viennent faire les prix là-dedans, de quoi parlez-vous ? » L'étonnant, c'est qu'il avait pris la tête de la réforme économique, qu'il avait joué le premier rôle dans son élaboration et dans son application. Je suppose que, lorsque peu à peu ces nouvelles méthodes furent abandonnées, Kossyguine ne le regretta pas particulièrement, car il a lui-même beaucoup œuvré à la restauration des pratiques administratives. J'ai déjà dit que, apparemment, il semblait ne pas avoir bien mesuré l'enjeu de la réforme économique.

Bien plus tard, dans le milieu des années 70, je présentai un rapport en sa présence au Praesidium du Soviet suprême sur l'évolution possible de l'économie nationale, les facteurs de croissance que l'on pouvait trouver dans le Xe Plan quinquennal (1976-1980). Ce fut l'occasion de l'un des principaux sursauts d'intérêt de la part des dirigeants envers des travaux d'économistes. Et à la séance du Praesidium du Conseil des ministres, divers spécialistes, chacun dans son secteur, présentèrent des rapports sur les problèmes du Plan quinquennal. J'avais l'honneur de diriger la Commission pour l'examen des indicateurs globaux du quinquennat. J'étais donc à la tribune et je tentais de démontrer que l'essentiel, ce n'étaient pas les objectifs du quinquennat, mais les formes et les méthodes à l'aide desquelles on pouvait atteindre ces objectifs. Je me mis à développer l'idée d'une deuxième réforme, soulignant la nécessité d'adopter une nouvelle politique d'investissements, de redistribuer les ressources budgétaires au profit des constructions mécaniques, etc., Kossyguine me coupa assez grossièrement la parole, et alors que je tentai de m'en référer à l'exemple du VIIIe quinquennat (1966-1970), au cours duquel, grâce à la réforme économique, nous avions réussi à accélérer la croissance économique et à améliorer sa qualité, il exprima son désaccord, affirmant que les années suivantes n'avaient pas été mauvaises non plus, que ce n'était pas juste d'attribuer ces succès à la réforme économique, etc.

Il faut dire que Kossyguine, qui à la tribune donnait l'impression d'un intellectuel, d'un homme modeste, un peu sec, il est vrai, conduisait les séances du Conseil des ministres avec une rare grossièreté, interrompait presque tous les intervenants, avec des paroles désagréables du genre de « Qu'est-ce que vous comprenez à ça ? » ou bien « Pourquoi traitez-vous d'un sujet que vous ne connaissez pas ? », et ses critiques à leur égard étaient impitoyables. Sans doute éprouvait-il un certain plaisir à remettre à leur place les spécialistes, en montrant qu'ils connaissaient mal tel ou tel sujet. J'eus l'occasion d'assister à un certain nombre de séances de ce genre et de faire moi-même les frais d'un tel comportement. Dans l'ensemble, je crois que Kossyguine avait une assez bonne opinion de moi, car, généralement, il écoutait jusqu'au bout ce que j'avais à dire. Mais à la séance dont je parle, où je présentais ce rapport, il ne cessa de m'interrompre. Et au lieu de parler pendant vingt minutes, je restai à la tribune plus d'une heure sous le feu incessant de répliques vexantes, émanant non seulement de lui, mais aussi de certains de ses adjoints. Tout cela se termina par un scandale. M'efforçant de démontrer que nos taux de croissance continueraient de baisser au cours du Xe quinquennat, si nous n'adoptions pas des mesures nouvelles, je présentai des scénarios alternatifs de notre développement dans les cinq à dix ans à venir, année par année, obtenus à l'aide du modèle économique intersectoriel. Je me mis à parler des résultats possibles en me référant à des évaluations fondées sur des modèles mathématiques. Sur quoi Kossyguine me lança : « Qu'est-ce que vous connaissez à ces modèles ? » J'avais écouté calmement jusque-là toutes les grossièretés qui m'étaient adressées : que je ne connaissais rien à la métallurgie, aux constructions mécaniques, que j'avais tort lorsque je parlais de redistribution des investissements dans les constructions mécaniques, qu'il ne fallait pas comparer la part des investissements destinés aux constructions mécaniques avec celle qui était réservée aux branches pour lesquelles ces machines étaient fabriquées, etc. Mais là, je n'y tins plus, et je dis assez fort et assez distinctement que, s'il y avait quelqu'un dans cette salle qui comprenait quelque chose aux modèles mathématiques, c'était bien moi, et que lui, effectivement, il n'y entendait rien. On me fit immédiatement regagner ma place, on considéra mon rapport comme terminé, et toute une escouade de personnages officiels – ancien ministre des Finances, ancien chef du Bureau central des statistiques, vice-présidents du Conseil des ministres de l'époque et autres, c'est-à-dire des gens dont personne ne se souvient aujourd'hui – se mirent à déclarer que les scientifiques avaient perdu tout sens de la mesure, qu'eux, ils s'y connaissaient en modèles mathématiques, etc.

C'est un épisode caractéristique de la période de stagnation, de l'attitude qu'avaient nos dirigeants envers les études scientifiques et les chercheurs. Mais je n'ai pas eu l'impression que Kossyguine fût un homme rancunier, et, à mon sens, lorsqu'il lançait des répliques qui portaient atteinte à la dignité des gens, ce n'était pas pour rabaisser ceux-ci, pour montrer l'ignorance des scientifiques, mais par habitude, pour obéir, si l'on veut, à une tradition. Sans doute avait-il appris à se comporter de la sorte auprès des dirigeants de la génération stalinienne, qui usaient des injures les plus grossières ; au cours des séances officielles, il était de tradition d'entendre dire, à l'adresse des sténographes : « Que les femmes se bouchent les oreilles ! », puis suivait un flot d'injures. J'ai connu quelques survivances de cette époque : au début de ma collaboration au sein du Comité d'État au travail et aux salaires (1955), nous étions dirigés par Lazare Kaganovitch, un proche de Staline ; il était alors bien vu, faisait partie du Bureau politique, et son vocabulaire était particulièrement choisi. Il est vrai qu'il ne s'attaquait pas aux jeunes collaborateurs, peu expérimentés, mais en ma présence il aimait insulter ses subordonnés, me plaçant dans le rôle désagréable de témoin de ces scènes. Lors des réunions du Parti ou du Comité, ses interventions étaient toujours interrompues par les applaudissements, car il savait toucher le public, et il était assez spirituel. Il n'avait pas dépassé l'école primaire et aimait à répéter : « Nous n'avons pas fréquenté les universités. » Kossyguine était, bien sûr, très différent, par son caractère et son niveau intellectuel. Mais il avait été formé dans ce milieu et en avait apparemment conservé de mauvaises habitudes.

Quelques jours après cette séance où je m'étais fait « moucher », la rumeur allait bon train dans tout Moscou, agrémentée de détails invraisemblables : sur ma conduite « héroïque », d'un côté, parce que j'avais osé m'opposer aux autorités ; sur mon incapacité, de l'autre, à répondre aux questions économiques les plus élémentaires... En fait, chacun inventait ce qu'il voulait. Par la suite, Kossyguine me fit venir et me proposa de rédiger son rapport sur le Xe Plan, destiné au prochain Congrès du Parti. Je refusai, car je résidais alors en Sibérie, et, pour se consacrer à cette tâche, il fallait séjourner pendant plusieurs mois à Moscou, ce qui m'était très difficile. Cependant, j'exprimai le désir d'être membre de cette commission. Je ne peux pas dire que ma contribution y ait été importante, mais j'ai participé aux travaux préparatoires pour le XXVe Congrès du Parti, qui se tint en 1976.

En 1979, peu de temps avant le décès de Kossyguine, on m'appela sur la ligne téléphonique qui reliait au gouvernement le bureau qu'occupait le président de la section sibérienne de l'Académie des sciences, lequel se trouvait au premier étage (mon propre bureau étant situé au second, dans les locaux de l'Institut d'économie), et on me passa le Premier ministre. Celui-ci me demanda de lui exposer franchement par écrit les raisons du mauvais fonctionnement soudain de notre économie depuis le début de l'année. Effectivement, les résultats révélaient une baisse sensible ; les chiffres publiés montraient que 40 % de la production dans le secteur avaient connu une chute sévère. L'agriculture avait également perdu du terrain en 1978, et, les transports ferroviaires ne s'étant pas développés, toute l'économie se trouvait freinée. Les déséquilibres, les pénuries se multipliaient de façon menaçante, la situation sur le marché de la consommation s'était considérablement détériorée. Je dis à Kossyguine que j'étais prêt, bien entendu, à analyser la situation, mais que je ne pouvais pas exposer ouvertement tous les problèmes devant lui. Ce à quoi il me rétorqua : « Qu'avez-vous à craindre ? On ne vous déportera pas plus loin que la Sibérie. » Je précisai que, si je ne voulais pas aborder certains thèmes, ce n'était pas parce que j'avais peur, mais parce que cela dépassait les compétences d'un économiste. Il s'agissait là de questions qu'il fallait poser à ceux qui dirigeaient le développement de notre économie et de ses différents secteurs – je citai alors les noms de ministres qui, d'après moi, étaient tout simplement des imbéciles, des hommes incompétents dans leur domaine, qui avaient ruiné la branche dont ils avaient la charge, l'avaient pour ainsi dire réduite à néant. Il m'interrompit assez grossièrement, et me dit que ce n'était certes pas mon affaire et qu'il ne fallait pas en parler dans mon rapport. Je rédigeai donc une note, et, bien qu'elle n'ait été reproduite qu'à quelques exemplaires et que je ne l'aie envoyée qu'à Kossyguine et au président du Gosplan, Nikolaï Baïbakov, les milieux officiels en eurent connaissance. On citait avec une indignation particulière la première phrase de cette note, où je déclarais que l'économie de l'URSS était dans une situation alarmante et que les chiffres fournis par nos services des statistiques montraient les choses sous un angle visiblement plus optimiste que ne se présentait la réalité. Je fus une fois de plus accusé de catastrophisme et l'on cessa de m'envoyer en mission à l'étranger (jusqu'en 1985) ; je ne me rendis, pour de brefs séjours, qu'en Bulgarie et en Hongrie, et bien que j'aie déposé des dizaines de demandes de visa, ils me furent toujours refusés. On m'affubla du sobriquet – que je répète toujours avec plaisir – d'« académicien en disgrâce ». Je dois reconnaître, tout de même, que ma situation à l'Académie des sciences et dans sa section sibérienne n'avait pas changé : je pus continuer d'effectuer d'intéressants travaux avec mes collaborateurs.

Une question reste, cependant, à éclaircir : où se trouvaient les représentants de la science économique quand la réforme tourna court, à la fin des années 60 ? Nous ne sommes certes pas restés les bras croisés. A cette époque, notre aîné au département d'économie, Alexeï Roumiantsev, devint vice-président de l'Académie des sciences, malheureusement pour peu de temps – un seul mandat : les intrigues de ses adversaires, conservateurs par nature, le contraindront en fin de compte à quitter ce poste, et après cette « pause » de cinq ans, notre chef sera à nouveau un académicien touche-à-tout, Piotr Fedosseïev, philosophe et sociologue dans la pire acception de ce terme.

Au moment où se firent jour les premières tentatives de restaurer les méthodes administratives, je me trouvais, avec un groupe d'économistes – pour la plupart, les directeurs des principaux instituts – et, à notre tête, Roumiantsev, dans une villa que le gouvernement avait mise à notre disposition, afin que nous puissions travailler à des tâches qu'il nous avait confiées. Nous avons décidé d'envoyer de là-bas une lettre collective au Bureau politique du Parti et à son secrétaire général, Leonid Brejnev, affirmant qu'il fallait développer et approfondir la réforme économique, que des signes de ralentissement de la croissance faisaient leur apparition et qu'il fallait entreprendre une action à grande échelle pour sauver l'économie, etc. Nous nous reportions, là encore, aux calculs effectués à l'aide des modèles intersectoriels dynamiques. J'étais de ceux qui rédigèrent cette lettre. L'erreur fut de l'avoir fait taper à la villa : il va de soi qu'une copie était dès le lendemain sur le bureau de Kossyguine, apportée par des collaborateurs zélés. La réaction de celui-ci fut extrêmement négative. On nous traita de Cassandres, vraiment, nous étions des gens qui ne comprenaient rien... Ces souvenirs sont amers. Bien évidemment, après une telle réaction à notre missive, qui pourtant contenait toutes les justifications et même les calculs que nous avions faits, nous perdîmes pour un certain temps l'envie de renouveler ce genre d'intervention. Plus tard, cependant, certains économistes – cette fois, séparément – tentèrent à nouveau de redresser la barre, de remettre le pays sur la bonne voie pour réussir son développement économique.

Mais à cette époque, à la fin des années 60 et au début des années 70, malgré des faits de ce genre, la confiance dans les dirigeants régnait encore, en tout cas en ce qui me concerne, et je croyais toujours qu'ils comprendraient la situation et opteraient pour des mesures radicales. J'étais encouragé dans ce sens par les interventions de Brejnev aux plénums réunis à la fin de chaque année pour adopter le plan annuel. Il parlait dans ces discours d'importants changements dans la gestion, de mesures qui allaient être adoptées en vue d'accélérer le progrès scientifique et technique ; il fut même question de convoquer dans ce dessein une session plénière extraordinaire du Comité central, et je fus invité, ainsi que d'autres économistes, à en préparer les textes. On s'y proposait de développer la réforme économique du milieu des années 60, de miser sur les unions de production, d'investir de façon prioritaire dans la construction mécanique et de modifier la politique d'investissement en général. On reconnaissait la nécessité d'établir des ponts entre la recherche et la production, de développer l'enseignement supérieur, et de nombreuses autres questions étaient posées. Mais plus nous avancions dans la préparation de ces documents, moins nos dirigeants y attachaient d'intérêt. Certaines thèses furent vaguement reprises, dans divers discours ; mais, au bout du compte, ces travaux préliminaires furent abandonnés, et la session plénière extraordinaire n'eut jamais lieu.

Dès lors, beaucoup comprirent qu'il y avait peu d'espoir de voir adopter des propositions radicales, même si plus tard, de temps à autre, on créa quelques commissions, élabora les bases d'une nouvelle réforme économique et d'un nouveau système de gestion, ou des scénarios alternatifs pour le développement de notre économie. Je jugeais indispensable, quant à moi et au collectif que je dirigeais – l'Institut d'économie et d'organisation de la production industrielle de la section sibérienne de l'Académie des sciences de l'URSS –, de participer activement à ces travaux. Au sein de l'Académie elle-même, c'est l'un de ses membres, N. Fedorenko – qui, pendant toute cette période, a été le secrétaire du département d'économie –, qui en avait pris la direction. En fin de compte, une commission remplaçait l'autre, et des mesures visant à améliorer la gestion de l'économie étaient mises au point. Cela dura plusieurs années, avant que, comme on pouvait s'y attendre dans ces conditions, la montagne accouche d'une souris. On connaît l'arrêté publié en 1979 sur le perfectionnement du système de gestion. C'était une demi-mesure, mais une demi-mesure réaliste, puisqu'elle constituait une tentative de faire un pas dans la direction des méthodes économiques ; toutefois, elle menait tout droit à la réalisation des objectifs administratifs du plan quinquennal.

L'énorme appareil de gestion travaillait à cette époque de façon intensive, car il fallait édicter plusieurs dizaines d'instructions, de règlements, sans lesquels ce perfectionnement de la gestion ne pouvait être réalisé. Une fois réunies, ces instructions constituaient un énorme volume, mais pratiquement rien n'en sortit : l'économie se développait de plus en plus mal. Quant aux études des économistes sur l'adoption de mesures plus radicales pour mettre en place les méthodes économiques de gestion, elles étaient repoussées ; on y collait l'étiquette infamante de « socialisme de marché », et c'est tout juste si on ne les accusait pas de vouloir carrément saborder la planification, principal avantage du socialisme.

En paroles, on soutenait les propositions tendant à accélérer le progrès scientifique et technique, à faire évoluer l'économie nationale vers un mode de développement intensif, à augmenter la rentabilité et à améliorer la qualité, mais, au niveau des actes, rien n'était fait dans ce sens. Le leitmotiv du IXe quinquennat, le « quinquennat du niveau de vie », résonne aujourd'hui comme un camouflet : c'est justement à partir de cette période que la croissance du niveau de vie a ralenti. Le Xe quinquennat fut, lui, qualifié démagogiquement de « quinquennat de l'efficacité et de la qualité », alors que la plus grosse part des ressources fut, en fait, consacrée au développement du secteur des combustibles et des matières premières. Et, pour la première fois, le taux de croissance des investissements dans les constructions mécaniques fut inférieur à la moyenne enregistrée dans toute l'industrie. C'est justement pendant ce X^e quinquennat, celui de l'« efficacité », que l'augmentation de la productivité du travail se réduisit de moitié dans l'industrie, que se poursuivit la croissance irrésistible de l'intensité capitalistique de la production, et que la compétitivité de nos produits sur le marché mondial diminua.

Pendant ce temps-là, les études réalisées dans les instituts d'économie n'étaient pas perdues. Elles préparaient l'avenir. Nous reprîmes tous courage lorsque Iouri Andropov devint secrétaire général du Parti. Lors du plénum du Comité central de novembre 1982, il soumit à une rude critique le cours du développement économique ; l'accent fut mis sur le renforcement de la discipline au travail, la nécessité de vaincre le désordre et le laisser-aller qui, dans la période précédente, avaient véritablement pris des proportions inquiétantes. Le rétablissement d'un minimum d'ordre dans l'économie nationale fit aussitôt sentir ses effets : les taux de croissance du développement socio-économique augmentèrent quelque peu. Mais on comprit bien, alors, qu'il fallait prendre des mesures radicales, en profondeur. Sans doute Andropov en était-il également conscient, puisque, quelques mois avant sa mort, il mit en avant la nécessité de mettre au point un système qui permette de perfectionner nos méthodes de gestion. On constitua à nouveau des commissions, le travail s'activa, mais ensuite, sous Tchernenko, cela tourna court de nouveau.

Ce n'est qu'en mars 1985, lorsque Mikhaïl Gorbatchev fut élu secrétaire général et que fut proclamée la perestroïka, que les choses se mirent réellement en branle. Comme le déclara à plusieurs reprises M. Gorbatchev, la perestroïka n'est pas née de rien. Je pense que sur le plan scientifique, elle fut, en partie bien entendu, préparée par les efforts collectifs de notre groupe d'économistes, qui avait élaboré la réforme du milieu des années 60, avait continué pendant les années de stagnation de défendre les méthodes économiques de gestion et avait étudié les problèmes que posait l'instauration de notre nouveau système d'administration et de gestion de l'économie.

Les leçons de l'histoire et la perestroïka

Toutes les réformes économiques qui se sont déroulées en URSS à diverses époques ont eu comme point commun, entre autres, de viser à la démocratisation de la société – en particulier, de la vie économique –, ce qui va de pair avec une plus grande implication des citoyens aussi bien au niveau du travail que sur le plan social. Cela est lié, dans une certaine mesure, au fait que les tournants importants dans la vie économique sont habituellement précédés de périodes de stagnation et de déséquilibres qu'il s'agit de surmonter. La plupart des gens, conscients de cela, s'enrôlent sous les bannières de la nouvelle politique économique, d'autant plus que de tels changements de politique et la réalisation d'une réforme économique s'accompagnent toujours d'un renforcement de la stimulation matérielle, ce qui encourage également les citoyens à se montrer plus actifs dans le cadre de leur travail. Bien entendu, les diverses réformes se distinguent considérablement les unes des autres par le poids des effets qu'elles ont eus sur la vie sociale et le développement de la démocratie. Lors du passage du communisme de guerre à la NEP, parallèlement au fait que les entreprises se sont vu accorder une plus grande autonomie économique, compte tenu aussi du retour de toute la société sur la voie de la paix, ont commencé à se développer la démocratie et la transparence. C'est particulièrement sensible dans la première période de la NEP, du vivant de Lénine, qui accordait une importance primordiale au renforcement des bases démocratiques de la vie de la société. Plus tard, lorsqu'on est passé au système administratif de gestion, sous Staline, ces fondements de la démocratie furent assez vite enterrés. Les diktats et l'esprit de caserne commencèrent à s'imposer.

La réforme économique de Khrouchtchev, après la mort de Staline, était organiquement liée à un processus général de démocratisation de la société, qui fit suite à la condamnation du culte de la personnalité. La montée de l'enthousiasme et de l'initiative, l'approfondissement des études économiques, tout cela contribuait à accélérer le développement de la société. Mais, comme on l'a déjà vu, Khrouchtchev, plus tard, a changé, et, dès la fin des années 50, la transparence fut de plus en plus contrôlée, et le dirigisme administratif fit un retour en force.

Les tentatives pour revenir à la démocratie lors de la réforme économique du milieu des années 60 ont été moins nettes. On peut compter, cependant, parmi les faits positifs la disparition du subjectivisme et du volontarisme, la fin des réorganisations incessantes, et une certaine stabilisation dans la vie quotidienne. En même temps, on maintenait un contrôle assez strict sur la presse et les autres médias. Aucune mesure ne fut prise alors pour faire participer plus largement les travailleurs à la gestion ni pour développer la transparence. Si l'on est aussi rapidement parvenu à couper court à la réforme économique du milieu des années 60 et à remplacer à nouveau les méthodes économiques de gestion par les méthodes administratives dans l'agriculture et l'industrie, c'est en grande partie dû à l'insuffisance du processus de démocratisation. Progressivement, la stabilité tourna à la stagnation, et une restructuration totale devint indispensable pour que la société soviétique parvienne à sortir de cet état amorphe et à surmonter les phénomènes de précrise.

Toute l'histoire de la réforme économique montre que la force motrice en est l'individu, avec ses intérêts, ses besoins non réalisés. Et de la façon dont on le fera participer au processus de réforme dépendront le rythme et l'ampleur de celle-ci, et son succès.

Les diverses réformes économiques ont sans doute encore bien d'autres points communs, notamment en ce qui concerne la configuration de l'échiquier des forces. Toutes les réformes en régime socialiste sont venues d'en haut, sur l'initiative des leaders politiques : c'est Lénine qui a proclamé le remplacement de l'impôt en nature par les livraisons de produits alimentaires, le passage aux méthodes économiques de gestion et le développement du marché ; c'est sur l'initiative de Khrouchtchev que fut entreprise la réforme économique dans l'agriculture ; c'est également aux dirigeants politiques de l'époque qu'on devait la réforme économique dans l'agriculture et l'industrie du milieu des années 60. Et nous relions tous, à juste titre, la perestroïka à l'activité de Mikhaïl Gorbatchev et à celle d'autres responsables politiques. Mais ces idées de réforme ne pouvaient être viables que dans la mesure où elles traduisaient un besoin objectif d'évolution de la société, où elles avaient été suffisamment mûries et répondaient réellement à l'attente des masses laborieuses. Parallèlement, pour réussir, de telles réformes exigeaient que tous s'investissent dans leur réalisation. Comme on le voit, la force motrice des réformes économiques est constituée par les dirigeants suprêmes du pays, soutenus par l'avant-garde des travailleurs, l'intelligentsia, les ouvriers, la paysannerie. Le principal ennemi de la réforme économique, c'est la bureaucratie, qui fait corps avec le système administratif de gestion. Et cela est compréhensible : la réforme économique vise à saper l'esprit bureaucratique, car elle le prive de son milieu nourricier, les méthodes administratives. Un esprit que personnifient, notamment, les fonctionnaires de l'appareil de gestion à tous ses niveaux, ceux pour qui le pouvoir et les privilèges passent avant le développement de la société. Cette catégorie, assez importante, issue des organisations du Parti, des soviets et de l'appareil de gestion, se rallie, dans son opposition à la perestroïka, aux vieux dirigeants d'entreprise, à l'intelligentsia conservatrice et à une partie des travailleurs, qui, en raison de certaines distorsions de la société, trouvaient leur compte dans l'ancien système et renâclent devant les nouvelles exigences qu'implique le nouveau.

Répétons que, pour créer un vaste front de soutien aux réformes économiques, il faut faire participer toute la population à leur réalisation, que chacun en soit coauteur et acteur. Si l'on n'y réussit pas, l'appareil bureaucratique finit par reprendre le dessus, par gagner à sa cause les leaders politiques, et la réforme échoue.

On a parlé des traits communs aux différentes réformes économiques. Il faut maintenant voir pourquoi celles qui ont été lancées dans le passé, après avoir connu des succès et redonné à notre économie un élan non négligeable, ont toutes tourné court au bout d'un certain temps – de cinq à huit ans –, pourquoi les accélérations et le développement ainsi enregistrés ont chaque fois laissé place à une nouvelle période de distorsions et de déséquilibres croissants, où une grande part de la population voyait son niveau de vie baisser, où la marche de notre économie accusait des tendances négatives, sur le plan national comme dans ses divers secteurs.

L'abandon de la NEP scellait la fin de la première réforme économique : Staline rompait ainsi avec la conception qu'avait Lénine de l'édification du socialisme. Et bien qu'il ait réaffirmé à maintes reprises de façon démagogique sa fidélité au léninisme, s'emparant dans ses interventions de telle ou telle citation de Lénine, tentant de démontrer que le pays suivait la voie indiquée par celui-ci, cela n'était rien d'autre que de l'intoxication des masses. En fait, sous Staline, le système politique de notre État a dégénéré : les soviets ont perdu leurs pleins pouvoirs, et l'appareil du Parti s'est disqualifié en se mettant au service de la dictature de Staline. Celui-ci instaura un système administratif strict, selon lequel étaient gérés non seulement l'économie, mais tout le fonctionnement de la société soviétique, transformant celle-ci en caserne. Notre pays pouvait-il échapper à une telle évolution ? Faut-il en chercher les origines dans la nature même du socialisme ? Les analystes posent de plus en plus souvent cette question. Et je partage l'opinion de la majorité d'entre eux, qui jugent que la dictature de Staline, avec le culte de la personnalité et ses conséquences tragiques, n'avait rien d'inévitable. Des alternatives démocratiques pour édifier le socialisme dans notre pays existaient, et Lénine les avait indiquées. En même temps, si un tel culte de la personnalité a pu s'imposer, c'est que le terreau historique en portait les germes – entre autres, le développement insuffisant de la démocratie dans la première période d'existence du pouvoir soviétique. Cela est lié pour une grande part au faible niveau d'instruction de la population et à son aliénation chronique face au pouvoir politique ; en outre, les communistes, et surtout ceux qui étaient formés aux théories léninistes, étaient encore trop peu nombreux pour pouvoir s'opposer avec succès à la naissance d'une telle vénération à l'égard du chef, bien étrangère au socialisme. Ce phénomène apparut progressivement, au cours de la lutte acharnée que menaient les groupes d'opposition au sein du Parti ; Staline appliquait le principe « Diviser pour régner », soutenant une faction pour en abattre une autre, finissant par liquider les deux. Ayant créé autour de lui un puissant appareil de répression et de propagande, il parvint à conquérir le pouvoir, qu'il utilisa comme un levier. Spéculant sur les tendances objectives du développement de la société, qui exigeaient l'industrialisation et la coopération des paysans, il élimina les rapports marchandises-monnaie, les remplaçant par une distribution directe, introduisit la planification directive et établit un système administratif de gestion s'étendant à tous les secteurs.

La réforme économique effectuée par Khrouchtchev a sombré pour des raisons quelque peu différentes. Ce qui a joué, là, ce n'est pas tant son manque de suite dans les idées, ni que ses succès lui aient tourné la tête et qu'il soit devenu si imbu de sa personne qu'il s'est mis à agir de manière purement volontariste ; la raison profonde qui a fait que cet homme, à lui seul, ait concentré dans ses mains des pouvoirs illimités – étant à la fois premier secrétaire du Comité central du PCUS et président du Conseil des ministres de l'URSS –, c'est sa méconnaissance des formes démocratiques de direction. Khrouchtchev avait opéré de timides tentatives pour introduire des bases démocratiques dans la direction de l'État – pour la première fois, on limita la durée pendant laquelle les dirigeants pouvaient exercer leurs fonctions (pas plus de deux mandats, mais les personnalités particulièrement éminentes pouvaient, exceptionnellement, être élues une troisième fois, par une majorité qualifiée). En réalité, on jouait à la démocratie plus qu'on ne l'exerçait.

La transparence, qui avait fleuri après que le culte de la personnalité eut été dénoncé, fut bientôt de nouveau bâillonnée. Mais il ne s'agit pas seulement de cela. Le retour des méthodes administratives de gestion à la fin des années 50 et au début des années 60, qui s'est traduit par l'abandon total des méthodes économiques adoptées au plénum du Comité central en septembre 1953, était lié dans une grande mesure au fait que la réforme de Khrouchtchev était trop partielle et qu'elle était mise en œuvre de manière trop clairsemée.

Tout d'abord, elle n'avait concerné que l'agriculture – l'industrie, la construction, les transports et les autres secteurs de l'économie nationale demeurant sous le joug des méthodes administratives de gestion.

Ensuite, dans l'agriculture même, l'établissement du plan qui fixait les achats de l'État en denrées alimentaires – soit le maillon principal de ce secteur de l'économie – continuait de se faire par la voie du système administratif, et les prix que l'État payait, tant pour les quotas inscrits dans le plan que pour les surplus, demeuraient imposés de façon centralisée.

En dépit du caractère révolutionnaire des mesures prises par le plénum du Comité central en septembre 1953 – surtout si l'on fait la comparaison avec la période antérieure –, elles ne marquaient pas une véritable mise en place du système économique de gestion. Les camarades hongrois, eux, après les événements de 1956, qui avaient ruiné l'économie de leur pays, ont introduit des réglementations nouvelles dans l'agriculture en instaurant de façon suivie et globale les méthodes économiques de gestion : on abolit tous les aspects directifs du Plan d'État, ce qui signifie que les livraisons de produits agricoles à l'État n'y figuraient plus, et les exploitations agricoles se virent attribuer le droit de déterminer elles-mêmes ce qu'elles devaient semer, faire pousser, en quelles quantités, se référant à un système de prix contractuels fixés avec les entreprises de transformation, les centres de stockage, les autres exploitations agricoles. Aussi, en plus de trente ans, n'a-t-on enregistré aucune réapparition des méthodes administratives de gestion dans l'agriculture hongroise, laquelle, bien que les investissements dont elle bénéficie soient plusieurs fois inférieurs à ce qu'ils sont en URSS, progresse de manière continue et est devenue l'une des premières d'Europe. La Hongrie produit aujourd'hui 1,3 tonne de céréales par habitant, plus de 150 kilos de viande, et une importante partie de sa production agricole est exportée chez nous et dans les pays capitalistes d'Europe.

Enfin, la réforme économique, dans notre pays, n'était pas considérée comme formant un tout avec les autres transformations – notamment sociales – et faisait en quelque sorte figure de corps étranger par rapport au développement général de la société.

Le manque de profondeur et de radicalisme des mesures adoptées pour substituer les méthodes économiques de gestion aux méthodes administratives, le manque de cohérence des transformations dans l'économie, l'absence de lien avec les autres changements qui se produisaient dans la société, le maintien des principes administratifs au niveau des instances dirigeantes dans les domaines économique et social, tout cela contribua lourdement à favoriser la résurgence des méthodes administratives du temps de Khrouchtchev.

Ce sont à peu près les mêmes causes qui furent à l'origine de l'abandon de la réforme que l'on avait commencé à mettre en place au milieu des années 60 dans l'agriculture et l'industrie. Il y eut là, pourtant, des éléments nouveaux par rapport à la période précédente, les méthodes économiques de gestion ayant été introduites non seulement dans l'agriculture, mais également dans l'industrie – même si l'on ne pouvait toujours pas parler d'un front économique commun à l'agriculture et à l'industrie, puisque les rapports entre ces secteurs restaient régis par les liens administratifs et qu'il n'existait pas de véritable marché entre ces deux pôles. Mais là encore on peut noter le caractère partiel de la réforme, la construction, les transports et bien d'autres branches demeurant intouchés. D'autre part, les transformations économiques ne concernaient pas véritablement les administrations économiques centrales, les ministères sectoriels, le système d'approvisionnement ; la politique des salaires ne se modifia que très peu, les relations économiques extérieures ne connurent quasi aucune évolution, et, surtout, on maintint largement l'ancienne manière d'agir en matière d'investissements et de progrès scientifique et technique ; l'économie continuant à se développer principalement sur le mode extensif, cela demandait de plus en plus de moyens, et une grande partie du profit des entreprises était prélevée au bénéfice du Budget d'État, qui connut une croissance rapide.

Il y a d'autres différences avec les réformes de Khrouchtchev. Si, dans les années 50, les transformations dans l'agriculture se réalisaient sur fond de changement de la société, lié à la condamnation du culte de la personnalité et à la réactivation de la vie sociale, celle-ci ne connut, au milieu des années 60, quasiment aucune évolution, glissant ainsi de la stabilité vers la stagnation – c'est là ce qui a caractérisé la société de cette époque. De sorte que les innovations, sur le plan économique, restaient totalement coupées du contexte social. Pas une seule mesure tant soit peu sérieuse ne fut envisagée pour développer la démocratie dans le fonctionnement de l'économie, ni, à plus forte raison, dans la vie quotidienne. La masse des travailleurs ne participait pas à la gestion. On associait alors l'autogestion à l'opportunisme, et on était loin d'y voir un quelconque progrès de la société socialiste. Il va de soi que la réforme des années 60 était également faite de demi-mesures, plus même que celle de

Khrouchtchev, et pas seulement dans l'agriculture. Là, on avait de nouveau maintenu à la place centrale le plan d'achats par l'État, sous forme de directives imposées d'en haut. Dans l'industrie, le nombre d'objectifs individuels dans le plan était réduit, mais les principaux indicateurs – le volume de la production vendue, l'assortiment des principaux produits, le montant du fonds de salaires, du profit, les investissements, les plafonds de ressources, les objectifs concernant le progrès scientifique et technique –, tout cela était réparti d'en haut de façon strictement centralisée. Il allait donc être facile, par la suite, d'en revenir au vieux système administratif, avec ses entraves habituelles. J'ai raconté plus haut comment cela se déroulait : on introduisait un nouvel indicateur directif, puis un autre, puis un troisième ; on renonçait aux normes économiques à long terme ; on maintenait le système d'approvisionnement centralisé en matériaux et en équipements, la tutelle tatillonne des ministères sur les entreprises – et voici achevé un portrait de l'ancien système administratif de gestion ainsi ressuscité. Si Khrouchtchev avait eu besoin d'importantes réorganisations successives pour ramener l'économie dans le système administratif, Brejnev, lui, n'eut pas besoin de se donner cette peine : il laissa s'opérer un glissement tranquille, bien qu'assez rapide (en quelques années) d'un système où les méthodes économiques fonctionnaient efficacement, en combinaison avec les méthodes administratives qui persistaient, vers un système administratif omniprésent par ses diktats.

Toute cette évolution antérieure nous a permis de tirer de sérieuses leçons qui ont été prises en compte dès le début de la perestroïka. Les gens qui en suivent le cours ont certainement noté que, lors de presque tous les plénums du Comité central du Parti, dans chacun de ses rapports, M. Gorbatchev revient constamment sur les expériences antérieures, et en particulier sur les années de stagnation et ce qui y a conduit. J'ai souvent entendu cette question étonnée : « Pourquoi fouiller dans le linge sale, pourquoi remuer le passé ? » Je sais que, pour réaliser la perestroïka, il faut nous débarrasser de nos tendances du passé, éliminer les mécanismes qui nous ont freinés et les remplacer par d'autres, permettant d'accélérer. Mais, pour ce faire, nous devions nous pencher sur le passé, comprendre où, quand et comment se déclenchait ce freinage, en quoi il consistait, quel en était son principal agent, comment étaient apparues les tendances négatives qu'il fallait briser aujourd'hui. Ainsi, je n'ai pas été surpris lorsque, avant le plénum d'avril 1985, puis avant la conférence du Comité central sur l'accélération du progrès scientifique et technique, qui se tint en juin de la même année, et, à plus forte raison, avant le XXVIIe Congrès du Parti, M. Gorbatchev m'a demandé, ainsi qu'aux autres économistes, de présenter une analyse détaillée sur la manière dont on avait liquidé la NEP, sur ce qui a permis au mécanisme de freinage et au système administratif de se mettre en place, sur les caractéristiques de celui-ci et les raisons de l'échec des réformes économiques jusqu'à maintenant et de préciser les leçons que nous devions tirer de l'expérience passée, etc. Peu à peu, néanmoins, j'en vins à penser moi aussi que nous parlions trop du passé, que nous rejetions toutes nos difficultés sur nos prédécesseurs, alors que nous-mêmes, comme on dit, n'étions pas non plus tout blancs. En particulier, lors de la préparation du plénum du Comité central prévue pour janvier 1987, je me mis à exprimer dans des conversations mes doutes sur la nécessité de revenir encore une fois sur le passé, surtout après le XXVIIe Congrès, où, me semblait-il, tout avait été dit. Ne pouvait-on considérer, alors, qu'on en avait terminé avec le sujet ? Heureusement, tout le monde ne fut pas de mon avis, et, lors du plénum, on se livra à une analyse du passé encore plus fouillée que les précédentes, qui permit de mettre en lumière les principales causes et de tirer des leçons bien plus riches, ce qui prouvait qu'il ne fallait pas se contenter des analyses antérieures. C'est lors de ce plénum, notamment, qu'apparut pour la première fois de manière évidente la vraie raison qui avait engendré la déformation de la société socialiste, l'échec des réformes économiques et de tout ce qui tendait au progrès : l'insuffisance de la démocratisation, avec les décisions que l'on prenait en petit comité, l'absence de contrôle de la société sur l'activité des dirigeants... Et on aboutit à cette conclusion, essentielle : le développement tous azimuts de la démocratie dans la société, en particulier dans la vie économique, doit être le véritable moteur de la perestroïka, ce qui seul la rendra irréversible, et que c'est là la meilleure leçon que nous pouvions tirer de nos erreurs. Prévenu par cette expérience, je crois à présent que nous aurons encore fréquemment l'occasion de revenir sur le passé, car on ne peut pas encore dire que nous ayons totalement élucidé quelles ont été les tendances internes qui ont fait naître le mécanisme de freinage de notre société, et qui ont permis que les rapports de production soient coupés des besoins liés au développement des forces productives. En analysant aujourd'hui les raisons des lenteurs de la perestroïka, nous évoquons comme une des principales causes de cette situation le fait que nous ayons sous-estimé les forces d'inertie, le potentiel de résistance, l'amplitude du dérapage de notre économie, la gravité des distorsions, l'importance du retard que nous voulons surmonter. Constat primordial qui a été fait lors de la XIXe Conférence du Parti, et que j'interprète aujourd'hui ainsi : nous n'avons pas encore réellement pleine conscience de la profondeur du fossé d'où nous tentons de nous extirper ni du degré de verticalité de ses parois. Et c'est là l'une des raisons majeures qui font que nous avançons moins vite que nous ne nous le proposions, et que nos réalisations sont plus modestes que celles qui auraient pu être les nôtres si nous avions mieux évalué les obstacles qu'il nous faudrait franchir, les entraves que nous allions rencontrer sur la route du développement de l'économie. Car, pour les avoir sous-estimés, nous avons pris, et prenons aujourd'hui encore, des mesures visant à transformer le mécanisme de gestion qui sont insuffisamment radicales.

De sorte que notre histoire économique, c'est non pas un passé disparu à jamais, mais un passé qu'il faut prendre en considération aujourd'hui, pour mieux choisir la voie de l'avenir.

*En quoi la perestroïka se distingue-t-elle
des réformes économiques avortées ?*

En tirant les conclusions de ce qui vient d'être dit, nous pouvons noter, au niveau de la gestion économique, trois différences fondamentales entre la perestroïka et les réformes des années 50 et 60. Tout d'abord, la restructuration actuelle de notre société, en particulier celle de l'économie et de la gestion, revêt un caractère global, alors que les réformes précédentes sont demeurées partielles.

Deuxièmement, la refonte, aujourd'hui, est radicale, étant donné que le but visé est de remplacer complètement le système administratif de gestion de l'économie à coups de diktats par un système reposant sur des bases économiques, alors que les réformes passées se bornaient pour beaucoup à des demimesures et conservaient pour l'essentiel les pratiques administratives, se proposant seulement d'élargir plus ou moins le champ d'action des méthodes économiques. Troisièmement, la force motrice de la perestroïka, en particulier dans l'économie, est une vaste démocratisation de toute la société, qui passe avant tout par l'instauration de l'autogestion et une participation massive des travailleurs à la gestion. Les réformes antérieures ne mettaient pas l'accent sur tout cela.

Examinons de plus près chacune des particularités de la perestroïka, tentons d'analyser ce que nous sommes parvenus à réaliser lors de la première étape, et quels problèmes doivent encore trouver une solution.

Commençons par le caractère global de cette politique. Il ne s'agit pas seulement du fait que l'on ait proclamé la transformation de toute la société socialiste, la restructuration radicale de chaque secteur. Ce qui est plus important, c'est qu'on ait mis ces principes en pratique. Déjà, sur le plan de l'idéologie, on a vu de grands changements : la transparence, la vérité ont gagné du terrain. A la XIXe Conférence du Parti a été annoncée la réforme du système politique, ce qui s'est concrétisé, lors du plénum du Comité central de juillet 1988, par l'adoption d'un calendrier de mesures. On projette, ainsi, la réforme du droit et de la justice, le réaménagement de toute la superstructure politique, idéologique et juridique de l'État.

La refonte globale de l'économie s'inscrit dans ce programme. Les choses ne se bornent pas à une réforme radicale de la gestion. Parallèlement se modifient aussi la stratégie et les choix économiques : nouvelle politique d'investissement, tournant radical vers la modernisation et le rééquipement de toutes les branches. Des mesures sont prises pour accélérer le progrès scientifique et technique ainsi que pour coordonner la recherche et la production. On met au point une nouvelle politique sociale, et les relations économiques extérieures se déroulent maintenant sur des bases différentes.

Notons aussi que la mise en place d'un nouveau système de gestion revêt lui aussi un caractère d'ensemble. Le rôle du principal maillon productif – le système de planification –, la planification proprement dite, la formation des prix, le financement, le système bancaire, la rémunération du travail, l'approvisionnement en matériaux et en équipements, qui, cessant d'être centralisé, sera assuré par un commerce de gros, etc., tout cela se modifie de façon fondamentale. Il a été décidé que tous les secteurs de l'économie nationale seront concernés par la réforme actuelle, qui se distingue également par la profondeur de son action. Si, en 1965, le système de planification, la structure de l'organigramme des directions sectorielles et territoriales, les finances et les banques étaient demeurés inchangés, aujourd'hui, on prévoit d'y apporter des transformations radicales : création d'un marché des biens de production, instauration d'un mode de financement dépendant de normes d'utilisation à long terme, ouverture de nouvelles banques, qui deviendront des établissements commerciaux, etc. La réforme de 1965 ne concernait que des entreprises d'État et des kolkhozes. Aujourd'hui, on cultive des formes de propriété pluralistes : dans toutes les sphères d'activité se développent largement les coopératives et l'activité économique privée, qui n'existaient pas auparavant. Autre différence fondamentale entre autrefois et aujourd'hui, le fait que maintenant se développent des formes collectives d'organisation et de stimulation au travail, avec, en premier lieu, le contrat collectif et, à un degré plus élaboré, le contrat-bail.

Les réformes antérieures n'avaient introduit que des modifications partielles dans la politique des prix. Actuellement, on prévoit de réaliser une réforme globale dans ce domaine, avec une refonte du processus même de formation des prix et l'élargissement de la sphère des prix libres et contractuels. Auparavant, on n'avait pas non plus touché aux relations économiques extérieures ; dorénavant, entreprises et organisations sont autorisées à commercer directement avec les autres pays socialistes, et, pour certaines unions et entreprises – dans un premier temps – avec le monde entier. On voit se créer sur le territoire soviétique des sociétés à capital mixte, avec participation de firmes étrangères, et on s'est engagé sur la voie de la convertibilité du rouble. La réforme actuelle se différencie encore par d'autres aspects des réformes antérieures, mais ce qui vient d'être dit suffit pour que l'on puisse mesurer le progrès qu'elle entraînera par rapport à celles-ci.

Si l'on examine le chemin parcouru aujourd'hui, on constate que la moitié seulement de l'économie nationale fonctionne suivant les nouvelles conditions de gestion, que l'on n'a pas encore réalisé la réforme des prix ni la mise en place du commerce de gros, que les banques ne fonctionnent toujours pas en autonomie comptable intégrale ni en autofinancement, que la structure des directions sectorielles n'est, à ce jour, pas remaniée et qu'aucune restructuration globale de l'administration territoriale n'a encore eu lieu. Nous nous trouvons donc, pour le moment, à la moitié du parcours, puisque la perestroïka doit s'étendre à tous les secteurs de la société et de l'économie. Une avancée radicale sera effectuée dans les mois à venir. 1990 devrait voir s'achever un certain nombre de processus nouveaux : instauration du commerce de gros, passage des banques à l'autonomie comptable intégrale et à l'autofinancement, pratique massive du contrat-bail, réforme des prix agricoles et industriels, refonte du système politique et juridique. De sorte que nous aborderons la nouvelle décennie avec un mécanisme économique et un système de gestion fondamentalement rénovés.

Cependant, nous ne parviendrons pas, au cours de cette étape-ci de la perestroïka, à renouveler totalement les fondements de notre société ni à restructurer l'ensemble de notre économie, ce qui, notamment, nous permettrait de produire de manière plus compétitive. Nous commençons tout juste à aborder le tournant qui mènera à la solution des problèmes sociaux, et nous ne pourrons pas, au cours de cette période, améliorer de façon décisive la vie de nos concitoyens. Nous ne pourrons pas non plus réaliser un véritable équilibre financier, parvenir à la saturation du marché, en finir avec les pénuries et les files d'attente. Pour tout cela, il faut du temps. C'est pourquoi la perestroïka, si l'on prend ce terme dans son acception la plus large, ne pourra être achevée à la fin du XIIe quinquennat. Nombre de ses aspects devront faire l'objet d'efforts encore plus importants au cours du quinquennat suivant. Ce qui confirme la conclusion tirée dès le début, comme quoi la perestroïka n'est pas une opération ponctuelle, mais un processus de longue durée qui consiste en une transformation révolutionnaire de toute notre société, en commençant par la base productive pour finir par la sphère supérieure – la culture, l'éthique et le sens moral.

Un autre trait caractéristique de la perestroïka, dont il a été question plus haut, est l'ensemble des mesures de fond visant à remplacer le système administratif de gestion par un système qui s'appuie sur l'utilisation des leviers économiques. Lors de la mise en application de la réforme de 1965, nous avions conservé les indicateurs inscrits au plan annuel qui faisaient office de directives imposées d'en haut. C'est selon ce processus administratif qu'étaient fixés, à la suite de cette réforme, le montant des ventes, du fonds de salaires, du profit, l'essentiel de la nomenclature des produits, les plafonds concernant les principales ressources et les fonds qui les régissaient, etc. Dans la réglementation que nous mettons en place, une telle planification directive n'existe plus. Le fondement même du système administratif de gestion, l'approvisionnement centralisé en matériaux et en équipements, avaient été totalement conservés lors des réformes précédentes. Actuellement, on a pour objectif de le remplacer par un commerce de gros à plusieurs niveaux des moyens de production. De sorte que, à terme, plafonds et fonds devraient disparaître, pour laisser la place à un marché libre des moyens de production. Dans le passé, à la répartition centralisée des moyens de production correspondait un système rigide de prix imposés, déterminés de manière également centralisée. Aujourd'hui, la réforme de la formation des prix se donne pour but de réduire leur part, au bénéfice de celle des prix contractuels et des prix libres, tant sur le marché des biens de production que sur celui des biens de consommation et des services.

Pour ce qui est du financement et du crédit, les changements introduits sont, eux aussi, fondamentaux et ne peuvent être comparés avec ce qui s'est fait dans le passé. Lors des précédentes réformes, tout ce secteur était demeuré centralisé ; à présent, nous pouvons dire qu'un véritable marché financier est mis en place. Le financement se fera selon des normes, ce qui enlèvera à notre politique financière son caractère purement fiscal, l'obligeant à répondre aux nécessités de la stimulation. Mais

198

les modifications les plus importantes ont lieu dans le secteur bancaire : on crée de nouvelles banques, les autres devant opérer leur passage à l'autonomie comptable et à l'autofinancement ; de plus en plus, l'activité de ces établissements se déroulera sur une base commerciale. Un marché des titres, actions et obligations se met en place, pour le moment encore sur une petite échelle. L'usage de chèques, de cartes de crédit se développe, ce qui contribuera à faire peu à peu disparaître les différentes catégories de roubles, notre monnaie correspondant progressivement à sa véritable valeur ; à terme, le rouble sera même convertible. L'une des bases essentielles du nouveau système d'administration et de gestion de notre économie est la large diffusion du contrat-bail, qui transforme le travailleur de l'entreprise socialiste d'exécutant en cogérant des moyens de production, en tant que ceux-ci sont l'objet d'une location – c'est là un nouveau mécanisme de stimulation et d'intéressement très efficace.

L'évolution vers le pluralisme des formes de propriété revêt également une importance fondamentale : c'est un mouvement puissant, encouragé par l'État, dans lequel s'incrivent la création massive de coopératives, élargissement de l'activité économique privée, le développement du lopin individuel, la construction de logements financée par les particuliers, l'initiative des citoyens pour la création de jardins collectifs.

L'un des fondements du système administratif de gestion est le contrôle tatillon et rigoureux qu'exercent sur l'activité des entreprises leurs ministères de tutelle. D'ailleurs, tutelle et contrôle ne concernent pas les résultats finals de l'activité, mais les démarches intermédiaires, les procédures fixées par de multiples instructions et règlements. Il est prévu de supprimer ce genre d'interventions puisque, à présent, dans le nouveau système de gestion, l'État ne répond plus pour les entreprises et que, par conséquent, il n'a pas à fouiller dans leurs comptes. Parallèlement, l'entreprise n'est pas responsable des dettes de l'État. Le contrôle doit être à présent pour l'essentiel un contrôle par le rouble, concernant les résultats finals de l'activité de l'entreprise.

Les mesures que nous avons examinées doivent conférer à tout notre système économique une qualité nouvelle et le renouveler de fond en comble. Cette qualité nouvelle consistera avant tout dans la liquidation des pénuries, dans l'abolition du diktat du producteur, dans la mise en place d'une production qui réponde à l'attente des consommateurs et qui vise à la satisfaction des besoins de la société. Ceux-ci s'exprimeront principalement par la demande provenant des entreprises et des citoyens. Il faut s'assurer que le marché puisse peser de tout son poids, qu'il soit en mesure de couvrir cette demande, qu'il laisse jouer la concurrence et permette au consommateur de choisir librement. Ainsi, le marché pourra remplir son rôle essentiel lors de l'estimation du coût du travail inclus dans le prix de telle ou telle marchandise et, donc, être un facteur de régulation de la production. D'autres modifications qualitatives se produiront. Le développement de notre économie ne se fondera plus sur l'augmentation des ressources utilisées, ce qui correspondait à une optique extensive, mais il se fera selon un mode intensif. L'intérêt des travailleurs sera de trouver et d'utiliser les capacités permettant l'accélération du développement économique et social, lequel dépendra de la croissance de la rentabilité et de l'amélioration de la qualité de la production. Nous devons créer une économie qui sache utiliser les progrès de la science et de la technique, qui puisse les intégrer rapidement et avec souplesse, de manière que ceux-ci se trouvent concrétisés dans les nouveaux produits et les nouvelles technologies. Une économie ainsi renouvelée sera tournée vers l'homme. Toute la gestion économique n'a de sens que si elle prend en compte l'intérêt de l'être humain. Ce qui implique qu'il faut créer – au niveau des entreprises, des collectifs de travailleurs, de chaque travailleur pris séparément – des conditions économiques qui lui soient favorables, et qui, en même temps, profitent à la société en tant que telle. En d'autres termes, il faut créer un système où les intérêts économiques de la société, du collectif de travailleurs et de l'individu coïncident, sinon totalement, du moins pour l'essentiel. Le bien-être de chacun conditionne celui de la collectivité. En enrichissant la société, l'homme s'enrichit, devient meilleur. Par là même, le développement de l'économie revêt un caractère social, l'économie de production se transforme en économie sociale, en économie faite pour l'homme, pour son bien-être.

Tout cela, ce n'est encore qu'un projet ; mais un projet qui n'a rien d'abstrait. Il ne s'agit aucunement d'une utopie née dans l'esprit d'un rêveur, hors de toute réalité. Il sous-tend un texte déjà adopté, qui pose les fondements moraux de notre nouvelle gestion, et nous sommes déjà en train de passer du système administratif au système économique. Mais, pour l'instant, nous ne sommes qu'au début du chemin. Le système administratif, qui continue de prévaloir, exerce toujours son influence sur les entreprises, sur la société – et pas seulement par l'intermédiaire de facteurs anciens qui n'ont pas encore été atteints par le changement (concernant les prix, le système centralisé d'approvisionnement en matériaux et en équipements toujours en place, les divers plafonds imposés d'en haut, etc.). Il s'est aussi infiltré dans les innovations apparues à la lumière de la perestroïka.

Dans le plan 1988, les commandes d'État ont été traitées selon les anciennes méthodes, comme s'il s'agissait d'un plan directif. Les ministères se sont vu accorder le droit de fixer ces commandes s'adressant aux entreprises placées sous leur tutelle, et, à l'aide de ce puissant levier, ils ont pu maintenir leur diktat administratif. On a compris qu'on avait commis là une erreur, et, dès 1989, ce pouvoir leur a été retiré ; en outre, la part des commandes d'État dans le volume total de la production, qui allait de 90 à 100 % en 1988, a été réduite à environ 60 %, ou même 50 % dans les industries de transformation. Le prochain pas – avec une nouvelle réduction de ces commandes, qui devrait ramener leur part à 20 ou 30 % – sera réalisé après la réforme des prix et la mise en place du commerce de gros, lors de l'adoption du prochain Plan quinquennal (1991-1995).

C'est également dans une large mesure sur une base administrative qu'ont été établies les normes économiques régissant la formation du fonds de salaires, les prélèvements sur le profit et la répartition du profit résiduel dans les fonds de stimulation pour les entreprises qui ont adopté les nouvelles méthodes de gestion. A nouveau, les ministères ont été chargés de déterminer les normes pour les entreprises placées sous leur tutelle. Et, pour l'essentiel, ils ont eu recours à des normes individuelles, chaque entreprise ayant les siennes, en se fondant sur les objectifs directifs du quinquennat, qu'ils se contentaient de répartir année par année – alors que ceux-là avaient été fixés du temps de l'ancien système. On se propose également de remédier à cette anomalie lors de l'adoption du nouveau Plan quinquennal ; les normes économiques seront alors du ressort des organes suprêmes de l'État, et elles seront unifiées pour l'ensemble de l'économie nationale ou secteur par secteur.

On n'a pas encore tout à fait éliminé, non plus, d'autres liens de nature administrative qui font dépendre les entreprises de « leurs » ministères. Ceux-ci continuent d'exercer dans beaucoup de domaines un contrôle tatillon, à imposer leur tutelle, bien que leurs possibilités d'intervenir dans les affaires des entreprises aient considérablement diminué. Ce poids de la puissance administrative sur le terrain économique aura perdu tout champ d'action dès lors que le commerce de gros aura été mis en place, et les ministères ne disposeront plus de ces leviers de direction que représente, par exemple, la capacité de fixer les plafonds ou le montant des fonds des entreprises. Celles-ci formeront elles-mêmes leurs fonds de production, achèteront les matières premières et les matériaux nécessaires à leur activité, établiront directement des liens avec d'autres entreprises, indépendamment des ministères.

Une des leçons du passé est : que les demi-mesures, les mesures sans suite, ne mènent à rien de bon ; que tant que nous n'aurons pas supprimé les bases administratives de la gestion, celles-ci seront une barrière à l'établissement de nouveaux mécanismes ; et que la réforme ne peut pas être considérée comme irréversible aussi longtemps que nous n'aurons pas compris qu'il nous faut prendre des mesures de fond, radicales, pour remplacer les méthodes administratives par des méthodes économiques. Or, comme on le constate dans l'application de la loi sur l'entreprise et d'autres textes normatifs concernant l'instauration du nouveau système, nous nous sommes laissés aller à des compromis, et cela s'est aussitôt fait sentir.

Les entreprises ayant adopté les nouvelles formes de gestion n'ont pas fait de progrès décisifs en ce qui concerne la rentabilité, la qualité des produits, la satisfaction de la demande. Mais, comme on dit, l'important, ce n'est pas de ne pas commettre d'erreurs, mais de les reconnaître et d'y remédier à temps. Heureusement, nous avons reconnu celles que nous avons commises et avons pris, même si cela a été fait tardivement, des mesures pour qu'elles soient corrigées et, j'espère, ne se renouvellent pas.

Enfin une dernière chose, qui est loin d'être la moins importante – je veux parler de la démocratisation économique, de l'autogestion, de la participation des travailleurs à la gestion. C'est sans doute là l'essentiel et on a pris dans ce domaine des mesures fondamentales, ce qui n'avait jamais été le cas lors des réformes précédentes. Une place prédominante est faite, dorénavant, au collectif des travailleurs de l'entreprise, qui dispose du droit de déterminer en dernière instance le plan de l'entreprise, d'élire le directeur et les autres cadres dirigeants, de former son propre conseil, lequel représente en permanence les intérêts du collectif. Et tout cela se déroule sur un fond de démocratisation d'ensemble, c'est-à-dire d'autogestion populaire, avec les pleins pouvoirs aux soviets du peuple.

La démocratisation, moteur de la perestroïka

Nous considérons la démocratisation comme le moteur essentiel de la perestroïka, comme la principale garantie de son caractère irréversible. Nous n'en sommes pas venus tout de suite à cette conclusion. Bien que la transparence et d'autres attributs de la démocratie se soient développés aussitôt après le plénum du Comité central d'avril 1985, ce n'est que deux ans plus tard que nous avons pris pleinement conscience de l'importance de la démocratisation pour que puisse se réaliser la perestroïka. Cela est apparu clairement lors du plénum de janvier 1987. Formellement, l'ordre du jour portait sur la politique des cadres. Mais l'essentiel, dans le rapport de M. Gorbatchev, lors de cette session, a été la question de la démocratie. Beaucoup n'ont vu là que de la propagande, car ce plénum n'a été suivi d'aucune action de démocratisation dans la réalité. Cependant, cette session a modifié les consciences, a poussé les médias à discuter des questions que l'on qualifiait, dans le passé, d'« embrouillées », les « zones de silence du passé » ont disparu, et la montée de cette transparence (glasnost), de la franchise a préparé le terrain pour des mesures concrètes de développement de la démocratie.

Un pas important dans ce sens, en ce qui concerne la gestion de l'économie, a été accompli au plénum de juin 1987, puis renforcé dans la loi sur l'entreprise. Il s'agit de l'instauration de l'autonomie de gestion de l'entreprise, dont on a déjà parlé plus

203

haut. Mais c'est seulement un an et demi après la session plénière de janvier que les idées de la démocratie ont trouvé leur traduction dans des décisions politiques. Il a fallu attendre pour cela la fin de juin 1988, avec la XIXe Conférence du Parti. Furent alors adoptées des résolutions sur la réforme du système politique, celle du droit, sur la lutte contre la bureaucratie, le développement de la transparence, et tout cela en partant de la nécessité d'une large démocratisation de la société et du Parti. C'est l'objet du texte issu de la conférence – et préparé par la principale commission, que présidait M. Gorbatchev – *De la démocratisation de la société soviétique et de la réforme du système politique.* On y trouve les points essentiels de cette tendance majeure de la perestroïka.

Pourquoi une large démocratisation est-elle nécessaire ? Pourquoi seule une telle évolution peut-elle rendre la perestroïka irréversible ? Si les précédentes réformes économiques ont échoué, c'est avant tout parce que le peuple n'a pas participé à leur réalisation, parce que des entraves pouvaient y être mises par un petit groupe de personnes, ou même par un seul homme, comme l'a fait Staline – ou Khrouchtchev, dans sa dernière période d'activité. Brejnev aurait pu le faire également, mais, lorsqu'il accéda au pouvoir absolu, il était déjà très malade, et, en réalité, le pays était dirigé en son nom par son entourage. On ne peut faire participer à la perestroïka les masses laborieuses, le peuple tout entier, qu'au moyen de la démocratisation, parce que ainsi le peuple se verra investi des pleins pouvoirs. Les gens participeront au mouvement s'il dépend d'eux. Ils s'identifieront à ce processus s'ils peuvent influer sur lui, et pour cela il faut qu'ils aient part à la gestion, afin qu'ils soient impliqués dans le choix entre les différentes possibilités de développement, le débat sur l'utilisation des fonds, sur les mesures à prendre en premier lieu et celles qui peuvent attendre. Et ainsi se concrétiseront la démocratie, le pouvoir du peuple.

Il faut dire que, parfois, dans les textes, surtout en Occident, on parle plutôt de *libéralisation.* Ce terme n'est pas mauvais, et le processus qu'il recouvre non plus, mais le sens est différent. La libéralisation, c'est une liberté venue d'en haut. Les instances supérieures peuvent donner la liberté dans un certain domaine, le libéraliser, ou, au contraire, limiter cette liberté. Le peuple ne participe pas à la libéralisation, bien qu'une partie de la population puisse jouir de ses fruits. La démocratisation est qualitativement différente. C'est un processus dans lequel le peuple prend le pouvoir, celui-ci n'est pas octroyé par les autorités. Et nous, partisans de la perestroïka, nous voulons son approfondissement et son développement, nous nous prononçons pour une véritable démocratisation. Les forces conservatrices de notre société, elles, principalement celles qui font partie de l'appareil administratif compris à un niveau élevé, qui sont en fait opposées à la perestroïka mais sont contraintes, désormais, de compter avec la glasnost, tentent de réduire les choses à une libéralisation, à une liberté dosée par elles et accordée en fonction d'une quelconque décision prise par un petit nombre de personnes, qui, par la suite, pourraient, si besoin est, la confisquer de la même façon. Et de telles tentatives, on le sait, ont eu lieu à plusieurs reprises, dirigées, notamment, contre la transparence dans la presse.

La lettre de Nina Andreïeva au journal *Sovietskaïa Rossia,* dans laquelle elle prenait ouvertement position contre un excès de transparence, contre la vérité dénudant nos plaies et les tragédies de notre passé, fut en fait considérée comme le manifeste de ces conservateurs, opposés à la perestroïka. Heureusement, la direction du Parti et le gouvernement ont donné une riposte foudroyante à cette lettre qui voulait porter atteinte à la perestroïka en battant le rappel de tous ceux auxquels la glasnost et la vérité sont désagréables, ceux qui craignent une réelle démocratie. Afin de garantir la démocratisation sur le plan politique et juridique, il faut une réforme fondamentale dans la société et le Parti, et ses contours, ses principaux points ont été fixés à la XIXe Conférence du Parti.

J'ai participé à toutes les séances de cette réunion en qualité d'invité. Beaucoup de personnes chez nous, et surtout mes amis étrangers, les correspondants de presse, m'ont demandé : « Comment vous, qui avez beaucoup fait pour le développement de la réforme économique en URSS, n'avez-vous même pas été désigné comme délégué à la Conférence ? » Je veux répondre encore une fois à cette question. Chacun joue son rôle dans l'existence, et occupe dans celle-ci une place donnée. Je n'ai jamais été un homme politique, je n'avais jamais auparavant pris part à d'importants forums politiques, je n'ai jamais été élu député d'un soviet, que ce soit de district, de ville, de région et à plus forte raison du Soviet suprême. Je n'ai jamais été désigné comme délégué au Congrès du Parti, à plus forte raison je n'ai jamais fait partie des instances dirigeantes du PCUS. Et cela se comprend aisément. Je me suis toujours consacré à la science, et j'y ai atteint les plus hauts grades – si cela signifie quelque chose dans la science. Là aussi, il y a des votes, et souvent beaucoup plus durs que pour les organes du Parti. Car il y a de la concurrence et le vote est secret. Pour être élu membre correspondant ou académicien, en URSS, il faut obtenir les deux tiers, au moins, des voix des inscrits, tout d'abord dans son département, et ensuite à l'assemblée générale de l'Académie. Pour être élu académicien-secrétaire, c'est-à-dire directeur de mon département d'économie, j'ai dû également me soumettre au vote secret, tout d'abord à l'assemblée générale du département, puis à celle de l'Académie. J'ai été élu par cette dernière assemblée membre du praesidium de l'Académie, et je fais par conséquent partie d'un cercle très restreint d'académiciens, qui sont membres de l'organe directeur de l'Académie et de son praesidium. Dans notre pays, il y a en moyenne 1 académicien pour 1 million d'habitants, et dix fois moins de membres du praesidium. Pourquoi donc devrais-je, moi, qui ne suis pas un politicien, mais un homme qui a choisi la voie scientifique, être en plus élu à la Conférence du Parti ou au Congrès ? Même sans cela, je travaille pour la perestroïka et, lorsqu'on discute de questions économiques fondamentales, que ce soit au cours d'un plénum du Comité central, comme en juin 1987, ou à une séance du Conseil des ministres de l'URSS, ou à tout autre forum, j'y participe toujours, et pas seulement de l'extérieur en prenant part aux débats, mais aussi de l'intérieur, en préparant les textes nécessaires à la solution de tel ou tel grand problème économique. Et cela, je ne le fais pas tout seul, bien entendu, mais avec le collectif auquel j'appartiens.

Mais la démocratisaiton ne se borne pas à faire participer les travailleurs à la gestion, à les inclure dans la perestroïka et par là même à les rendre plus actifs dans leur travail et dans la société. Il est très important également que, lorsqu'il existe une démocratie réelle, il soit impossible de prendre des décisions en petit comité, et par conséquent des décisions unilatérales, qui ne tiennent pas compte des intérêts de la société dans son ensemble, des intérêts du peuple. Dans une société où règne la transparence et où se réalise un processus démocratique, les décisions importantes sont prises ouvertement, au vu et au su de toute la société. La société civile participe à leur élaboration, à leur évaluation, à leur discussion, et le résultat n'en est pas seulement que ces décisions sont mieux fondées et correspondent davantage aux intérêts du peuple. L'élaboration collective des décisions crée une atmosphère favorable à leur application puisque, dans le cours du débat, les gens prennent conscience de l'importance de l'enjeu, du caractère urgent que revêt telle ou telle question et discutent des moyens de mettre en œuvre les solutions adoptées. Avant même que les décisions ne soient prises, souvent, on commence déjà à mettre en pratique quelques mesures concrètes qui faciliteront leur application. L'expérience, relativement brève, des premières années de glasnost et de démocratisation a clairement montré combien cela était important pour notre société et notre économie. Je citerai un cas, auquel j'ai été personnellement mêlé. Il s'agit de l'imposition des coopératives nouvellement créées et des coopérateurs. Comme on le sait, au cours de la perestroïka, nous avons largement développé le secteur coopératif dans toutes les branches de l'économie. Afin de ne pas repousser l'affaire aux calendes grecques, on a adopté un règlement provisoire autorisant la création de coopératives. En peu de temps – quelques mois –, il s'en est créé, conformément à ce règlement, environ 10 000. On préparait en même temps le projet de loi sur les coopératives en toute transparence, en y faisant largement participer les coopérateurs eux-mêmes, les économistes, la société civile. Ce projet a été soumis à un débat national, qui a été très fructueux. Environ 80 000 propositions et amendements ont été avancés. Le projet – nous en avons déjà parlé – a été ensuite sérieusement revu par une commission compétente, puis discuté au congrès des kolkhoziens, et en fin de compte soumis au Soviet suprême de l'URSS, où le président du Conseil des ministres, Nikolaï Ryjkov, a présenté un rapport important et riche sur le sujet. Tout s'est déroulé dans la transparence et l'ouverture, et la loi fut adoptée. Lorsqu'on commença à en discuter en petit comité, un cercle restreint de personnes, avec à leur tête le ministre des Finances de l'URSS, mirent au point un impôt sur les coopératives et les coopérateurs. Ni les économistes, ni les coopérateurs, ni les représentants de la société civile n'avaient participé à la discussion sur cette question, et ils ne savaient même pas que l'on était en train de déposer une pareille mine sous le puissant édifice des coopératives. C'est ainsi que le projet d'imposition des coopérateurs fut débattu en petit comité au sein du gouvernement et qu'il fut adopté aussitôt, de façon assez formelle, pratiquement sans discussion, comme on l'a su plus tard, par le praesidium du Soviet suprême, lequel édicta un décret. La discussion de la loi elle-même n'était pas encore terminée qu'il apparaissait déjà clairement qu'on était en train de porter un coup très rude aux coopératives. L'impôt prévu n'était pas seulement progressif : sa tranche supérieure atteignait 90 % des revenus des coopérateurs. Il était donc parfaitement dissuasif, puisqu'il empêchait ces derniers de gagner de l'argent. Ce décret fut en vigueur trois mois. De nombreuses coopératives fermèrent, d'autres durent réduire leurs activités, et beaucoup de gens renoncèrent à en créer de nouvelles.

Lorsque le décret fut publié, ce fut un véritable flot de protestations, non seulement de la part des coopérateurs, mais aussi des économistes, et de l'ensemble de la population. Les réactions étaient si négatives que les députés du Soviet suprême, réunis en commission à la veille de la session, discutèrent eux aussi de cette question. Elle fut inscrite à l'ordre du jour de la session du Soviet suprême, et le décret du Praesidium ne fut pas entériné par les députés, fait sans précédent dans notre histoire. Même après cela, pourtant, une certaine force d'inertie fit qu'il resta encore quelque temps en vigueur, avant que le débat et les critiques qu'il avait soulevés ne contraignent, enfin, le gouvernement et le Praesidium à l'abolir. Néanmoins, c'est derechef au ministre des Finances, Boris Gostev, que fut confiée la préparation d'un nouveau projet d'imposition des coopérateurs. Celui-ci fut soumis, ensuite, au Conseil des ministres, qui, cette fois-ci, se réunit en présence d'un large échantillon de coopérateurs, d'économistes et d'autres spécialistes. On examina la question pendant huit mois sous tous ses aspects, et le Conseil des ministres repoussa ce second projet, donnant des instructions directes sur la façon dont devait s'édifier le système d'imposition, afin de stimuler le développement des coopératives.

Moi aussi, je me suis clairement prononcé contre ce projet d'imposition. Le département d'économie de l'Académie des sciences de l'URSS, que je dirigeais, avait organisé lors de la discussion du projet de loi sur les coopératives une séance commune avec l'Institut de l'État et du droit à laquelle participaient en outre de nombreux spécialistes. On y avait condamné à l'unanimité le système d'imposition des coopérateurs qui avait été adopté. Nous avions envoyé une lettre dans ce sens au Soviet suprême de l'URSS, demandant aux députés de ne pas entériner ce décret ; ensuite, nous avons pris la parole dans les commissions du Soviet suprême, etc. Aujourd'hui, des représentants de notre département participent à la commission qui prépare le nouveau projet, et j'espère que celui-ci sera acceptable. En raison du soutien du gouvernement et de l'opinion publique au développement du secteur coopératif, les choses se sont mises à avancer plus vite. Au 1er avril 1989, il existait 99 300 coopératives. Elles commencent à s'associer et à jouer un rôle de plus en plus grand dans le développement global de notre économie.

Cet exemple n'est bien sûr pas le seul. On peut noter des cas où la transparence a aidé à résoudre plus rapidement des problèmes écologiques comme celui du lac Baïkal, celui du lac Ladoga, ou bien le sauvetage de monuments historiques que des édiles pleins de zèle voulaient détruire. La glasnost a permis de prendre véritablement conscience des erreurs commises par le Gosplan, le ministère des Finances et le Comité d'État à l'approvisionnement lorsqu'ils ont fixé les commandes d'État et les normes économiques dans le plan 1988. De telles erreurs ont été, là encore, possibles du fait que cette opération se déroulait une fois de plus à huis clos, uniquement à l'échelon ministériel. Les avis des spécialistes ne furent pas pris en compte. La question n'a pas été discutée dans la presse, on n'a pas fait participer les directeurs d'entreprise aux décisions, et on a vu le résultat. C'est là une attitude qui a été condamnée par le Comité central et le gouvernement ; lorsque l'on a observé comment se faisait la mise en place, dans les entreprises, des nouvelles conditions de gestion, le travail des administrations citées a été considéré comme insatisfaisant. On a effectué un changement à la tête de la commission gouvernementale de gestion (Iouri Maslioukov remplaçant Nikolaï Talyzine), et on en a modifié la composition.

Aussitôt des mesures furent prises pour changer le règlement concernant le mode de fixation des commandes d'État et leur nature. J'ai participé par deux fois à des réunions du Conseil des ministres portant sur cette question, et elles se sont déroulées en pleine transparence, avec participation de spécialistes. On y a invité de nombreux dirigeants d'entreprise. On leur a donné la parole, et après un vaste débat, on a adopté un règlement provisoire, pour deux ans, sur les commandes d'État, qui a été publié dans *La Gazette économique*.

La glasnost, la démocratie ont permis, là aussi, d'adopter des décisions plus justes, plus équilibrées, qui feront avancer la réforme économique de la gestion.

III.

L'ÉCONOMIE SOVIÉTIQUE S'OUVRIRA-T-ELLE SUR L'ÉCONOMIE MONDIALE ?

*La nouvelle pensée économique
et les relations économiques extérieures*

L'économie soviétique est sous bien des rapports une économie fermée, dans le sens où les relations économiques extérieures y jouent un moins grand rôle que dans les autres pays. La part de l'URSS sur le marché extérieur est au moins cinq fois inférieure à celle qu'elle détient dans la production industrielle mondiale. Par ailleurs, la place de notre pays sur le marché international est principalement liée à l'exportation de combustibles et de matières premières contre l'achat de machines et d'équipements, de biens alimentaires et de produits de la métallurgie. Les liens coopératifs, scientifiques, techniques et financiers avec le monde extérieur sont insignifiants en regard des échanges mondiaux. En outre, le rouble n'est pas convertible.

Avant la perestroïka, l'économie interne du pays était coupée de l'économie mondiale par un mur aveugle, toutes les relations économiques avec l'étranger s'effectuant obligatoirement par un intermédiaire, le ministère du Commerce extérieur. De sorte que nos ministères sectoriels, nos unions et nos entreprises n'avaient d'accès direct ni au marché socialiste ni au marché capitaliste. Les entreprises étaient payées pour leurs produits exportés en fonction des prix pratiqués à l'intérieur de nos frontières, indépendamment des prix de vente réels en vigueur sur le marché mondial. La quasi-totalité des devises qui rentraient ainsi allaient dans des fonds centralisés. Il n'était donc pas avantageux pour les entreprises d'entretenir des relations économiques avec l'étranger : c'était un fardeau supplémentaire, et ces relations étaient en outre soumises à un strict contrôle, de sorte que la non-réalisation des objectifs de production destinée au marché extérieur privait les dirigeants des entreprises et les autres salariés de leurs primes.

Cette fermeture de notre économie au monde extérieur rendait nécessaire l'autosuffisance et nous maintenait pratiquement absents de la division internationale du travail. Cette aliénation de l'économie interne par rapport à l'économie externe a laissé quantité de traces dans notre développement économique. Elle a avant tout une influence négative sur la qualité des produits, étant donné que ceux-ci ne sont pas soumis à concurrence. De nombreuses branches ne produisant pas pour l'exportation, nous nous coupons du système international de standardisation, méconnaissons les exigences des consommateurs, mesurons mal les tendances évolutives de tel ou tel secteur. L'absence de coopération conduit immanquablement au retard sur le plan de la technique et de la qualité.

L'autosuffisance est particulièrement nuisible dans une situation de révolution scientifique et technique, alors que les exigences envers la qualité de la production augmentent rapidement, que des produits nouveaux apparaissent sans cesse, et que les technologies de fabrication se modifient. En ne travaillant que pour le marché intérieur – et, qui plus est, en situation déficitaire –, le producteur dispose d'un monopole : il peut produire pendant des années les mêmes articles, même s'ils sont obsolètes, repoussant à l'arrière-plan la tâche d'améliorer la qualité et le niveau technique. C'est pourquoi, même dans les secteurs où naguère nous étions à égalité avec le reste du monde – par exemple, la production d'avions de ligne –, nous avons pris un retard considérable au cours des quinze ou vingt dernières années. Les entreprises n'ayant pas accès au marché extérieur et fonctionnant en vase clos, elles ne sont pas contraintes d'améliorer ni de renouveler leur production, ni de faire appel aux nouvelles technologies. Les travailleurs de ces entreprises, leurs dirigeants, leurs ingénieurs, etc., ne vendant pas leurs produits au-delà de nos frontières, ne coopèrent pas avec les firmes étrangères, ne connaissent pas véritablement l'expérience des autres pays, cuisent, comme on dit, dans leur propre jus. Ce qui, en fin de compte, leur fait généralement prendre du retard. Mais, en dehors de ces aspects pratiques liés à l'efficacité des relations économiques extérieures, le commerce est aussi l'une des bases essentielles de la coopération entre les peuples. En collaborant avec les autres pays dans le domaine économique, nous traçons la voie à la coopération dans tous les autres secteurs, en particulier le secteur politique, la lutte pour le désarmement, la sécurité et la paix.

Une telle aliénation, une telle fermeture de notre économie répondait dans une certaine mesure à la vision ancienne d'un monde coupé en systèmes politiques différents entre lesquels la confrontation, la lutte, étaient inévitables. Cette vision reposait sur le principe qu'il fallait aborder toutes les questions du point de vue de la lutte des classes. Et, du point de vue des travailleurs, les représentants du monde des affaires en Occident sont des exploiteurs. Et, puisqu'il en est ainsi, il ne faut avoir de rapports avec eux que dans des cas d'extrême nécessité. Nous ne voyions donc pas, effectivement, dans les relations économiques extérieures, un élément normal de développement économique, un facteur d'accélération, d'efficacité et de qualité. A l'aide du commerce extérieur, pour parler de façon triviale, nous ne faisions que rapiécer notre économie nationale, nous comblions les lacunes, les retards dans l'évolution de telle ou telle branche. Si l'agriculture se développait mal, nous étions contraints d'importer des produits alimentaires ; si notre production de canalisations ne pouvait suffire à construire les conduites dont nous avions besoin, nous en achetions en grande quantité ; si notre technologie chimique et nos constructions mécaniques pour l'industrie chimique avaient pris du retard, nous allions en Occident et acquérions des usines chimiques entières avec toute leur technologie.

Au cours de la perestroïka, une nouvelle pensée politique s'est fait jour. De nouveaux comportements sont nés, et une politique inédite a commencé à être mise en place dans tous les secteurs, y compris celui des relations économiques extérieures. Mais notre action dans ce domaine, ces trois dernières années, résulte en même temps des changements dans notre politique extérieure et de ceux que connaît notre politique économique interne. La nouvelle pensée politique a modifié nos regards sur le monde. Nous concevons mieux l'unité et l'interdépendance de celui-ci. Nous comprenons qu'il faut aborder la coopération et la solution des problèmes planétaires, principalement en ce qui regarde la guerre et la paix, non pas en termes de lutte des classes, mais en pensant à l'intérêt de l'humanité tout entière. Lorsque nous examinons tel ou tel problème de politique extérieure, nous ne nous efforçons pas, à présent, de mettre en avant nos propres intérêts, de faire tourner les choses à notre avantage, même aux dépens des autres ; nous tentons de comprendre leurs propres intérêts, de trouver des solutions qui conviennent à tous ; nous jugeons qu'alors la coopération sera mutuellement avantageuse, et par conséquent solide et durable.

En abordant les choses de cette façon, nous nous sommes mis à considérer notre pays comme une partie inaliénable de la communauté mondiale, et notre économie comme une composante de l'économie mondiale. En analysant la situation, nous avons vu que le volume de nos relations économiques, notre place sur le marché international ne correspondaient pas au potentiel économique, scientifique et technique de notre pays. Cette analyse nous amène à conclure qu'il faut faire participer plus pleinement l'Union soviétique à la division internationale du travail, au système des relations économiques mondiales. Par là même, nous devons devenir un pays plus ouvert, et pas seulement sur le plan économique. Notre nouvelle vision du monde exige également que nous soyons plus ouverts sur le plan de l'information, de la science, de la technique et de la culture.

La XIXᵉ Conférence du Parti, qui a lancé une étape nouvelle dans la réalisation des idées de la perestroïka, a souligné la nécessité de mieux utiliser les avantages qu'offre la division internationale du travail, de développer sur une base mutuellement avantageuse les relations économiques avec le reste du monde et de mettre le cap sur une coopération internationale approfondie et globale dans les domaines de la science, de la technique et de la production.

Les transformations fondamentales de notre politique économique extérieure apporteront également de grands changements dans la vie économique du pays au niveau interne. La large autonomie donnée aux entreprises, l'adoption de l'autono-

mie comptable intégrale, de l'autofinancement et de l'autogestion ont posé de façon fondamentalement nouvelle la question
des relations économiques extérieures. On le sait maintenant, ce
sont en effet les entreprises – ainsi que les ministères sectoriels,
en tant qu'organes représentant les intérêts communs de celles-ci
– qui sont en premier lieu concernées. On a donc aboli le monopole du ministère de Commerce extérieur, lequel joue, désormais, un rôle totalement différent. Au début, la majorité des
ministères et des administrations, ainsi que 100 unions et entreprises, ont reçu le droit d'accéder au marché extérieur. Ensuite,
compte tenu de l'expérience emmagasinée, un arrêté du Conseil
des ministres de l'URSS intitulé *Du développement ultérieur de
l'activité économique extérieure des entreprises d'État, coopératives et autres entreprises, unions et organisations collectives,*
adopté au début de décembre 1988, a permis, à dater du 1ᵉʳ avril
1989, à toutes les entreprises, coopératives et organisations dont
la production et les services sont compétitifs sur le marché extérieur d'effectuer directement des opérations d'import-export. En
conséquence, le mécanisme économique s'est également modifié
de manière fondamentale. Les entreprises et les unions doivent
désormais couvrir leurs dépenses en devises par des rentrées de
devises provenant de la vente de leurs marchandises et de leurs
services. Si auparavant on leur retirait la presque totalité des
devises gagnées, à présent une importante partie reste à leur disposition. Cela augmente beaucoup l'intérêt que trouvent les
entreprises à gagner ces devises et à développer leurs relations
économiques extérieures. En outre, l'arrêté du Conseil des
ministres cité ci-dessus autorise les entreprises, unions et organisations d'État, sur décision de leur collectif de travailleurs, à
dépenser la totalité de leurs gains en roubles transférables et en
monnaie nationale des pays membres du CAEM, et jusqu'à 10 %
des autres devises, y compris les devises librement convertibles,
pour l'acquisition de biens de consommation durables, de médi-
caments et d'équipements médicaux, ainsi que pour améliorer
leurs équipements sociaux et culturels.

Au cours de la perestroïka, de nouvelles orientations ont été
fixées au développement de l'économie soviétique, de ses différentes branches et des entreprises. Une des tâches qui se posent
à nous est d'améliorer fondamentalement la qualité des produits

et d'assurer leur compétitivité. Pour cela, il faut atteindre un niveau technique correspondant au niveau mondial. La stratégie s'impose donc : il faut que, chez nous, la productivité du travail et tous les indicateurs d'efficacité atteignent des niveaux comparables à ceux qu'enregistrent les autres pays. Ces nouvelles orientations demandent une coopération active avec nos partenaires étrangers, car ce n'est que sur le marché mondial que nous pourrons démontrer la compétitivité de nos produits et leur supériorité en qualité.

Une large coopération avec les firmes étrangères dans le domaine scientifique et technique permettra de mieux estimer le niveau technique que nous devons viser. C'est pourquoi notre nouvelle stratégie économique elle-même exige une coopération internationale plus large.

La stratégie actuelle dans le domaine des relations économiques extérieures

Ce qui vient d'être dit montre qu'un point extrêmement important, dans la nouvelle conception de nos relations économiques extérieures, est la nécessité d'assurer à ces relations un plus grand dynamisme – et, en particulier, de permettre au commerce extérieur de croître plus rapidement que la production interne. De 1986 à l'an 2000, c'est-à-dire en quinze ans, le volume global du produit intérieur brut de l'URSS devrait doubler, et celui du commerce extérieur être multiplié par 2,2 à 2,4. Les exportations doivent augmenter dans des proportions encore plus grandes, et être multipliées par 2,5 à 2,7, afin de liquider la dette extérieure du pays. La part de l'URSS dans le commerce mondial passera de 4 %, actuellement, à 6 % environ, en l'an 2000. Notre économie interne sera mieux intégrée dans le commerce mondial, et la part des exportations dans le PMN passera de 6 à 9 %. Parallèlement, l'influence des importations sur notre développement économique pèsera sensiblement plus lourd.

Je pense que les chiffres cités plus haut quant à l'accroissement du volume de nos relations économiques extérieures par rapport à la production interne sont un minimum, si l'on consi-

216

dère qu'ils ont été fixés à une époque où notre commerce extérieur n'augmentait pratiquement pas, en raison des effets de la baisse des prix du pétrole et d'autres matières premières. Les mesures concernant la restructuration n'avaient pas encore non plus produit de résultats tangibles, d'abord parce qu'elles commençaient seulement à être appliquées et, ensuite, parce qu'elles n'étaient pas assez fondamentales ni assez cohérentes – mais j'y reviendrai plus loin. C'est pourquoi, à mon avis, pour assurer aux relations économiques extérieures un développement plus rapide que celui de l'économie interne, quelques nouvelles mesures seraient nécessaires, si nous voulons ajouter au rôle de l'URSS en tant que grande puissance industrielle celui d'une des premières puissances commerciales du monde.

De ce point de vue, il est intéressant d'examiner l'influence qu'a eue la restructuration de l'activité économique de l'URSS sur le développement de nos relations économiques extérieures. On a déjà dit que le monopole du ministère du Commerce extérieur avait été aboli, et le ministère des Relations économiques extérieures, nouvellement formé, a été pour une grande part déchargé de ses fonctions concernant les opérations commerciales. Si, auparavant, il existait dans ce ministère 80 unions de commerce extérieur, il n'en reste plus que 25 qui s'occupent du commerce du pétrole et d'autres combustibles, des produits alimentaires et d'autres produits d'importance nationale. Le reste de ces unions de commerce extérieur a été transféré aux ministères industriels correspondants. Par exemple, l'union Avtoexport est passée au ministère de l'Industrie automobile, etc. En 1986 a été constitué au niveau gouvernemental un nouvel organe permanent du Conseil des ministres de l'URSS, la Commission d'État pour les relations économiques extérieures. En outre, le rôle de la Chambre de commerce et d'industrie de l'URSS s'est considérablement accru ; conformément à la démocratisation de notre vie économique, elle représente les milieux d'affaires soviétiques. A côté d'elle se sont créés, notamment, des associations de coopération avec les pays étrangers et un conseil des directeurs des « entreprises conjointes » (sociétés à capital mixte). La Chambre de commerce et d'industrie a, par ailleurs, le droit d'élaborer des projets de loi, d'entretenir des relations avec les syndicats professionnels, d'organiser des consultations, des expositions, d'enregistrer les patentes, etc.

On a vu plus haut que les entreprises avaient désormais accès au marché international, à condition que leur production soit compétitive. C'est la Commission d'État pour les relations économiques extérieures qui en décide. Le nombre d'entreprises qui commercent avec l'étranger se développe rapidement. Dès l'adoption du premier texte, en 1987, celles-ci assuraient déjà 20 % du chiffre d'affaires du commerce extérieur de l'URSS, et plus de 40 %, s'agissant uniquement des machines et des équipements. Bien qu'elles aient peu d'expérience dans ce domaine, elles ont réussi dès la première année à surmonter la chute du chiffre d'affaires du commerce extérieur qui s'amorçait.

Il convient de noter que le statut des entreprises qui utilisent des intermédiaires dans leurs relations économiques extérieures s'est également modifié. Si auparavant ces liens revêtaient un aspect administratif, ils prennent aujourd'hui un caractère contractuel, et les entreprises elles-mêmes peuvent désormais influer sur le choix des partenaires et discuter les conditions posées par leurs concurrents. En ce qui concerne les relations économiques avec les partenaires des pays socialistes, elles peuvent les établir sans intermédiaire. Ces rapports directs prédominent dans les relations frontalières et côtières, qui se développent rapidement – leur chiffre d'affaires dépassait les 200 millions de roubles en 1987 – et sont particulièrement importants dans les pays Baltes, la Biélorussie occidentale, l'Extrême-Orient.

La nouvelle organisation des activités économiques extérieures et le nouveau mécanisme économique ont permis de venir à bout des effets néfastes qu'avait eus, pour l'URSS, la baisse des prix du pétrole et d'autres matières premières figurant en tête de ses exportations. Il suffit de dire que, de 1985 à 1988, l'Union soviétique a perdu, pour cette raison, environ 20 milliards de dollars de recettes, rien que dans le commerce avec les pays capitalistes. En 1986-1987, le chiffre d'affaires de notre commerce extérieur a enregistré une véritable chute, et, ces deux dernières années, il a diminué d'environ 10 % en prix courants, passant de 142 milliards de roubles à 129. Pourtant, le chiffre d'affaires du commerce avec les pays membres du Comecon (ou CAEM) n'a pas baissé au cours des deux ans qui viennent de s'écouler ; il a même quelque peu augmenté. C'est dans les échanges avec les pays capitalistes développés que la chute a été la plus rude : 28 milliards de roubles en 1987, pour 38, en 1985. Avec les pays en développement, on est passé de 17,2 milliards de roubles à 14,5. Notons que toutes ces baisses ne sont liées qu'à l'évolution des prix. Si l'on regarde les quantités, on constate une progression. En 1988, le chiffre d'affaires du commerce extérieur de l'URSS, en prix courants, a augmenté de 2,1 % (atteignant 132 milliards de roubles) ; mais, en raison de la baisse des prix du pétrole, la valeur des exportations, diminuant de 1,9 %, ne représentait plus que 67 milliards de roubles, bien que celles-ci aient, en volume, connu une croissance de 4 %. Bien entendu, les résultats auraient pu être bien meilleurs si l'on avait observé les résolutions adoptées à l'origine en ce qui concerne la stimulation des entreprises travaillant pour l'exportation.

Dès 1986, il avait été décidé qu'une importante partie des recettes en devises provenant de l'exportation de marchandises et de services serait conservée par les entreprises. Cette part devait être déterminée selon chaque secteur. A mon avis, il aurait fallu la fixer à un niveau plus élevé, car actuellement elle n'incite pas suffisamment les entreprises à produire pour exporter. Ainsi, les entreprises de l'industrie automobile ne conservent que 30 % de leurs gains en devises, ce qui est bien entendu insuffisant. Il est vrai qu'on encourage la production en coopération. Afin d'intéresser les entreprises au développement de ce mode de production, il a été décidé qu'elles pourraient conserver 100 % de leurs recettes en devises. Mais dans les autres cas, les ministères et les directions qui exercent leur tutelle sur les entreprises, s'appuyant sur les contradictions contenues dans les divers normatifs adoptés, prélèvent, au profit de leurs fonds centralisés, non pas un maximum de 10 % de la recette en devises de l'entreprise, comme le prévoit l'arrêté gouvernemental de 1986, mais ce qui leur convient. Ce qui a privé de nombreuses entreprises d'une couverture réelle des coûts en devises, et elles ne sont pas parvenues à acheter sur leurs recettes les équipements d'importation qui leur étaient nécessaires pour développer leurs exportations.

Malheureusement, c'était là une pratique assez répandue dans le passé, concernant le commerce extérieur : en cas de besoin, on retirait aux entreprises leurs recettes en devises, si bien qu'elles ne pouvaient trouver aucun intérêt à travailler pour l'exportation. Cela est encore plus inadmissible aujourd'hui, alors que tout le mécanisme économique est appelé à fonctionner selon des normes stables, à long terme, que personne n'est en droit de modifier.

Nous en arrivons là à la question fondamentale, à savoir l'attitude de principe à observer à l'égard de l'activité économique extérieure en tant que partie de notre développement économique et social. Si, auparavant, on considérait le commerce extérieur comme une activité accessoire, de second plan, comme un moyen de « boucher les trous » de l'économie nationale, aujourd'hui, un nouveau modèle de relations économiques extérieures correspond à notre nouvelle stratégie en la matière. Nous devons les considérer comme un facteur autonome de poids qui permet d'augmenter la rentabilité de la production et comme un important levier de notre développement social. L'ancien comportement réduisait quasiment ces relations à un simple échange de marchandises. Les formes productives de coopération économique se développaient peu. Les nouveaux modèles d'échanges reposent sur les transferts de technologies et l'esprit de concurrence, et leur influence sur le développement économique et social du pays ira en se renforçant.

On a déjà vu que les relations économiques extérieures devait progresser plus rapidement que notre économie interne. A mon avis, ce principe de priorité aux échanges avec l'étranger doit être appliqué de façon très stricte, contrairement à ce qui avait lieu dans le passé, lorsque les relations économiques extérieures faisaient figure de « bouche-trou ». Je suis d'avis, par exemple, que, si nous disposons d'une tonne d'un produit quelconque, que nous destinons à couvrir nos besoins internes, mais que, sur le marché étranger, existe une demande pour ce même produit et pour cette même quantité, nous devons, en vertu de la priorité accordée à l'activité économique extérieure, exporter cette production. Un tel choix se révélera plus profitable au développement de notre pays, et cela pour deux raisons : premièrement, la multiplication de nos échanges avec les pays étrangers nous incitera à améliorer l'efficacité et la qualité de nos produits, et favorisera l'intensification de notre économie nationale ; or, en vendant cette marchandise à l'extérieur, nous gagnerons des devises qui nous permettront, en règle générale, d'acquérir d'autres biens plus utiles à notre développement interne. En outre, nous renforcerons ainsi notre position sur le marché extérieur, et, donc, il sera plus facile d'y écouler, demain, cette même marchandise : la voie vers l'acheteur étranger sera déjà tracée. On sait qu'il est très facile de perdre une part du marché, et qu'il est très difficile, par contre, de la conquérir en évinçant les concurrents. Aussi faut-il faire en sorte de conserver celle que l'on a déjà.

La seconde raison est que cette marchandise se trouvera par là même en concurrence avec d'autres, similaires. Les producteurs soviétiques – dirigeants d'entreprise, ingénieurs, etc. – auront donc la possibilité de comparer les qualités techniques et les qualités à l'usage de leurs propres produits avec les mérites d'articles analogues présents sur le marché mondial. Cela constituera pour eux une source d'information supplémentaire, dont ils pourront se servir, par la suite, pour produire mieux et à meilleur marché. Cela est d'autant plus important que, lors de la vente des marchandises sur un marché extérieur, il convient de se plier aux standards étrangers, très stricts, de se soumettre pour de nombreux articles à un contrôle sanitaire, d'obtenir des certificats pour différentes sortes d'équipements, etc. Pour vendre, nous devons prendre le temps nécessaire et envoyer des spécialistes soviétiques à l'étranger : ils en tireront nombre d'enregistrements, dont ils pourront ensuite faire bénéficier notre pays – notamment, en ce qui concerne le jeu de la coopération internationale et les règles du marketing. Nos relations économiques extérieures seront ainsi fructueuses et nous profiteront à bien des points de vue.

L'importance du rôle que jouent les relations économiques extérieures revêt encore un autre aspect, que l'on ne saurait sousestimer. Celles-ci renforcent la coopération entre les peuples, favorisent la compréhension mutuelle, tracent la voie au règlement de questions politiques et autres, participent à créer une atmosphère de confiance, de sécurité et de paix. Ce n'est pas en vain que l'on considère le commerce comme un vecteur de paix. Par l'intermédiaire de liens commerciaux développés, les peuples s'enrichissent mutuellement, prennent connaissance tout d'abord de la culture économique, puis scientifique et technique des autres ; le développement du commerce entraîne toujours celui des relations scientifiques et culturelles. Or, dans notre monde interdépendant, cela est capital. Bien entendu, l'impact d'une amélioration du climat politique n'est pas négligeable : la voie du désarmement crée des conditions favorables aux relations économiques internationales. On sait l'influence néfaste qu'a eue la guerre froide sur les relations économiques entre l'URSS et les États-Unis, lesquelles s'étaient sensiblement réduites. Les États-Unis pratiquaient en permanence l'embargo, les limitations ; l'URSS avait été exclue des pays auxquels pouvait s'appliquer la clause de la nation la plus favorisée sur le marché américain, et, comme l'a noté à juste titre M. Gorbatchev au cours de sa dernière visite à Washington, nous nous sommes alors prouvé l'un à l'autre, et avec succès, que chacun de nous pouvait se passer de relations économiques développées entre nos deux pays. Certes. Mais pourquoi agir contre notre propre intérêt ? Par la suite – un grand pas en avant, dans le règlement des problèmes politiques, ayant été réalisé de part et d'autre – le développement des relations économiques a de nouveau été à l'honneur. Avec des potentiels industriels aussi puissants que ceux de l'URSS et des États-Unis, le chiffre d'affaires du commerce entre ces deux pays pourrait, en peu de temps, se voir multiplié par cinq, voire par dix. Mais cela implique que disparaissent d'abord les barrières, que cessent les discriminations de toutes sortes qui ne peuvent qu'entraver le développement normal de ces relations, que celles-ci soient, au contraire, favorisées et que l'on mette sur pied un système de sécurité économique internationale.

Ce système doit avant tout garantir le respect des droits et des intérêts légitimes des parties prenantes, et en même temps la reconnaissance de leur entière responsabilité quant à la conduite de leur politique économique. Pour parler plus concrètement, on peut avancer les principes suivants : un État ne devra pas porter atteinte à l'économie nationale d'un autre ; les conflits économiques devront être réglés sans faire appel à la force ; on ne recourra pas aux blocus, embargos et autres sanctions ; on n'utilisera pas les relations économiques extérieures à des fins de pression ou d'intervention politique dans les affaires intérieures ou dans la politique extérieure d'un autre État. Comme on le voit, la sécurité économique ne peut pas être assurée unilatéralement. Elle doit être mutuelle et se fonder sur la coexistence et la coopération.

Ces dernières années, dans la période de la perestroïka, notre pays observe de façon particulièrement scrupuleuse ces exigences de sécurité économique internationale, et nous désirons établir avec tous les autres États des relations économiques mutuellement avantageuses. Nous ne demandons pas que notre pays jouisse d'avantages unilatéraux, comprenant que seule la prise en compte des intérêts de tous peut engendrer des relations économiques stables et efficaces.

Cependant, nous subissons des mesures discriminatoires, en premier lieu de la part des États-Unis et des autres États membres de l'Otan. On sait que, en 1949, sur une exigence de Washington, fut créé le Comité de coordination du contrôle sur les exportations dans les pays communistes (Cocom). Il établit une liste de plusieurs milliers de marchandises ; ainsi qu'une autre portant sur environ 750 technologies qu'il est interdit de fournir aux pays socialistes, principalement à l'URSS, sous le prétexte d'une possible utilisation à des fins militaires.

On se souvient également de diverses mesures discriminatoires de la part des États-Unis, qui ont pris la forme d'embargo, de boycott, de sanctions diverses dirigées essentiellement contre l'URSS et la Pologne à la fin des années 70 et au début des années 80. Les Américains ont en particulier tenté de gêner la construction du gazoduc destiné à l'exportation entre le gisement d'Ourengoï (nord de la Sibérie occidentale) et la frontière occidentale de l'URSS, en rompant de façon unilatérale le contrat passé entre Washington et Moscou sur la fourniture d'équipements nécessaires à la construction et à la pose de l'ouvrage. Nous avons dû prendre des mesures d'urgence pour pallier cette défection. En six mois, nous avons mis au point la production de stations de pompage d'une puissance de 16 000 et 25 000 kilowatts. Nous avons également commencé à produire, en petites séries, il est vrai, les engins nécessaires pour poser les tubes et autres machines que nous achetions auparavant à l'étranger. Finalement, le gazoduc a été construit en un temps record et terminé avant la date prévue. Tous les contrats de fourniture de gaz à notre partenaire étranger ont été honorés. Certes, aujourd'hui, en période de réchauffement relatif des relations internationales, alors que nous avons réalisé des progrès, dans les pourparlers, sur les questions militaires et politiques, une intervention économique grossière, tels un boycott ou un embargo, semble peu probable. Mais, jusqu'à présent, l'URSS ne peut toujours pas jouir de la clause de la nation la plus favorisée sur les marchés des États-Unis, et, en raison des barrières douanières élevées, il n'est pas avantageux pour nous d'exporter vers ce pays des marchandises qui pourraient intéresser les acheteurs américains. L'activité du Cocom pose également de sérieux problèmes à un meilleur développement de nos relations économiques.

Cependant, le chiffre d'affaires du commerce extérieur des pays socialistes, dont l'URSS, avec les États capitalistes développés augmente systématiquement. Il est ainsi passé, pour les pays membres du Comecon, d'environ 4 milliards de dollars, en 1955, à 110 milliards, en 1987, et, pour la seule Union soviétique, de 2 à 45 milliards de dollars.

La conception de la sécurité économique internationale est indissolublement liée aux principes du nouvel ordre économique international. Sur certains plans, ils se recoupent. Il s'agit de la nécessité d'un règlement politique des problèmes économiques mondiaux entre les États, de la démocratisation de tout le système des relations économiques internationales. Cela suppose d'exclure les procédés d'agression économique, de respecter les droits de chaque pays à disposer lui-même de ses ressources.

En même temps, le nouvel ordre économique international est lié à la nécessité de créer un mécanisme de juste répartition de la production mondiale au profit des pays en voie de développement. Cela suppose d'établir un rapport convenable entre les prix des matières premières, des produits alimentaires et des articles industriels, d'abaisser les taux d'intérêt, de renoncer à utiliser la dette extérieure pour s'immiscer dans les affaires intérieures des États. On parviendrait plus aisément à instaurer ce nouvel ordre économique international si l'on s'engageait sur la voie du désarmement. A la Conférence internationale sur le désarmement et le développement, qui s'est déroulée à New York, en 1987, l'URSS et les autres pays socialistes ont proposé de créer un fonds international en vue d'employer une partie des sommes que dégagerait le désarmement pour résoudre les problèmes des pays en voie de développement et ceux dont souffre toute l'humanité. Les possibilités sont grandes, étant donné que, dans les pays développés, les dépenses militaires constituent quelque 6 % du PNB, ce qui dépasse de plus de vingt fois le volume de l'aide à ceux qui sont en voie de développement. Afin de mettre cette affaire sur les rails, l'URSS a proposé que chaque État prépare un plan de reconversion des industries militaires en industries civiles.

Prenant la parole à l'Assemblée générale des Nations unies, à New York, en décembre 1988, le président du Praesidium du Soviet suprême, M. Gorbatchev, a annoncé, on le sait, une importante réduction unilatérale des forces armées de l'URSS en Europe et le départ d'une partie des troupes soviétiques basées dans les pays socialistes d'Europe. Parallèlement, les dépenses militaires seront réduites et le développement des industries de défense limité.

On voit que les relations économiques internationales sont en liaison étroite avec toutes les autres formes de relations entre les États. La stratégie de l'URSS consiste à obtenir sur tous les plans la sécurité et une paix durable sur notre planète. Pour ce faire, il convient en particulier de dynamiser les relations économiques avec les autres États.

Pour mieux nous insérer dans la division internationale du travail, il nous faut modifier sensiblement la structure de notre commerce extérieur et le rendre plus efficace. On sait que la part des combustibles et des matières premières constituait près de 60 % des exportations de l'URSS en 1987, alors que celle des machines et des équipements n'était que de 15,5 %, celle des produits chimiques, de 3,4 %, et celle des biens de consommation industriels, de 2,6 %. A titre de comparaison, notons que dans les années 60 et même 70, la structure de nos exportations était plus conforme à celle d'un pays développé : les machines et les équipements y figuraient pour plus de 20 %, dépassant sensiblement par leur volume les exportations de combustibles et d'énergie électrique. A l'heure actuelle, ces dernières sont trois fois plus importantes que les exportations de machines et d'équipements.

Bien entendu, l'URSS, qui s'étend sur 1/6 des terres émergées, dispose d'énormes ressources naturelles, dont beaucoup peuvent être exploitées de façon rentable. De sorte que les vendre sur le marché extérieur est avantageux. C'est pourquoi notre pays continuera d'être un gros exportateur de pétrole et de gaz, ainsi que de produits pétroliers, de bois et d'autres matières premières, comme de produits semi-finis. L'important est que, à côté de ces exportations de combustibles, de matières premières et de leurs dérivés, dont la part progresse en permanence, augmentent aussi celles de produits issus des industries de transformation, d'articles finis fabriqués en coopération, principalement dans le domaine des constructions mécaniques et de l'électronique.

L'URSS se spécialisera de plus en plus dans l'exportation des produits industriels finis, surtout des machines, des équipements et des produits chimiques, ainsi que d'un vaste choix de services. En ce qui concerne les exportations de matières premières, l'accent sera mis sur leurs dérivés. Cela concerne en premier lieu le bois, dont l'exportation augmentera sensiblement. Celle des combustibles, elle, demeurera importante, mais là, si le volume global exporté reste stable, les ventes de gaz et de charbon doivent voir leur part s'accroître aux dépens du pétrole. Afin de réaliser cette importante modification de la structure de nos exportations, on a élaboré un programme de développement perspectif de la base des exportations, lequel se fonde sur la spécialisation et l'augmentation de la part des articles industriels.

Notons que les produits issus de l'industrie de transformation constituent 70 % du chiffre d'affaires du commerce mondial, dont, en particulier, 30 % pour les constructions mécaniques. Dans notre pays, ces dernières représentent 28 % de la production industrielle, tandis que leur part dans nos exportations est presque deux fois inférieure.

Parallèlement, les importations de l'URSS se modifieront de façon sensible. Les achats de produits alimentaires et de matières premières nécessaires à leur production – principalement, les céréales, la viande et le beurre – y occupent actuellement une place encore importante. Au cours du précédent quinquennat, cette catégorie de marchandises y figurait pour 24 %. Aujourd'hui, ces achats ont diminué : leur part était de 16,1 % en 1987. Le volume considérable de nos importations de produits de la métallurgie, surtout des tubes, n'est pas non plus fondé. Dans le quinquennat précédent, leur part était de 11 % ; en 1987, elle a quelque peu baissé, mais atteint encore 8,1 %. En ce qui concerne les principaux produits alimentaires, notamment les fourrages et les produits de l'élevage, nous visons l'autosuffisance. De sorte que, dès le prochain quinquennat, ces importations doivent être largement réduites. En même temps, pour ce qui est de l'industrie métallurgique, nous sommes en train de la moderniser de fond en comble. Et je pense que, bientôt, elle sera en mesure de produire en grande partie les biens que nous achetons actuellement encore à l'étranger.

Les machines et les équipements occupent à juste titre une place prédominante dans nos importations. Cependant, nous achetons encore beaucoup de machines traditionnelles, standards, que nous pourrions très bien fabriquer nous-mêmes. Je pense que la part des machines et équipements de types nouveaux, plus particulièrement ceux qui sont produits en petites séries, et sur commande individuelle, augmentera dans nos exportations. Je crois également que les achats de biens de consommation augmenteront, eux aussi, ce qui est important pour saturer notre marché.

La part de produits finis dans les exportations soviétiques doit passer de 30 à 65 % d'ici à l'an 2000, et celle des machines et équipements de 15 à 40 %, alors que la part des matières premières et des combustibles devra être réduite à 25 %. En ce qui concerne les importations, la part des constructions mécaniques passera de 40 à 55 %. Il s'agira surtout de biens d'investissement et des technologies nécessaires à la modernisation de notre propre industrie de constructions mécaniques.

Le contenu et l'orientation de nos relations économiques extérieures se modifieront en outre sensiblement. Si aujourd'hui les choses se bornent souvent à la fourniture de marchandises et que, de plus, nous pratiquons en fait avec de nombreux pays le clearing sur une base très équilibrée, dans l'avenir, le développement du commerce extérieur prendra un caractère plus varié, étant donné que les achats seront réglés en devises convertibles. La part des marchandises produites en coopération augmentera de manière non négligeable dans le commerce extérieur, et on développera les relations entre les entreprises de divers pays. Le commerce des services, telle l'ingénierie, se développera plus rapidement que celui des marchandises. Les pays fournisseurs de machines, que ce soit l'URSS ou d'autres, fourniront en même temps que ces machines la technologie, ils assureront le montage et la mise en service des équipements, de même que le service après-vente, la modernisation, etc. Les liens scientifiques et techniques connaîtront un développement prioritaire.

Notre pays jouera également un rôle de plus en plus important sur le marché des capitaux, ce qui sera favorisé par le développement de ses liens financiers avec les autres pays.

Tous ces facteurs réunis permettront de rendre beaucoup plus fructueuses nos relations économiques extérieures. Selon nos calculs, le dixième environ de la croissance du PMN sera dû, dans l'avenir, aux échanges avec l'étranger. D'ici à l'an 2000, l'augmentation de la rentabilité de notre commerce extérieur devrait nous permettre d'économiser de 130 à 140 milliards de roubles d'investissements et une quinzaine de millions de travailleurs.

L'Union soviétique développera des relations économiques avec tous les États, et dans tous les domaines. Cependant, le développement de telles relations avec les pays socialistes, et avant tout avec ceux du Comecon, revêt une importance particulière pour nous. Le rôle des pays socialistes dans le monde s'accroît. Ils produisent à l'heure actuelle le tiers, environ, du PMN mondial, le quart provenant du Comecon. Leur part dans le commerce mondial est plus modeste : 12 %. L'URSS joue un rôle prédominant à l'intérieur du Comecon, puisqu'elle fournit les deux tiers du revenu global industriel, et génère 42 % du chiffre d'affaires du commerce à l'intérieur de cette zone. Dans le chiffre d'affaires du commerce extérieur de l'URSS, la part des pays socialistes se monte à 43 %, dont environ 40 % pour ceux du Comecon, ce qui représente presque trois fois plus que le volume total du commerce de l'URSS avec les pays capitalistes développés.

Au cours du XIIe quinquennat, les livraisons de l'URSS satisfaisaient 74 % des besoins à l'importation des pays du Comecon, en ce qui concerne le pétrole et les produits pétroliers, 99 % pour le gaz, 88 % pour l'énergie électrique. De leur côté, les pays membres du Comecon fournissaient à l'URSS environ 60 % de leurs exportations de produits industriels.

A quoi doit-on s'attendre dans l'avenir ? La tendance, nous

l'avons vu, est à un développement des relations économiques extérieures plus rapide que celui de la production nationale. De sorte qu'une partie de plus en plus grande des marchandises produites fera l'objet d'un échange international. C'est là une tendance générale dans le monde. Depuis 1950, par exemple, le commerce mondial s'est développé deux fois plus vite que la production intérieure des pays capitalistes. Selon les estimations, dans vingt ans, environ un tiers, et peut-être même plus, de la production mondiale sera l'objet d'un échange international. Cette tendance influera de plus en plus sur le développement des pays socialistes, d'autant plus que leur économie se développe à des rythmes plus soutenus que celle des autres pays. Le PMN global des pays socialistes a augmenté, par exemple, de 1970 à nos jours, selon un taux annuel de 5,3 %, alors que le taux de croissance des pays capitalistes était en moyenne de 2,9 % et celui des pays en voie de développement, de 4,7 %.

Pourtant, la décennie 70 n'a pas été favorable aux pays socialistes sur le plan économique : leur croissance s'est sensiblement ralentie, les indicateurs de l'efficacité économique – productivité du travail, dépense d'énergie et de métal par unité produite, rentabilité des investissements – ne se sont pas améliorés par rapport à ceux des pays capitalistes. Dans l'avenir, on peut s'attendre à une certaine hausse des taux de croissance du développement socio-économique dans le monde socialiste, en liaison avec une croissance annuelle moyenne de l'économie de l'URSS de 5 % et plus dans les années 90, pour 3 % dans le quinquennat précédent. En Chine, les taux de croissance sont élevés : depuis 1980, son PMN s'accroît annuellement, en moyenne, de 9 %-12 % pour la production industrielle, 9 % pour le secteur agricole. D'autres pays socialistes se sont engagés sur la voie de réformes profondes, et on peut s'attendre à ce que leur développement économique s'accélère.

A l'heure actuelle, les pays socialistes membres du Comecon unissent leurs efforts pour permettre une restructuration du mécanisme d'intégration et de l'activité économiques de cet organisme. Le but de cette intégration est de créer un marché unifié des pays membres, et, cela va de soi, une coopération économique, scientifique et technique sur une base planifiée et démocratique. Le développement de cette coopération est favorisé par les mesures prises par l'URSS pour que nos entreprises puissent établir des liens directs avec les organisations des pays socialistes sur une base contractuelle. Ces liens englobent la coopération dans le domaine de la production, de la recherche, de la formation des cadres, etc. Les partenaires concluent eux-mêmes les contrats commerciaux et choisissent les marchandises sur lesquelles ceux-ci porteront. Les entreprises soviétiques voient avec intérêt une telle coopération, étant donné qu'elles conservent la totalité des devises ainsi gagnées. Actuellement, alors que le rouble n'est pas totalement convertible dans les monnaies des autres pays socialistes, que le commerce des moyens de production et les anciens prix internes, qui divergent sensiblement du niveau et du rapport des prix en vigueur dans le reste du Comecon, sont maintenus, ces liens directs revêtent un caractère limité ; mais ils se développent. La réforme des prix en URSS, la mise en place du commerce de gros, l'instauration de la convertibilité du rouble, tout cela créera des conditions favorables à un développement important de ces liens. On a adopté chez nous une nouvelle législation autorisant à créer des entreprises conjointes avec les partenaires des pays socialistes, implantées en URSS et dans d'autres pays. La pratique des unions internationales ayant une activité commune sur la base de programmes de coordination, et d'organisations communes, principalement pour effectuer des travaux de recherche et des études en commun, se répand également.

De même que les autres pays socialistes, l'URSS favorisera le développement des liens économiques avec les pays capitalistes européens. L'instauration récente de relations officielles entre le Comecon et la CEE conduira selon nous à une intensification des relations économiques entre les pays faisant partie de ces deux groupes. Cela est d'autant plus important que le commerce Comecon-CEE constitue 60 % du chiffre d'affaires du commerce entre l'Est et l'Ouest. La conclusion de cet accord crée dans une certaine mesure les conditions favorables pour surmonter la coupure en deux de l'Europe économique, et pour mettre en pratique le concept de « maison européenne commune ».

La déclaration conjointe Comecon-CEE ouvre la voie à la conclusion d'accords entre la Communauté européenne et certains pays du Comecon. De tels pourparlers sont menés non seulement avec l'URSS, mais aussi avec la Roumanie, la Tchécoslovaquie et la Hongrie. L'amélioration des relations économiques sur la base d'accords entre la CEE et les pays du Comecon permettra non seulement d'améliorer les relations économiques internationales, mais d'activer les efforts pour la solution de problèmes européens communs liés à l'énergie, aux transports, à l'écologie, à la coopération technique. Il va sans dire que cela ouvre de grandes possibilités à l'interaction financière, à l'organisation à terme d'un marché commun des devises, à la coopération dans les domaines de la recherche et de l'enseignement, de la formation et du recyclage des cadres.

Il existe un large potentiel non utilisé en ce qui concerne le développement des échanges entre l'URSS et les États-Unis. Les progrès accomplis dans le règlement des problèmes militaro-politiques et les questions régionales ont amélioré le climat général des relations entre nos pays. Ces derniers temps, on constate des changements notables, et même frappants, de chaque côté à l'égard de l'autre, au niveau de l'état d'esprit et des comportements. Cela a été favorisé, dans une grande mesure, par la montée de la transparence chez nous, l'organisation systématique de « téléponts [1] » entre l'URSS et les États-Unis, par exemple entre Moscou et Washington, et les nombreuses visites de représentants de toutes les couches de la population.

Je juge de tout cela non seulement par la presse mais aussi en tant que témoin. J'ai eu le plaisir d'assister en qualité d'expert aux pourparlers entre M. Gorbatchev et le président Reagan, à Washington, en décembre 1987. J'ai participé à la préparation de la rencontre de M. Gorbatchev avec les milieux d'affaires et l'intelligentsia des États-Unis, et j'y étais également présent. L'énorme intérêt que suscitent la perestroïka et la personne de M. Gorbatchev dans l'opinion publique américaine, le souhait de celle-ci d'une coopération plus étroite m'ont frappé. Mais pendant ce voyage, je n'ai séjourné qu'à Washington et à New York, et ai consacré une grande partie de mon temps aux rencontres, déjeuners, dîners, conférences de presse, etc. En

---

1. Émissions en duplex entre la télévision soviétique et des chaînes étrangères, au cours desquelles les téléspectateurs posent leurs questions en direct. Un « télépont » devait être organisé avec la France, mais le projet a échoué *(NDT)*.

revanche, plus tard, en février-mars 1988, je me suis rendu pour plus longtemps aux États-Unis, et en dehors de New York et de Washington, j'ai visité Chicago, Minneapolis, Los Angeles et San Francisco. Dans chacune de ces villes, j'ai rencontré de nombreuses personnes, et deux ou trois réunions étaient organisées chaque jour, en présence d'un important auditoire composé d'industriels, de journalistes et d'hommes politiques, ainsi que des conférences scientifiques dans les universités. J'ai été invité dans plusieurs familles, j'ai revu beaucoup de vieilles connaissances, puisque ce n'était pas, loin de là, mon premier voyage là-bas. Entre 1974 à 1978, j'y avais déjà fait des séjours assez fréquents, et, lorsque je compare ces visites avec celles d'aujourd'hui, la différence est évidente. Actuellement, on constate chez les Américains une curiosité immense envers ce qui se passe dans notre pays, en particulier dans l'économie, et un désir sincère de s'informer toujours davantage. Les questions qui revenaient sans cesse étaient : « Et comment pouvons-nous aider à la réalisation de la perestroïka ? Comment faire pour que celle-ci soit irréversible ? » Et si, dans les entretiens au Sénat, au Département d'État, au ministère du Commerce, on observait une certaine retenue, dans les rencontres avec les hommes d'affaires de Chicago, de Minneapolis, de Los Angeles, l'atmosphère était cordiale et extrêmement franche. C'est pourquoi je pense que les conditions idéologiques existent pour améliorer sensiblement les relations économiques, scientifiques et techniques et autres entre nos pays. Ces dernières années, il a été créé, à ce qu'on m'a dit, aux États-Unis, environ 180 fonds de soutien au développement des relations avec la population soviétique. C'est grâce à l'un de ces fonds, placé sous l'égide de l'institut Esalen, en Californie, que j'avais d'ailleurs pu faire ce voyage.

Un mois après mon retour, plusieurs centaines d'hommes d'affaires américains sont venus prendre part, en URSS, à une conférence organisée par l'Association américano-soviétique de coopération commerciale (Amstet). En même temps se déroulaient des pourparlers au niveau gouvernemental, et j'ai bien entendu, à cette occasion, rencontré de nombreux participants. Ces spécialistes considéraient alors que, en faisant les efforts nécessaires, on pourrait multiplier par cinq, voire par dix le volume du commerce entre les États-Unis et l'URSS, cela en un temps limité, et qu'on pourrait créer en URSS, dans un délai bref, des centaines de sociétés mixtes soviéto-américaines, sous réserve, bien sûr, que les conditions requises soient remplies – et je suis persuadé que cela se fera.

Une initiative impressionnante a été prise dans ce sens par l'un des partenaires traditionnels de l'Union soviétique, la firme Occidental Petroleum, dirigée par Armand Hammer, qui m'avait d'ailleurs invité dans sa résidence de Los Angeles. Il s'agit de la création d'une importante société mixte, Tengizpolymer, avec la participation, du côté occidental, en dehors d'Occidental Petroleum, de deux firmes italiennes et d'une firme japonaise. Cette société mixte, d'un chiffre d'affaires total d'environ 6 milliards de dollars par an, produira 1 million de tonnes de polyéthylène et 1 million de tonnes de soufre granulé, utilisant pour cela le gisement de pétrole, de gaz et d'hydrogène sulfureux de Tenguiz, situé dans la région de Gouriev, au Kazakhstan, sur la rive nord-est de la Caspienne.

Je suis un adversaire de la gigantomanie, et je critique souvent l'habitude que nous avons de construire des entreprises géantes, comme l'usine d'automobiles de la Kama, conçue pour produire des camions de 150 tonnes. Je pense qu'il faut davantage développer les petites et moyennes entreprises, de même qu'il faut coopérer non seulement avec de grandes firmes et des multinationales, mais aussi avec de petites et moyennes entreprises, dont beaucoup disposent d'un potentiel technologique élevé.

Mais cependant, dans un pays aussi immense que l'URSS, se posent des problèmes de vaste envergure, dont la solution exige des investissements énormes, et il faut y faire participer l'important capital dont disposent les principaux pays capitalistes, les grandes banques et les grandes compagnies. La société mixte Tengizpolymer n'est qu'un des exemples de la mise en valeur des ressources en gaz et en pétrole récemment découvertes de la région de la Caspienne. Dans cette même région, en dehors du gisement de Tenguiz, on a commencé à exploiter les gisements de gaz et le condensat d'Astrakhan et de Karatchegan, et on en découvre encore de nouveaux. Cette région contient des réserves, uniques au monde, de matières premières chimiques variées. L'un des domaines où l'URSS accuse le plus de retard est la production de polymères, et la coopération dans la mise en valeur des richesses de la Caspienne peut prendre une très grande ampleur. Tengizpolymer n'en est sans doute que le premier jalon.

Les projets de mise en valeur des gisements de matières premières pour l'hydrogène sulfuré sont grandioses : il s'agit avant tout du gaz naturel de la péninsule de Iamal. Cette région contient des gisements exceptionnels, peut-être même les plus grands du monde, puisqu'ils se chiffrent à plusieurs trillions de mètres cubes. Cela dans les régions arctiques, et là où le climat y est le plus rude. Cette zone est considérée comme un désert, où les températures très basses s'ajoutent aux vents. Il n'existe là-bas aucune infrastructure industrielle ou sociale ; tout y est à créer à partir de zéro, et ce à des milliers de kilomètres des premières régions habitées. Il faudra donc faire des choix technologiques sortant de l'ordinaire, utiliser des matériels inédits, de nouvelles techniques de construction. Bien sûr, nous avons derrière nous l'expérience du gisement d'Ourengoï, le plus grand du monde, situé sur le cercle polaire, et de celui de Iambourg, qui sera bientôt mis en service lui aussi – sur les rives de l'isthme de l'Ob, à 200 kilomètres au nord du cercle polaire. Mais à Iamal, tout est beaucoup plus compliqué. Et, là encore, il y a matière à une vaste coopération. En effet, grace à l'existence en URSS de brise-glace atomiques, on peut organiser une navigation permanente sur les rives de la péninsule de Iamal. Ainsi, une partie du gaz extrait pourrait être immédiatement transformée en ammoniaque ou en méthanol et transportée par des pétroliers dans les pays acheteurs.

Considérons, à présent, le grand programme national visant au développement accéléré de l'Extrême-Orient soviétique. Les investissements prévus sont de 238 milliards de roubles, sur quinze ans, avec un volume de la production de deux et demi à trois fois supérieur et la création d'une industrie de constructions mécaniques modernes. Là aussi, on peut fonder d'importantes sociétés mixtes, en vue d'utiliser les multiples ressources naturelles présentes dans la région – charbon, matières premières pour l'hydrogène sulfuré et divers métaux non ferreux, matières premières pour l'industrie chimique et réserves forestières uniques –, de construire les infrastructures nécessaires à l'industrie et aux services, de développer le complexe agro-industriel, de moderniser l'industrie du bâtiment, les industries de transformation, les services, etc.

L'Extrême-Orient et les régions voisines de Sibérie peuvent faire l'objet d'une coopération internationale de très grande ampleur, non seulement avec les États-Unis – dont la côte ouest, qui concentre un énorme potentiel économique, est très bien située par rapport à ces régions –, mais aussi avec le Japon. On sait que celui-ci dispose d'immenses possibilités financières : parmi les 25 plus grandes banques du monde, 17 sont japonaises. Chaque année, cet État dégage un solde commercial positif de 100 milliards de dollars. Je pense que la recherche de projets communs soviéto-japonais pour la mise en valeur de l'Extrême-Orient soviétique peut être bénéfique pour les deux pays. Cependant, les liens économiques entre l'URSS et le Japon demeurent à un niveau assez bas, ce qui est lié pour beaucoup aux relations politiques encore un peu « fraîches » qui règnent entre Moscou et Tokyo.

Sur l'invitation du ministère des Affaires étrangères du Japon, j'ai visité cet intéressant pays ; je me suis rendu dans plusieurs entreprises d'avant-garde et j'ai rencontré des hommes d'affaires nippons. Beaucoup d'entre eux manifestaient de l'intérêt pour le développement des relations entre nos pays. L'opinion publique japonaise suit de près le déroulement de la perestroïka. Dès que celle-ci s'est mise en marche, un éditeur nippon m'a commandé un recueil de mes articles et interviews déjà parus, insistant pour qu'il soit prêt dans les plus brefs délais, et le livre fut assitôt publié. Ensuite, au bout de quelque temps, est sorti au Japon un autre ouvrage, que j'avais écrit spécialement pour les lecteurs occidentaux, concernant les problèmes de la perestroïka. Et à nouveau il a été assez rapidement épuisé. Je pense que le déblocage des relations économiques entre l'URSS et le Japon est une affaire de temps. A n'importe quel moment, les choses peuvent s'arranger et j'espère que les échanges se développeront sur une grande échelle.

Une autre orientation importante des relations économiques extérieures de l'URSS est représentée par les contrats signés avec les pays en voie de développement. Plus de 14 % de nos exportations leur sont destinées, et 8 % de nos importations proviennent de ces pays. En outre, l'URSS leur apporte une importante aide technique à la construction, principalement à ceux qui se sont orientés vers le socialisme. Il suffit de dire que, en 1987, 32 chantiers ont été menés à bien en Mongolie avec l'aide de l'Union soviétique.

La situation économique des pays en voie de développement a toujours été l'objet d'une attention soutenue de notre part, puisque nous formons un État socialiste, défenseur des pauvres et des démunis. A l'époque où a eu lieu la Révolution socialiste en Russie, cette dernière était aussi en voie de développement, avec une population pauvre et à demi illettrée. Le problème des pays sous-développés est un des principaux problèmes socio-économiques de notre planète. En effet, dans ces pays, 1 milliard de personnes vivent au-dessous du seuil de pauvreté, 780 millions ne mangent pas à leur faim, 850 millions sont analphabètes, 1,5 million n'ont pas accès aux soins médicaux, et 1 milliard n'ont pas de logement décent.

Pour se débarrasser de leur retard et faire un bond vers la civilisation moderne, ces États doivent connaître une croissance accélérée. Il en était ainsi dans un passé proche. La part des pays en voie de développement dans le PNB des pays non socialistes est passée en trente ans, de la première moitié des années 50 à la première moitié des années 80, de 14,6 à 20,1 % – et, plus particulièrement, de 10,6 à 19,1 % en ce qui concerne l'industrie. Leur part dans le commerce mondial atteignait environ 31 % en 1980, et elle s'était également accrue de façon importante dans la même période. Malgré un développement économique plus rapide, la différence, selon les indicateurs de production et de consommation par habitant, entre les pays en voie de développement et les pays capitalistes n'a pas diminué, le rapport étant de 1 à 11,6. Un écart de taille se maintient également dans les niveaux de productivité du travail : celle-ci est, pour les pays en voie de développement, 5,8 fois plus faible dans l'industrie et même 17,8 fois plus faible dans l'agriculture. Sur tous ces indicateurs joue la démographie galopante, qui est un véritable fléau dans beaucoup de pays, où jusqu'à un tiers de la population ne peut trouver de travail et mène une existence misérable.

Nous avons cité les taux de croissance économique des pays

en voie de développement en trente ans. Mais il faut malheureusement constater que, depuis le début des années 80, ceux-ci ont connu un sensible ralentissement de leur développement social et économique. A cette époque, leur part dans les exportations mondiales a commencé à diminuer, ainsi que le volume de leurs importations. S'efforçant de maintenir comme ils pouvaient leur niveau de vie, de nombreux pays en voie de développement ont décidé de réduire leurs normes d'accumulation, ce qui a compromis leur développement futur. La principale raison des sérieuses difficultés socio-économiques que doivent affronter les pays en voie de développement réside dans l'accroissement considérable de leur endettement, qui s'est multiplié par 2,4 entre 1979 et 1987, pour atteindre aujourd'hui près de 1 trillion de dollars. Les conséquences de cet endettement sont les suivantes : le remboursement de la dette constitue plus du tiers des recettes provenant des exportations de biens et de services. Or, le seuil critique est considéré comme 20 %, au maximum 25 % des recettes. Aussi, 55 % des pays en voie de développement ont-ils été officiellement reconnus comme insolvables. La situation est telle qu'en 1984, pour la première fois, les flux de capitaux se sont même inversés, les pays en voie de développement devant débourser des sommes d'un montant supérieur à celui des fonds qu'ils accueillent.

L'incidence de la dette est particulièrement grave pour les pays d'Amérique latine et d'Afrique tropicale. Ce problème lie indissolublement les États en développement aux pays développés, et une recherche commune s'impose pour favoriser, par des voies démocratiques, le développement socio-économique du tiers monde. On pourrait, par exemple, limiter les remboursements annuels des pays sous-développés à une certaine part de leurs gains en devises, et, pour les débiteurs ayant les plus faibles revenus (en Afrique tropicale), aller jusqu'à annuler la dette. Il faudrait également abattre les barrières protectionnistes auxquelles se heurtent les marchandises des pays débiteurs, ce qui favoriserait leurs exportations.

On a parlé plus haut de la nécessité de créer un nouvel ordre international et un nouveau mécanisme de répartition du PNB en faveur des pays en voie de développement. Cette démarche sera grandement favorisée par le désarmement, puisqu'une partie des sommes que celui-ci permettra de dégager pourrait être utilisée en faveur de ces pays. Il convient de noter qu'eux-mêmes ont un budget militaire visiblement trop élevé. Au milieu des années 80, en particulier, leurs dépenses militaires constituaient près de 15 % du total mondial, soit 125 milliards de dollars. Rien que leurs achats d'armements représentaient déjà 14 milliards de dollars par an.

Pour résoudre les problèmes du Tiers Monde, il faut une politique concertée de tous les pays de la planète sous l'égide de l'ONU.

Du haut de la tribune de cette organisation, M. Gorbatchev a énoncé les propositions soviétiques concernant le problème de la dette, et a affirmé que notre État était prêt à participer activement à la solution de cette question clé.

Trois mois avant cette intervention marquante de M. Gorbatchev, le secrétaire général des Nations unies, M. Javier Perez de Cuellar, avait invité à New York, selon ses propres termes, « de 15 à 20 personnalités remarquables du monde entier », en vue d'examiner, au cours d'une réunion informelle, les problèmes liés à la dette. A ma grande surprise, je figurais sur la liste, où d'ailleurs j'étais le seul Soviétique. Il va sans dire que l'épithète « personnalité remarquable » ne me convient pas ; je ne suis pas, de plus, réellement spécialiste de ce difficile sujet, sur le plan tant socio-économique que politique. Ce fut néanmoins pour moi un grand honneur de recevoir une invitation personnelle, et, pendant deux mois, je me suis préparé de façon assez intensive à cette rencontre. J'ai étudié les textes, rencontré des dirigeants de la Conférence des Nations unies sur le commerce et le développement, des représentants de pays débiteurs : le Brésil, des pays d'Afrique, la Yougoslavie. Cette réunion a été très intéressante pour moi, car elle donna aux spécialistes l'occasion de démontrer, de manière claire, que le problème devait être traité globalement, et ce sous l'égide de l'ONU. Ceux-ci mirent aussi en lumière le mécanisme qui pourrait aider à sa solution. J'apportai moi-même diverses propositions, dont celle de mettre au point un programme spécial de sécurité du crédit, partie intégrante de la sécurité économique, afin d'éviter dans l'avenir le glissement de certains pays vers une dette excessive et l'apparition d'une situation difficile pour les banques et autres établissements de crédit qui, dans ces conditions, ne peuvent récupérer de manière normale les sommes qu'ils ont avancées. L'idée centrale de mon intervention était une tentative de lier le montant des remboursements annuels des pays débiteurs à l'indice de développement de ces pays, et ce, de façon que des remboursements trop lourds ne conduisent pas à la stagnation de leur économie, ce qui serait néfaste aussi bien pour les pays créditeurs que pour les débiteurs, puisque dans ce cas les seconds non seulement ne peuvent pas rembourser leur dette, mais en outre ne peuvent plus importer ni développer leur marché.

Comme on le voit, l'activité économique extérieure de l'URSS comporte de multiples aspects et vise à la coopération avec tous les pays. Notre but est de dynamiser nos liens avec tous les États et tous les peuples.

Les sociétés à capital mixte

La création de sociétés à capital mixte est un aspect fondamentalement nouveau de la réorientation de notre activité économique extérieure. Dans les années 20, on considérait comme souhaitable la présence de diverses sociétés avec participation du capital étranger sur le territoire de l'URSS. Cette pratique a ensuite été interdite pendant de longues années, principalement pour des motifs idéologiques. Après le plénum d'avril 1985, où le Comité central du PCUS a proclamé la nouvelle stratégie économique, la situation dans ce domaine s'est radicalement transformée. Nous sommes revenus à la conception de Lénine, et nous nous sommes mis à encourager la création de sociétés mixtes à l'intérieur de nos frontières. Au 1er janvier 1989, 191 sociétés à capital mixte avaient déjà été enregistrées, et 400 autres sont en projet.

Quelles sont les conditions qui régissent la création de ces « entreprises conjointes » en URSS ? Notre État garantit la protection des biens de nos partenaires étrangers, ainsi que le transfert de leurs bénéfices en devises de leurs pays, ceux-là étant proportionnels au capital investi. Les firmes étrangères participant à la création d'une société mixte ont le droit de prendre une part directe à la gestion. Une telle entreprise jouit d'une priorité en ce qui concerne les travaux de construction, elle est exemptée de tous les objectifs planifiés et des commandes d'État, elle dispose de la liberté d'effectuer des opérations d'import-export. Tout cela, ce sont les normes universellement reconnues qui président à la constitution de sociétés mixtes. D'autres sont plus spécifiques à notre pays, en tant qu'État socialiste. Lors de la création d'une entreprise mixte, la législation prévoyait initialement (on verra plus loin qu'il n'en va plus de même aujourd'hui) une majorité d'au moins 51 % du capital statutaire pour la partie soviétique, qui se voyait, en outre, réserver le droit d'occuper les postes de président et de directeur général de la société. Les entreprises conjointes sont tenues de couvrir toutes leurs dépenses effectuées en devises par des rentrées également en devises, puisque, pour le moment, le rouble n'est toujours pas convertible.

L'état prélève sur le profit de l'entreprise mixte un impôt de 30 % au maximum. Celui-ci est réduit dans les premières années d'activité de l'entreprise. Par ailleurs, des barèmes moins élevés – de 10 à 20 % – sont parfois appliqués, en fonction d'accords avec certains États, ou d'une entente spéciale. Lorsque le partenaire étranger veut transférer ses bénéfices en devises convertibles à l'extérieur, il doit s'acquitter d'une taxe de 20 % sur les fonds en question. Par conséquent, il a intérêt à les utiliser sur place, pour agrandir ou moderniser l'entreprise mixte, ou encore pour acheter des marchandises soviétiques qu'il revendra ensuite à l'étranger. Les entreprises mixtes disposent d'une grande liberté en ce qui concerne l'organisation du travail et l'utilisation de la main-d'œuvre, à condition de respecter la législation soviétique du travail. Mais le champ de manœuvre pour déterminer le niveau des salaires et les formes d'organisation du travail est assez large. C'est l'État soviétique qui assume le versement aux salariés des entreprises mixtes, de même qu'il le fait pour l'ensemble des travailleurs, des paiements de transfert financés par les fonds sociaux de consommation. En cas de litiges ou de liquidation, toutes les décisions doivent répondre aux exigences du droit international.

Dans quels desseins la constitution de sociétés à capital mixte est-elle encouragée sur le territoire soviétique ? Nous voyons là, avant tout, la possibilité de développer nos relations économiques extérieures et la coopération internationale. Lors de la création de ces entreprises, notre premier objectif est que notre pays puisse bénéficier des technologies d'avant-garde et de l'expérience de ses partenaires en matière de gestion ; nous espérons aussi, par cette voie, réduire dans la mesure du possible nos importations, développer nos possibilités d'exportation, puisque, pour assurer la couverture en devises, une partie de la production des entreprises mixtes est habituellement exportée. Il est important également, pour l'URSS, de pouvoir se procurer ainsi des ressources financières et matérielles supplémentaires à affecter au développement de sa production nationale. En résumé, nous considérons cette pratique comme avantageuse, et ce, des deux côtés. En effet, qu'est-ce qui peut pousser, selon nous, les firmes étrangères à créer des entreprises mixtes en URSS plutôt que dans un autre pays ? En premier lieu, les dimensions immenses du marché soviétique, qui offre de larges possibilités de vendre les marchandises produites par l'entreprise. Il est vrai qu'il existe des limitations dans ce domaine, dans la mesure où – nous venons de le voir –, afin de couvrir les dépenses en devises engagées pour la construction et l'exploitation de celle-ci, et d'assurer au partenaire étranger un profit en devises fortes, une part parfois très importante de cette production doit être vendue sur le marché international.

Le fait que la taille de l'URSS autorise à envisager des entreprises de grande capacité facilitera l'automatisation de la production et permettra donc de produire à moindre coût, d'autant que les dépenses de main-d'œuvre sont également réduites, puisque, on l'a vu, c'est l'État qui prend en charge le versement des paiements de transfert.

Par ailleurs, les prix relativement bas du terrain et de la construction, de l'eau et des autres ressources naturelles, ainsi que la présence, en de nombreux endroits, d'une infrastructure toute prête, sont aussi des facteurs positifs non négligeables.

L'URSS est un pays où la recherche est développée, et, dans bien des cas, il sera avantageux de créer des entreprises qui fassent appel à la technologie soviétique d'avant-garde : leur mise en service sera ainsi plus rapide.

Tous ces facteurs s'ajoutant les uns aux autres, beaucoup de firmes étrangères cherchent ou ont déjà trouvé un champ d'activité dans le cadre duquel il pourra leur paraître particulièrement intéressant de constituer une société à capital mixte sur le territoire soviétique. Je ne citerai qu'un seul cas : la société avec le groupe à majorité italienne Fata. Je choisis cet exemple parce que j'ai eu de nombreux contacts avec cette firme et que je l'ai consultée sur plusieurs questions. La Fata a déjà une longue expérience de coopération avec l'URSS – elle a fourni des équipements, notamment de fonderie, à plusieurs de nos entreprises et dispose depuis longtemps d'un bureau à Moscou. En compagnie de l'entreprise soviétique Prommach (qui produit des machines pour l'industrie alimentaire), la Fata est en train de monter plusieurs sociétés mixtes dans la ville de Volsk, située dans la république autonome des Maris, sur le cours moyen de la Volga. Cette ville a été choisie parce qu'on y disposait d'une usine en construction, mais presque achevée, qui, après quelques aménagements, pouvait convenir à une entreprise conjointe. On décida de lancer la production d'installations frigorifiques de divers types ; le volume envisagé représente plus de 500 millions de dollars par an, soit une envergure qui devrait permettre d'utiliser des systèmes automatisés. 2 000 personnes seulement devraient y être employées, étant donné que la productivité du travail sera deux fois plus élevée que, par exemple, dans les entreprises américaines de constructions mécaniques. Les frais de production seront sensiblement moins élevés que dans les entreprises de moindre importance existant dans d'autres pays. Ce genre de production faisant l'objet d'une demande sur le marché international, on prévoit d'en vendre une fraction à l'étranger contre des devises convertibles. Cependant, une grande partie sera vendue en URSS, en roubles. La Fata considère cette entreprise comme un début, et se propose de l'agrandir, en y ajoutant la production de conteneurs réfrigérés. Et, comme l'appétit vient en mangeant, le groupe projette actuellement la création de toute une chaîne de conservation, transport, transformation et emballage de produits alimentaires, ce qui peut être assumé par plusieurs firmes étrangères dont la Fata assumera la coordination.

Une société à capital mixte, même de petite taille, est pour de nombreuses entreprises étrangères une fenêtre ouverte sur notre pays. Ayant pénétré de l'intérieur notre mécanisme économique par son intermédiaire, celles-ci peuvent ensuite décider de conclure des accords plus importants avec les organisations soviétiques adéquates, et de développer ainsi plus largement des relations mutuellement avantageuses. Voici par exemple une autre situation caractéristique. Les firmes étrangères qui produisent des ordinateurs personnels ou les logiciels qui leur sont destinés n'entretiennent pratiquement pas de liens avec l'URSS. La majorité d'entre elles n'ont pas de représentation dans notre pays et le connaissent mal.

Le marché occidental des ordinateurs personnels est saturé, les firmes s'y livrent une rude concurrence, alors que le marché soviétique – où, d'ici quelque temps, on pourra vendre des millions, et même des dizaines de millions d'appareils, est pour le moment vacant. En outre, les technologies sont en progrès constant, avec l'utilisation de microprocesseurs de plus en plus sophistiqués, de type Motorola ou Intel. Des systèmes d'avenir font leur apparition, qui utilisent des processeurs RISC[1] et des transputers. Ces derniers demandent non seulement des logiciels spéciaux, qu'il faut créer dans des délais rapides, mais également une approche différente de la programmation. Il est important, donc, d'y affecter le plus grand nombre possible de programmeurs. Il en existe autant chez nous qu'aux États-Unis – autour de 300 000. La production de programmes est au point en URSS, et elle peut coûter bien moins cher qu'à l'Ouest. Et par là même, le fabricant d'ordinateurs aurait ainsi accès au marché soviétique. Une firme qui participerait à une société mixte aurait des facilités pour diffuser largement en Union soviétique sa propre marque d'ordinateurs personnels, et pourrait par la suite créer une autre entreprise mixte qui produirait les ordinateurs eux-mêmes ; il faudrait, bien sûr, adapter les logiciels à la langue russe et y adjoindre, en outre, des programmes spécifiques répondant aux besoins de l'URSS. Et n'oublions pas, par ailleurs – autre facteur non négligeable –, que, traditionnellement, notre pays dispose d'une école de mathématiques performante, qui est à l'origine de bien des idées novatrices, ainsi que nous l'avons vu plus haut, avec l'exemple de Kantorovitch.

Dans quels domaines, à notre avis, la création d'entreprises

1. Reduce Instruction Set Computer *(NDT)*.

mixtes est-elle la plus avantageuse ? Les firmes occidentales m'ont indiqué à plusieurs reprises qu'elles ne disposaient pas d'informations précises sur les secteurs et les branches d'activité auxquels les Soviétiques désireraient faire participer le capital occidental. En juin 1988, pourtant, nous avons mis au point, dans ce cadre, et transmis aux pays concernés une liste de plus de 320 projets pour 1988-1991. Une partie de ceux-ci ont un caractère social affirmé : ils sont liés à l'exécution du programme alimentaire, en particulier à la transformation des produits agricoles, au développement accéléré et à la modernisation de l'industrie textile et d'autres branches produisant des biens de consommation et des services. Des sommes importantes sont injectées dans tous ces secteurs. Il faut rappeler également les besoins de l'industrie médicale et de la santé publique. Tout cela, c'est la priorité suprême de notre développement économique. Un autre groupe de priorité est lié à la modernisation des constructions mécaniques, y compris la fabrication d'appareils, l'électronique, ainsi que la technique informatique.

Au cours de la perestroïka, nous avons considérablement augmenté les investissements dans les constructions mécaniques. Si, de 1981 à 1985, ceux-ci ont augmenté de 24 %, ce taux est passé à 80 % pour la période de 1986-1990 ; en outre, la part dans ces investissements des sommes consacrées à la modernisation s'élèvera à plus de la moitié (pour un tiers, environ, auparavant). Le coefficient de renouvellement des machines à usiner les métaux sera multiplié selon les branches et les entreprises par trois, quatre ou cinq. L'assortiment des produits se modifie en conséquence. Si, en 1985, seulement 3,1 % des produits étaient retirés chaque année de la fabrication, en 1987, on atteignait 9 %, et, en 1990, on devrait arriver à 13 %. Il va de soi que la coopération internationale sous forme de création de sociétés mixtes pourrait se révéler très efficace pour cette tâche énorme que représente la modernisation des constructions mécaniques.

Nous avons également adopté un programme de développement de l'utilisation de la chimie dans l'économie nationale. Bien que l'URSS occupe le premier rang mondial pour la production de certains produits chimiques de base et celle des engrais minéraux, d'autres branches de la chimie, principalement la chimie des polymères, mais aussi la chimie fine, sont très en retard : nous devons construire de nombreuses installations et développer celles qui existent déjà. La création de l'importante entreprise mixte Tengizpolymer, que j'ai déjà mentionnée plus haut, vient là tout à fait à point nommé.

Il existe une autre orientation pour la création d'entreprises mixtes : l'utilisation des ressources naturelles. L'Union soviétique dispose d'un territoire immense qui s'étend sur plus de 22 millions de kilomètres carrés et est littéralement truffé des ressources naturelles les plus variées. Nous sommes en effet le seul pays au monde qui puisse satisfaire presque totalement à ses besoins en combustibles et en matières premières, en exportant une quantité de ressources qui dépasse celle qui est affectée à ses besoins internes. Mais ces énormes richesses et leur facilité d'extraction ont engendré dans le passé le gaspillage, et une certaine légèreté dans nos rapports avec la nature. Aujourd'hui, nous nous efforçons d'économiser les ressources et de tenir le plus grand compte de l'écologie. Tout cela demande des approches nouvelles : une utilisation plus cohérente des matières premières et une technologie réduisant au maximum les déchets. Cela concerne la transformation du bois, l'extraction, l'enrichissement et la transformation des minerais, principalement des métaux non ferreux. Les pays occidentaux se sont mis plus tôt que nous à économiser les ressources, à créer des technologies propres, à utiliser les sous-produits et à recycler les déchets. Sous ce rapport, nous avons beaucoup à apprendre auprès d'eux ; mais la coopération peut être également avantageuse pour nos partenaires occidentaux, et ce sous des formes diverses – accords de compensation ou sociétés à capital mixte.

Lors de mes séjours dans divers pays de l'Ouest, j'ai souvent eu à discuter de la pratique soviétique des sociétés à capital mixte. Je me souviens d'une intéressante discussion au bord du lac de Côme dans le nord de l'Italie. Elle se déroulait dans la plus célèbre villa construite sur les bords de ce lac, la villa d'Este, un véritable palais royal. Là, un célèbre spécialiste de ce sujet, le Pr Ulmar, de Gênes, a présenté un rapport très riche sur l'approche soviétique de l'organisation de telles sociétés, ma tâche à moi étant de commenter ce rapport et de répondre aux questions des quelque 200 personnes présentes, dont une partie avait l'expérience des relations d'affaires avec l'URSS. A la fin du rapport, le professeur me transmit 99 questions portant sur ces sociétés. On me posa également d'autres questions, et je n'en fus pas étonné car, peu de temps auparavant, lors d'un séjour de deux semaines aux États-Unis, j'avais également eu toute une série de discussions à ce sujet avec les hommes d'affaires et les spécialistes américains. Le professeur de droit Sara Carey, de Minneapolis, une spécialiste des sociétés à capital mixte soviétiques, orientait habilement la discussion et les questions. Aussi bien en Italie qu'aux États-Unis, me trouvant en compagnie de tels connaisseurs, je leur dis tout à fait sincèrement, en plaisantant, que je me demandais pourquoi ils me posaient tant de questions auxquelles ils pouvaient mieux répondre que moi. La réaction fut un rire généralisé. Ce que les participants attendaient, en fait, c'était la réponse d'un Soviétique qui soit impliqué dans l'affaire.

Quelles sont les questions les plus difficiles qui se posent à l'égard de la pratique soviétique des entreprises mixtes ? Avant d'y répondre, je dirai que, auparavant, nous ne disposions d'aucune expérience dans ce domaine, et que par conséquent nous n'avions pas de législation. En outre, nous manquons de traditions en ce qui concerne la rédaction de textes à caractère juridique. Dans notre pays, habituellement, c'est l'appareil, c'est-à-dire des fonctionnaires, qui prépare les textes, et beaucoup de ces derniers pensent qu'ils sont plus intelligents que tout le monde, si bien que, aujourd'hui, ils rédigent un texte sur les entreprises mixtes sans rien y connaître, sans avoir étudié la pratique internationale dans ce domaine, et demain ils composeront un texte sur les entreprises conjointes à l'étranger, en se fondant sur leurs propres conceptions... Malheureusement les juristes participent peu à ce travail, alors que notre pays dispose d'hommes qualifiés, bien qu'en nombre insuffisant, en particulier en ce qui concerne les spécialistes de droit international. Certes, ils jouent un certain rôle dans la plupart des cas, mais leur avis est noyé dans la masse et n'est pas toujours pris en considération. En général, l'aspect juridique des problèmes, l'exactitude de la formulation n'a jamais été notre point fort. Sous Staline, les lois avaient plutôt un caractère de propagande, et on les violait de la façon la plus grossière. Ce dédain à l'égard du droit, des règles, demeure fortement ancré dans chaque individu, et particulièrement chez les fonctionnaires, qui considèrent que leurs paroles ont force de loi et n'accordent pas grande attention aux formules. On a posé pour principe, à la XIXe Conférence du Parti, de transformer l'État soviétique en État de droit, d'assurer véritablement la primauté des lois, de développer les connaissances juridiques de la population, d'inculquer le respect des droits et des devoirs fixés par la Constitution et les lois, de garantir les citoyens contre les actes illégaux. Tout ce mouvement pour la légalité a été dans une certaine mesure influencé par le fait que notre dirigeant, Mikhaïl Gorbatchev, a une formation de juriste, puisqu'il est diplômé de la faculté de droit de l'université de Moscou, le principal centre de formation juridique de l'URSS. Mais le mépris à l'égard du droit et des juristes est encore très vivace.

Rappelons que, lorsque a été constituée la Commission gouvernementale de gestion, composée de 20 dirigeants des administrations économiques centrales et de quelques économistes, on n'y a inclus aucun juriste. Comment peut-on examiner des actes juridiques sur la restructuration de la gestion, du mécanisme économique, sans faire appel aux spécialistes du droit ? Eh bien, c'est pourtant ce qui a lieu. D'où l'ambiguïté et les contradictions que l'on trouve dans nos textes normatifs. On est alors contraint de compléter ou de modifier certains points, ce que nous avons déjà dû faire à maintes reprises. Malheureusement, notre législation sur les sociétés à capital mixte n'échappe pas à la règle : elle contient de nombreux points qui manquent de clarté, des contradictions, qui soulèvent de nombreuses questions et qu'il faut résoudre au fur à mesure.

C'est ainsi que dans l'arrêté du Conseil des ministres intitulé *Du développement ultérieur de l'activité économique extérieure...,* adopté en décembre 1988, on a libéralisé les conditions de création de sociétés à capital mixte avec la participation de firmes étrangères sur le territoire de l'URSS. Avant l'adoption de ce texte, le capital de ces sociétés devait être soviétique à concurrence de 51 %, et les dirigeants ne pouvaient être que des citoyens de l'URSS. A partir de 1989, la part de chaque partenaire, soviétique ou étranger, n'est plus réglementée et s'établit en fonction d'accords. Le président ou le directeur général peut également être citoyen d'un autre État. En outre, les questions de principe concernant l'activité de l'entreprise sont résolues à l'unanimité des membres.

La solution des problèmes liés à l'embauche et au licenciement est facilitée, de même que pour tout ce qui touche à la rémunération (montant des salaires, primes, etc.). Les marchandises introduites en URSS par les entreprises mixtes pour les besoins du développement de la production sont frappées d'un minimum de droits de douane ; en outre, les ouvriers étrangers paient leur logement et divers autres services en roubles. Des avantages supplémentaires sont concédés aux entreprises mixtes, notamment en ce qui concerne la taxe sur le profit dans la région économique d'Extrême-Orient.

Lorsque les entreprises mixtes produisent des biens de consommation, du matériel médical, des produits d'intensité scientifique élevée, et qui ont une grande importance pour l'économie nationale, le ministère des Finances a le droit d'exempter de la taxe une partie du profit revenant aux partenaires étrangers ou d'en abaisser le montant.

On envisage également dans notre pays la création de zones spéciales où l'organisation de sociétés à capital mixte serait plus avantageuse, comme c'est le cas en Chine, où, dans l'ensemble, cette expérience s'est révélée positive. Nous envisageons d'en créer dans certaines régions d'Extrême-Orient. Il me semble que l'on pourrait également soumettre à des conditions préférentielles la constitution de sociétés à capital mixte dans certains secteurs économiques dont le développement est particulièrement important pour l'URSS – entre autres, à mon avis, la production de biens de consommation et de services, qui influent sensiblement sur l'équilibre de notre marché, afin de pouvoir répondre sur une grande échelle à la forte demande de la population.

En avançant ces propositions, je pars de la constatation que, pour le moment, la création de sociétés à capital mixte en URSS progresse très lentement. On a déjà dit que, actuellement, il n'en existait encore, sur le territoire soviétique, que 191. Si l'on considère qu'il y a dans notre pays des centaines de milliers d'entreprises (46 000, rien que dans le secteur industriel), le nombre d'entreprises mixtes n'est pas enthousiasmant. Elles ne génèrent, en pourcentage, qu'une fraction minime de la production totale du pays.

Il faut noter que dans d'autres pays socialistes, où l'organisation d'entreprises mixtes est plus avantageuse, leur nombre est bien plus important. Le premier pays socialiste à se lancer dans cette expérience a été la Yougoslavie, en 1968 ; puis suivirent la Roumanie (1971), la Hongrie (1972), la Pologne (1976) et, enfin, l'URSS (1987). En Hongrie, par exemple, il y a déjà plus de 100 entreprises mixtes, en Pologne environ 700 (elles appartiennent pour l'essentiel à des investisseurs occidentaux d'origine polonaise), en Yougoslavie environ 200. Mais l'expérience la plus probante pour nous est celle de la Chine, où l'on compte plus de 5 000 sociétés à capital mixte avec un capital cumulé de 20 milliards de dollars. Je pense que nous avons besoin de centaines et même de milliers de telles entreprises, et, pour cela, nous devons pouvoir offrir des conditions intéressantes, surtout dans les premiers temps.

Une autre série de difficultés est liée, enfin, au fait que le rouble ne soit pas convertible, que notre État ne dispose pas de réserves en devises permettant de changer librement en devises étrangères le profit réalisé en roubles. C'est pourquoi nous avons instauré le principe de la couverture en devises, pour faire qu'une partie, parfois importante, des produits des entreprises mixtes se retrouve sur le marché occidental et que ces entreprises perçoivent ainsi des gains en devises convertibles, afin de couvrir les frais engagés en devises. Les recettes perçues en devises doivent suffire à couvrir les sommes investies par le partenaire étranger et à lui assurer la part de profit qu'il transfère à l'étranger ou qu'il utilise pour acquérir des marchandises de fabrication étrangère. Mais les firmes étrangères considèrent que le principal but de la création des entreprises mixtes en URSS est de produire des marchandises qui seront vendues sur le marché soviétique. Beaucoup d'entre elles ne souhaiteraient pas vendre cette production mixte sur le marché occidental, car elles se feraient ainsi concurrence à elles-mêmes. Cette question fondamentale ne peut être résolue qu'avec la convertibilité du rouble. Un pas immense dans cette direction peut être réalisé grâce à la convertibilité interne, qui suppose une amélioration de la balance des paiements de l'URSS. Sans attendre cela, on a décidé, il y a quelque temps, d'accorder certains privilèges aux partenaires occidentaux : dans le cas où les bénéfices de l'entreprise mixte sont insuffisants pour permettre au partenaire étranger de transférer ses gains, on l'autorise à utiliser sa part de profit résiduel en roubles pour l'achat de marchandises soviétiques. En outre, l'estimation de l'apport du partenaire étranger en pourcentage du capital peut être effectuée dans n'importe quelle monnaie, selon son choix. Une autre difficulté que l'on considère comme temporaire est liée au système d'approvisionnement de l'entreprise mixte en biens de production à l'intérieur de notre pays. Pour le moment, et c'est là un héritage du système administratif de gestion, c'est encore la répartition centralisée par fonds qui prédomine. Dans un tel système, les entreprises mixtes sont approvisionnées par les ministères et les départements correspondants. Et cela donne parfois lieu à des difficultés – notamment, à des problèmes de délais. Par conséquent, l'organisation de la société à capital mixte ne dépend pas seulement d'un accord entre les firmes étrangères et les entreprises soviétiques : un troisième partenaire intervient, l'organisme qui assure l'approvisionnement, soit le ministère concerné. Tout cela complique la création et le fonctionnement des entreprises mixtes. Mais, en 1990, le commerce de gros devra être mis en place et devenir le principal canal d'approvisionnement des entreprises pour les ressources matérielles. Cela concerne aussi bien les entreprises mixtes que toutes les entreprises soviétiques.

Comme on le voit, les conditions de création et de fonctionnement des sociétés mixtes se perfectionnent, mais posent encore des problèmes aux partenaires occidentaux. Il y a encore beaucoup à faire pour créer un climat socio-économique et psychologique favorable. Les représentants des firmes occidentales que j'ai eu l'occasion de rencontrer se plaignent souvent des entraves bureaucratiques auxquelles ils se heurtent. Les pourparlers traînent parfois plusieurs mois ; ceux qui y participent du côté soviétique n'ont parfois aucun pouvoir. Les décisions sont sans cesse repoussées, et, parfois, les personnes présentes lors des pourparlers changent, obligeant leurs interlocuteurs à tout reprendre à zéro. On note le laisser-aller des organismes soviétiques – en particulier, le Gosagroprom en ce qui concerne la correspondance et les questions d'ordre pratique qui surgissent en permanence. Il y a quelquefois des cas anecdotiques : pendant mon séjour en Italie, le patron d'un des plus anciens et des meilleurs restaurants de Rome s'est adressé à moi. Il avait conclu un contrat avec la direction d'un centre cinématographique de Moscou, qui va bientôt s'installer dans un nouveau bâtiment, pour y ouvrir un restaurant italien sous forme de société à capital mixte. Or on lui interdisait de faire entrer en URSS les célèbres fromages italiens sans lesquels il ne pouvait pas préparer ses plats. Les raisons avancées étaient ridicules : ces fromages contiendraient des bactéries qui pourraient infecter nos troupeaux. Tous les pays du monde importent des fromages italiens et les utilisent, rien ne se passe nulle part, et voilà que tout à coup, on en fait tout un problème ! Bien entendu, cela a été rapidement résolu. Mais on peut se rendre compte, par ce petit exemple, de toutes les traces de bureaucratisme et d'attitude administrative qui existent encore face à l'organisation d'entreprises mixtes. Nous n'avons aucune expérience, cela va de soi. La majorité des gens qui participent à ce processus sont des novices, et, pour une partie d'entre eux, l'essentiel est de se protéger de tout ennui imprévisible. Mais, à mesure du développement de cette pratique, de tels obstacles disparaissent l'un après l'autre.

J'ai remarqué que c'étaient les firmes qui montaient pour la première fois des affaires en URSS qui avaient des difficultés : elles ne connaissent pas encore toutes les démarches à accomplir. Au contraire, celles qui travaillent depuis longtemps avec notre pays et y disposent d'une représentation résolvent les problèmes plus facilement et plus rapidement. En tout cas, en trois ans de perestroïka, nous avons connu une grande évolution en ce qui concerne la libéralisation des relations économiques extérieures, grâce à l'application de plus en plus répandue des règles économiques de gestion. Il existe là encore un ensemble de questions, depuis l'obtention des visas jusqu'aux conditions de vie des spécialistes étrangers, sans parler des problèmes qui surgissent dans les entreprises mixtes elles-mêmes.

Mais de telles entreprises ne naissent pas uniquement sur le territoire de l'URSS. L'internationalisation de la production et du capital conduit immanquablement à en créer également dans d'autres pays. L'URSS dispose là d'une certaine expérience, quoique limitée. Les investissements soviétiques à l'étranger concernent essentiellement les infrastructures servant nos échanges avec l'étranger. On crée des entrepôts, des réseaux de services, des compagnies de transport. Il existe à l'étranger plusieurs banques et firmes dont le capital est pour une part soviétique : 120 en tout. Par exemple, il existe, dans le cadre de l'union fédérale Soïouzkhimexport, dépendant du ministère de l'Industrie chimique, des sociétés par actions avec participation soviétique – il s'agit de Sogo en France, de Sobren en RFA, de Soctimess en Italie, de Sober en Suède et d'Interprom en Autriche. Pendant une visite en Suède, j'ai pu constater encore une fois l'utilité pour notre pays de mettre sur pied des sociétés mixtes à l'étranger. Travaillant dans un pays capitaliste, les représentants soviétiques de ces firmes acquièrent de la pratique dans l'activité économique extérieure, s'imprègnent des réalisations scientifiques, techniques et économiques des firmes occidentales, et placent avec succès à l'étranger les marchandises soviétiques. Il est indispensable, pour le développement de nos relations économiques extérieures, que nous participions à de telles opérations. Cela concerne plus particulièrement l'exportation de nos constructions mécaniques, qui souvent doit s'accompagner de services et nécessite, parfois, une mise en conformité avec les exigences occidentales. En particulier, l'exportation sur une grande échelle des voitures de l'usine de la Volga (environ 170 000 véhicules en 1987) serait impossible sans la présence de telles entreprises mixtes avec participation soviétique, qui prennent en charge la mise au point technique et la promotion de ces voitures. Non seulement cela favorise le développement des exportations à des conditions mutuellement avantageuses et le maintien du prestige des marques soviétiques, mais il en résulte également un effet, en retour, sur la qualité du produit, nos entreprises pouvant par là même se tenir informées des exigences des consommateurs occidentaux.

Ces derniers temps, on propose de plus en plus fréquemment d'organiser des entreprises mixtes avec participation de firmes des pays développés dans des pays tiers, tant développés qu'en voie de développement. Ces propositions sont particulièrement d'actualité en ce qui concerne les pays d'Europe occidentale, en raison de l'échéance du marché unique de 1992 : à cette date, il sera plus facile de vendre des produits fabriqués à l'intérieur de ce grand marché que de les faire venir de l'extérieur.

La tendance à l'internationalisation de la production et du

capital a fait naître des compagnies transnationales qui occupent les positions clés dans de nombreux secteurs de l'activité économique et se développent à un rythme accéléré. Les pays socialistes ne se sont pas encore engagés dans cette voie de l'internationalisation de la production. La création d'entreprises mixtes sur leur territoire, surtout s'il s'agit d'entreprises à participations multiples, constitue un pas dans cette direction. Et on peut s'attendre d'ici quelque temps à l'apparition dans les pays socialistes développés de compagnies multinationales, avec de nombreuses filiales à l'étranger.

Pour conclure, soulignons une fois encore les vastes perspectives qui s'offrent au développement des sociétés mixtes avec participation d'organisations soviétiques et de firmes étrangères.

Le rouble sera-t-il convertible ?

Le rouble sera-t-il convertible, et quand ? C'est là l'une des questions les plus fréquentes auxquelles je dois répondre au cours des entretiens que je peux avoir, y compris pendant mes voyages à l'étranger.

Je me souviens d'un intéressant entretien que j'ai eu cet hiver avec le président de la République finlandaise, M. Mauno Koïvisto. Je m'étais rendu dans son pays à l'occasion de la sortie en finnois d'un ouvrage où je dialogue avec le journaliste et homme politique finlandais Supponen. M. Koïvisto est un spécialiste reconnu de la banque et des finances. Il a été président de la Banque d'État de Finlande. Les questions qu'il me posait sur la restructuration du système financier de l'URSS et sur la convertibilité du rouble n'étaient donc pas simples. Et, bien sûr, il attendait de ma part des réponses précises. Certes, en tant qu'économiste de profil assez large, j'ai étudié les problèmes des finances et du crédit, et à présent, lors de la mise au point de notre nouveau système de gestion, je travaille systématiquement avec les financiers et les banquiers. Je comprends parfaitement que nos nouvelles méthodes de gestion ne peuvent être opérationnelles que si le rouble est une monnaie à part entière, car une gestion fondée sur l'économie, c'est une gestion qui fonctionne à l'aide de la monnaie par l'intermédiaire du système financier, des banques et du marché. Et en tant que chef du département d'économie de l'Académie des sciences de l'URSS, en tant aussi que président de la section scientifique de la Commission gouvernementale pour la gestion, j'ai tenté d'activer nos recherches sur les problèmes des finances et du crédit et sur la circulation monétaire. Cela était d'autant plus indispensable que dans le système administratif de gestion, qui a régné en URSS pendant soixante ans – toute une génération –, le rôle des finances et des banques était sous-évalué. Celles-ci se trouvaient sous la tutelle du ministère des Finances et ne faisaient pratiquement que répartir sous forme de crédits des sommes que lui versait chaque année l'État dans le cadre du plan de crédit, où figuraient non seulement le montant mais également la meilleure utilisation de ces fonds, quelles entreprises devaient en bénéficier, etc. Le ministère des Finances, qui comprenait un département spécial à cet effet, jouait un rôle déterminant dans la préparation de ce plan de crédit, entériné par le gouvernement. Progressivement, l'activité financière et bancaire se déroula en circuit fermé, puisque les personnes extérieures n'avaient pas accès à cette « cuisine ». Et on ne publiait que des bribes de données sur la circulation monétaire dans le pays ou sur les sommes consacrées au crédit et leur répartition. Par conséquent, les économistes n'étaient pas non plus informés. Le ministère des Finances disposait d'un petit institut voué à la recherche sur les finances, d'un assez bon niveau, mais entièrement lié à l'exécution des ordres ministériels. La Banque d'État de l'URSS (Gosbank) et, à plus forte raison, la Banque de l'industrie et du bâtiment (Promstroïbank) ou la Banque du commerce extérieur (Vneshtorgbank) – les trois seules banques qui existaient alors en URSS – n'avaient pas l'autorisation de disposer de laboratoires de recherches, ni encore moins d'un institut. Et, étant donné que les chercheurs de l'Académie des sciences ou des établissements d'enseignement supérieur n'avaient pas accès aux comptes ni aux statistiques bancaires, lesquelles n'étaient même pas communiquées à la Direction centrale des statistiques, il est clair que l'activité des banques ne pouvait s'appuyer sur aucune véritable recherche. Les économistes qui tentaient malgré tout d'approfondir la question étaient très mal vus par les financiers, qui les accusaient d'ignorance, de déformations, etc. Aussi les sections

254

chargées des finances et de la banque à l'Institut d'économie de l'Académie des sciences disparurent-elles petit à petit. Les spécialistes de ce secteur prenaient leur retraite les uns après les autres, et il n'y avait pas de relève. C'est ainsi que des pans entiers de la recherche économique ont été anéantis dans notre pays. Souvenons-nous de l'époque de la NEP. Notre pays avait abordé cette période avec un système financier complètement désorganisé, avec une inflation énorme résultant de la Première Guerre mondiale et de la guerre civile. Nous sommes parvenus alors, lors de la mise en place de la NEP, à mettre de l'ordre en l'espace d'un ou deux ans dans le système financier, le crédit et le système monétaire, et à la fin de 1922 on avait rétabli le cours du rouble d'avant-guerre (je rappellerai que le dollar valait alors environ 1,9 rouble). On mit en circulation le tchervonets, qui était coté sur les marchés des devises conformément à sa valeur or.

Dans les années 20 furent réalisées de nombreuses recherches sérieuses dans le domaine des finances et de la banque. Lénine accordait une grande importance à l'organisation de l'activité bancaire, au développement des finances et à la circulation monétaire dans le régime soviétique. Il écrivait qu'un désordre dans la circulation monétaire entraînait le dérèglement de toute l'économie, considérait les banques comme les principaux établissements économiques de la société soviétique et estimait que la monnaie était le levier essentiel de la régulation de l'économie. Mais plus tard, avec l'instauration du système administratif de gestion, à la fin des années 20, le marché fut liquidé, la valeur or du rouble cessa de correspondre au chiffre officiel, et on supprima le tchervonets-or. Et les cours du rouble publiés à partir du début de la décennie suivante ne correspondaient plus au pouvoir d'achat réel de celui-ci. Le fait suivant témoigne de l'attitude de Staline à l'égard de la parité des devises. En mars 1950, la production rattrapant le niveau d'avant-guerre, la question se posa d'augmenter le pouvoir d'achat du rouble et d'en renforcer le rôle. Staline donna l'ordre de calculer le cours du rouble. On en chargea la Direction centrale des statistiques, et en particulier Valerian Sobol, chef du département des balances sur l'économie nationale de l'URSS. On effectua une comparaison des pouvoirs d'achat respectifs du rouble et du dollar, en fonction des prix des biens de consommation. Staline voulait que le rouble ait un cours élevé, et ceux qui effectuaient cette comparaison le savaient : ils ont donc sélectionné des marchandises qui permettaient de le surévaluer ! On avait en outre accordé un surprix de 15 % à nos marchandises, pour leur qualité et leur valeur d'usage prétendument supérieures à celles des marchandises américaines. Par exemple, on comparait la durée d'usage des chaussures américaines avec celles de nos bottes ferrées... Staline avait donné une semaine pour faire ce travail, et les derniers temps, ceux qui en étaient chargés travaillèrent jour et nuit. Le chef de la Direction centrale des statistiques était Vladimir Starovski. C'était un homme assez compétent, il avait même été élu membre correspondant de l'Académie des sciences, mais il utilisait surtout ses capacités pour fausser les données en vue de satisfaire Staline. En fonction depuis 1939, il le demeurera près de trente-cinq ans – et on peut considérer que cet organisme lui a dû sa ruine. Dans un recueil des interventions de Khrouchtchev, on a un aperçu de ce que pensait celui-ci des données, concernant les récoltes de 1970, que lui avait fournies Starovski dans un communiqué de la Direction centrale des statistiques. Khrouchtchev disait – et personne, je crois n'aurait pu inventer cette phrase à sa place : « Je connais bien Starovski, c'est un homme qui peut faire des balles de fusil avec de la m... » Et c'est ce Starovski qui, en 1950, était installé jour et nuit dans le cabinet de Mikoïan, alors vice-président du Conseil des ministres. Sobol, qui avait effectué les calculs, était au téléphone dans le bureau de Starovski, relié par ligne directe au gouvernement. Après de nombreux calculs, en relevant le rouble tant qu'on pouvait, on en était arrivé au cours de 14 roubles pour 1 dollar (il s'agissait d'anciens roubles. Par la suite, Khrouchtchev, en 1961, effectuera une réforme monétaire, introduisant le nouveau rouble, qui en valait 10 anciens, de sorte que le cours supposé était de 1,4 nouveau rouble pour 1 dollar). En fin de compte, en pleine nuit, les calculs furent achevés et envoyés au Kremlin. Sobol et les autres personnes qui avaient participé au calcul furent très étonnés en voyant dans les journaux que le cours du dollar était non pas de 14, mais de 4 roubles. C'est celui qui fut établi en mars 1950. On questionna Starovski pour savoir ce qui s'était passé, et il raconta de mauvais gré que Staline, en voyant les calculs, avait froncé les sourcils, avait pris un crayon bleu (d'après tous les témoignages, il écrivait toujours au crayon, et surtout au crayon de couleur, et utilisait rarement le stylo), et avait barré le 14, le remplaçant par un 4. Plus tard, lors de la réforme monétaire de 1961, lorsqu'on multiplia la valeur du rouble par dix, on annonça également la valeur or du rouble : 0,987412 gramme. Selon le nouveau calcul, le dollar valait 90 kopecks. En prenant le dollar comme base, on définit le cours des autres monnaies. C'est encore là-dessus que nous nous fondons aujourd'hui pour calculer les baisses du cours du rouble.

On voit, d'après cette petite histoire, le caractère formel que revêtait le cours du rouble dans le système administratif de gestion. En fait, avec ce système, alors qu'on décidait d'en haut ce que l'entreprise devait produire, quelles ressources lui étaient attribuées, à qui elle devait livrer ses marchandises et en quelles quantités, combien d'argent elle était autorisée à dépenser et en fonction de quels chapitres de dépenses, il n'existait pas de pouvoir d'achat unifié du rouble. La monnaie ne remplissait aucun de ses deux rôles principaux : elle ne permettait pas de mesurer la valeur, et elle ne servait pas non plus de valeur d'échange. Le premier, elle ne pouvait pas le jouer, puisque les prix étaient fixés arbitrairement. Il existe un mur infranchissable entre les prix mondiaux et les prix intérieurs soviétiques, et nous n'avons pratiquement pas de niveau de prix unifié. Au cours de notre histoire, le prix des combustibles et des matières premières n'a jamais reflété réellement, dans notre pays, le niveau de la rente, et c'est pourquoi ils sont au moins de deux à trois fois plus bas que les prix mondiaux. Les prix d'achat des produits agricoles étaient également sous-estimés, puisque l'État prélevait, par ce moyen, une partie du revenu national généré par l'agriculture au profit de l'industrie lourde et d'autres secteurs jouissant d'une priorité nationale. A partir de ces prix agricoles sous-évalués étaient fixés les prix de détail du pain, de la viande et des produits laitiers, qui ont été pour la dernière fois modifiés en 1962 et, par conséquent, reflètent les prix agricoles de cette époque. Mais, par la suite, surtout depuis 1965, sur une décision du plénum du Comité central au mois de mars, les prix d'achat par l'État des produits agricoles ont été considérablement relevés, ils ont largement dépassé ceux de détail, qui demeurent jusqu'à présent sous-évalués. Par exemple, le prix de la viande au détail est environ trois fois inférieur aux coûts de production. C'est pourquoi est apparu un autre niveau de prix de détail, celui des coopératives de consommation. Les prix sont, là, environ deux fois plus élevés que ceux du commerce d'État ; quant à ceux du marché kolkhozien, ils sont de deux fois et demie à trois fois plus élevés que ceux des magasins d'État. C'est ainsi qu'il existe trois marchés différents pour la viande et certains produits laitiers. Bien entendu, dans cette situation, penser à une valeur réelle du rouble, et à plus forte raison, à un rouble convertible, n'était pas réaliste. Une valeur réelle du rouble suppose en premier lieu un système rationnel de la formation des prix, vérifié par le marché. Vérification impossible jusqu'à maintenant : en ce qui concerne le marché de la consommation, il est sujet à des déformations et en proie aux pénuries pour beaucoup de marchandises. Et, bien qu'il existe un marché kolkhozien et un marché des coopératives de consommation, où les prix sont, dans une certaine mesure, fonction de l'offre et de la demande, ces marchés ne commercialisent, en fait, qu'une petite partie de la viande et, surtout, des produits laitiers.

La situation était encore plus difficile avec les biens de production. Là, il n'y avait tout simplement aucun marché, et les prix, fixés arbitrairement, des combustibles et des matières premières, ainsi que ceux des équipements, des produits chimiques, des métaux ne jouaient pas de rôle décisif, puisque, de toute façon, le choix n'existait pas en ce qui concernait ces biens et que l'entreprise consommateur ne pouvait prendre que ce qu'on lui attribuait dans des listes établies par les instances supérieures. Elle n'avait pas, non plus, à se préoccuper de l'argent qu'elle allait dépenser : dans le plan figuraient aussi les sommes nécessaires à l'achat de ces biens.

Dans le système administratif de gestion, il existe en fait plusieurs roubles. Le plus rare est le rouble-devise : en fonction de la somme de roubles-devises attribuée à une entreprise, on lui remet, selon le cours officiel, des dollars ou d'autres devises. Le rouble venant immédiatement après par l'importance est celui qui permet d'acheter des marchandises en argent liquide sur le marché des biens de consommation. Dans le système administratif, les fonds constitués par ces roubles attribués aux entreprises sont fixés d'en haut de façon stricte, et il est en général interdit de les dépasser. Le plus prisé d'entre eux est le fonds des salaires hors cadre, en général très limité pour chaque entreprise, mais qui permet d'engager des spécialistes extérieurs, de conclure avec eux des contrats pour l'exécution de telle ou telle tâche (peu importe si le spécialiste touche déjà un salaire ailleurs). Les organismes financiers surveillent particulièrement l'utilisation de ces sommes et cherchent toujours à prouver qu'elles ont été mal utilisées, afin de trouver un prétexte pour en réduire le montant par la suite. Mais le principal poste de dépense en argent liquide, c'est le fonds de salaires. Tout le système de contrôle vise à ce que ne se produise pas, par un canal quelconque, un transfert de monnaie scripturale, facile à obtenir, vers celui-ci. On tente pour ce faire d'ériger des barrières infranchissables, mais malgré tous les efforts des organismes financiers, elles ne sont pas étanches. Ce qui explique que la demande solvable, qui est formée, pour environ 80 %, par le fonds de salaires et, pour les 20 % restants, par les pensions, allocations et bourses, dépasse toujours l'offre en marchandises. Les gens trouvent, par ailleurs, difficilement à dépenser l'argent liquide, puisque le choix des biens et des services sur notre marché est très réduit, et que les files d'attente sont longues...

En ce qui concerne la monnaie scripturale, il existe également ment des gradations et des barrières. Il est difficile d'obtenir des sommes pour investir, et en particulier pour réaliser des travaux de construction sur marché, c'est-à-dire des travaux pour lesquels sont désignés d'en haut des entreprises de construction. Le tableau typique est le suivant : l'entreprise dispose des sommes que lui a attribuées l'organe hiérarchiquement supérieur, et elle veut construire. Mais les capacités de construction sont en général inférieures au montant des sommes dont dispose l'entreprise. Étant donné que, dans le système administratif de gestion, les travaux de construction sont financés non par les recettes des entreprises, mais par des investissements centralisés, c'est-à-dire par de l'argent qui n'appartient à personne, tout le monde veut construire, et tout le monde veut obtenir de l'argent pour investir. L'acquisition d'équipements est un peu moins problématique, surtout si l'on ne présente pas d'exigences particulières pour ce qui est de la qualité. Mais ces équipements sont livrés contre un bon de commande, et pour obtenir celui-ci, il faut déposer à l'avance sa demande, et en expliquer le bien-fondé. On pourra ensuite entrer en contact avec l'usine qui produit la machine ou l'équipement concerné et, dans la plupart des cas, en faire l'acquisition au prix fixé par l'État. La procédure est à peu près la même pour l'acquisition de matières premières, de combustibles, de matériaux, etc.

Il est plus compliqué, dans le système administratif de gestion, d'obtenir de l'argent pour la construction de logements et autres infrastructures sociales. Ces sommes sont, on l'a vu, attribuées selon le principe dit « résiduel », c'est-à-dire en fonction des fonds budgétaires disponibles après définition des ressources attribuées à la défense et à la construction des infrastructures productives. Dans chaque entreprise, quantité de personnes souhaitant obtenir un logement figurent sur une liste d'attente – et ce d'autant plus que les loyers ne couvrent que le quart des frais d'exploitation (le reste étant payé par l'État). Par contre, on a construit bien moins de logements qu'il n'était nécessaire. Pendant les années de stagnation – disons, en 1984 –, dans la majorité des entreprises et des organisations, les salariés auxquels étaient attribués les logements en avaient fait la demande de huit à douze ans auparavant ! En outre, ces logements ne leur étaient affectés que dans le cas où leurs conditions d'habitat (examinées par des commissions de représentants de l'entreprise, ou du soviet, si le logement devait être attribué par le comité exécutif du soviet local) étaient jugées particulièrement mauvaises. Dans de nombreuses organisations, par exemple, on n'acceptait d'office, dès le départ, de n'inscrire sur la liste d'attente que les familles qui disposaient de moins de 6 mètres carrés par personne ou qui vivaient dans des logements insalubres.

Afin de mieux se représenter les conséquences néfastes de l'absence d'un rouble ayant une valeur réelle, en échange duquel on peut tout acheter, on peut citer un exemple concret. Imaginez que, dans un laboratoire de recherche, on ait inventé un appareil permettant d'améliorer considérablement l'efficacité et la qualité de toute une branche de la production. On n'a plus qu'à le mettre au point, à le réaliser, à le tester, etc. Par ailleurs des commandes existent en provenance des entreprises de la branche à laquelle est destiné l'appareil. Celles-ci sont prêtes à payer et à apporter leur aide. Mais dans l'ancien système qui persiste, où le rouble n'a pas de réelle valeur, l'argent n'apporte rien. S'il veut continuer à se consacrer à cet appareil, le laboratoire a besoin de personnel supplémentaire. Pour cela, il ne faut pas seulement de l'argent, mais un fonds de salaires, d'une part, et, de l'autre, une autorisation d'embauche. Et puis, le laboratoire a peut-être aussi besoin de locaux supplémentaires. Mais impossible de louer des locaux : il faut également une autorisation. Pour fabriquer la première série d'appareils, des matériaux, de l'équipement vont être nécessaires. Tout cela doit être commandé à l'avance, car tout est réparti de façon centralisée, et il faut acheter certains matériaux à l'étranger, etc. Impossible de rien faire avec le rouble. On a besoin de ressources variées dont chacune est attribuée indépendamment de l'autre, et cette attribution s'accompagne de toutes sortes de difficultés – par exemple, obtenir l'accord des diverses instances. Si le rouble avait une valeur réelle et que l'on puisse tout acheter en roubles, il suffirait, pour fabriquer cet appareil, de calculer les dépenses à engager, puis de louer des locaux, d'acheter les matériaux et l'équipement, y compris à l'étranger (si le rouble est convertible), et les réalisations de la science et de la technique trouveraient beaucoup plus rapidement des applications dans le secteur productif. Le développement de notre mécanisme économique vise à rendre dès la fin de ce quinquennat une véritable valeur au rouble sur le marché intérieur. Le commerce de gros, remplaçant dans une large mesure l'approvisionnement centralisé, permettra que l'on achète sur le marché intérieur les matériaux et l'équipement nécessaires à la fabrication de l'appareil concerné. Les entreprises pourront louer des locaux moyennant finances, elles pourront consacrer une part de leurs liquidités à leurs fonds de salaires et embaucher de nouveaux salariés. Et, comme on le sait, il a été décidé, lors du plénum du Comité central de juin 1987, de rendre le rouble convertible, en premier lieu sur les marchés des pays socialistes, puis sur le marché mondial. On en crée dès aujourd'hui les conditions dans le cadre de la réforme économique.

Premièrement, la convertibilité du rouble sur notre marché interne est une condition très importante. Il s'agit en fait de la possibilité d'acquérir librement en devises diverses ressources, de faire jouer à la monnaie son véritable rôle, à savoir qu'elle ait une équivalence universelle, qu'elle soit une unité de valeur et une unité d'échange. Deuxièmement, au cours de la réforme des prix et de la formation des prix qui aura lieu dans notre pays en 1990, nous rapprocherons le niveau et le rapport des prix internes de ceux des prix mondiaux. Pour la première fois, les prix relèveront d'une structure unifiée. J'attire l'attention sur l'unification des prix dans les divers secteurs parce qu'aujourd'hui, nous ne disposons pratiquement pas d'un tel système. Nous avons établi les prix des diverses catégories de marchandises à différentes périodes, et sur la base de principes différents, de sorte qu'ils sont incompatibles entre eux. Ainsi, nous avons vu que les prix d'État de détail de la viande et des produits laitiers avaient été pour la dernière fois révisés en 1962. Mais les prix d'achat par l'État pour ces mêmes denrées, ont, eux, été ensuite révisés en 1965 et en 1982. De sorte que les prix d'État au détail, pour le pain, la viande et les produits laitiers, sont aujourd'hui inférieurs au coût de production de ces denrées et sont subventionnés annuellement par le Budget, à raison de plus de 60 milliards de roubles. En outre, cette somme provient, pour une grande partie, de l'impôt sur le chiffre d'affaires versé par le secteur des biens manufacturés, qui, eux, sont à des prix anormalement élevés.

Les prix des combustibles et des matières premières sont de deux à deux fois et demie inférieurs aux prix mondiaux, alors que ceux de certains articles finis, en particulier dans l'industrie chimique et les constructions mécaniques (surtout pour la production de l'industrie électronique) dépassent le niveau mondial. Toutes ces différences non fondées dans les prix seront autant que possible éliminées lors de la réforme des prix. En même temps, le processus de la formation des prix se modifie : la part des prix établis de façon centralisée diminuera considérablement, au profit de celle des prix libres et contractuels. Le mouvement de ces derniers permettra de refléter de mieux en mieux, dans la formation de nos prix, la dynamique des prix mondiaux. Quant à ceux qui demeureront fixés de manière centralisée, ils seront, eux aussi, systématiquement réexaminés, et les conditions de leur formation sensiblement modifiées. Ils seront réexaminés au moins au moment de l'élaboration du nouveau Plan quinquennal et plus souvent si nécessaire.

Avec l'instauration de notre nouvelle politique de formation des prix, nous adopterons le système mondial des taxes douanières, et gommerons ainsi encore plus les différences dans la pratique des prix entre notre pays et les autres. Afin de créer les conditions de la convertibilité du rouble, il convient en troisième lieu d'améliorer tout le système de nos relations économiques extérieures. Il nous faut mieux nous insérer dans la division internationale du travail et développer le rôle de notre pays dans le commerce mondial. Il faudra améliorer la balance des paiements, renforcer la compétitivité des marchandises soviétiques et, par là même, les performances de nos exportations, en augmentant sensiblement la part des produits finis et en mettant l'accent sur la coopération. En même temps, il faudra que nos importations soient plus efficaces, elles devront comporter moins de denrées alimentaires, de produits de la métallurgie, d'équipements standards et plus de technologies nouvelles et de biens de consommation, afin de saturer notre marché.

Parmi les conditions économiques qui peuvent préparer à la convertibilité du rouble, un grand rôle revient à la participation active de notre pays au marché financier international. Jusqu'à présent, nous avons surtout contracté des emprunts et remboursé des crédits. Dans l'avenir, le rôle de l'URSS sur le marché financier doit se modifier. Nos banques doivent pouvoir être créditrices, et des emprunts soviétiques pourront être lancés à l'étranger.

Une importante orientation de notre politique économique extérieure, qui nous rapproche également de la convertibilité du rouble, est la création de sociétés à capital mixte, tant sur le territoire de l'URSS que dans les autres pays. L'activité même de ces sociétés exigera que l'on rende le rouble convertible : ne pas le faire reviendrait à entraver considérablement leur fonctionnement, car elles manqueraient alors grandement de souplesse et d'efficacité. D'autre part, la création de sociétés mixtes dans d'autres pays permettra de développer l'introduction des capitaux soviétiques à l'étranger, en vue de renforcer la situation financière de notre pays sur le marché mondial. A l'heure actuelle, il existe, en dehors de nos frontières, – nous l'avons déjà vu –, environ 120 compagnies avec participation soviétique, dont plusieurs banques (la Moscow Narodny Bank à Londres, la

Banque du Danube à Vienne, la Banque commerciale pour l'Europe du Nord à Paris, etc). Leur activité doit elle aussi être sensiblement développée. Et les efforts des banques soviétiques pour organiser divers consortiums et sociétés conjointes avec les banques étrangères iront dans ce sens. Ce processus sera facilité par le fait qu'on a créé en URSS nombre de banques nouvelles : il ne s'agit pas seulement d'établissements spécialisés comme l'Agrobank ou la Promstroïbank, qui sont appelées à réaliser, dans l'avenir, de façon autonome, des opérations économiques vers l'extérieur ; des banques par actions ont également vu le jour (les actionnaires en sont les grandes banques spécialisées ou d'autres organisations intéressées) et on instaurera un système de banques commerciales, de banques coopératives, etc. Je pense que, dans l'avenir, on autorisera beaucoup de ces établissements à être présents sur le marché financier mondial.

Et il existe encore une condition, la quatrième dans notre liste, à la convertibilité du rouble. Il s'agit de l'adhésion de l'URSS à diverses organisations économiques, internationales – et, avant tout, à des organisations liées au commerce, aux finances et au marché des devises.

L'URSS est l'un des initiateurs des organisations économiques internationales de l'ONU – principalement, le Conseil économique et social, la Conférence de l'ONU sur le commerce et le développement, le Programme de développement de l'ONU, l'Organisation de l'ONU pour le développement industriel – et participe à leurs activités. L'URSS a été dans l'après-guerre parmi les pays fondateurs du programme des relations financières internationales et avait participé à la conférence de Bretton Woods en 1944. Plus tard, en désaccord avec la tentative des États-Unis de placer ces organisations sous leur tutelle, notre pays a cessé de prendre part à leur activité, et n'a pas adhéré, pas plus que les autres pays socialistes, au GATT, au FMI et à la Banque mondiale. Dans le contexte actuel, tandis que nous visons à ce que notre pays s'insère mieux dans la division internationale du travail, et dans la perspective de la convertibilité du rouble, nous réexaminons notre attitude à l'égard de ces organisations. L'URSS ne peut d'ailleurs ignorer le fait que la Roumanie (1970), la Hongrie (1982) et la Pologne (1986) y sont déjà présentes.

L'ÉCONOMIE SOVIÉTIQUE S'OUVRIRA-T-ELLE ?

En août 1986, l'Union soviétique a demandé à participer aux pourparlers commerciaux dans le cadre du GATT qui se déroulaient en Uruguay, afin de faciliter l'adhésion de l'URSS à cet organisme. Mais, en raison de l'attitude négative des États-Unis, cette requête a été repoussée. Cependant, nous continuons à nous préparer à entrer dans le GATT et nous conformons notre mécanisme de commerce extérieur à ses règlements. Il a été décidé, en particulier, de renouveler et de rendre plus efficaces les tarifs douaniers soviétiques, afin qu'ils influent, sur le marché intérieur, sur la formation des prix des marchandises importées. A dater du 1er janvier 1991, l'URSS adoptera le système harmonisé de description et de codification des marchandises destinées au commerce international recommandé par le GATT. En même temps, on met au point, selon la pratique des autres pays, un système d'instruments non tarifaires de relations économiques extérieures : licences, quotas, standards, normes écologiques et sanitaires, règlements des opérations en devises, etc. Par l'arrêté du Conseil des ministres de l'URSS, *Du développement ultérieur de l'activité économique extérieure* adopté en décembre 1988, divers ministères se voient chargés d'élaborer un nouveau règlement douanier, de pratiquer (depuis le 1er janvier 1989) un système de mesures réglementant les aspects non tarifaires de nos échanges commerciaux avec l'étranger et d'accélérer la mise au point de la statistique douanière. Tous ces instruments sont prévus par le GATT, et ils seront mis au point de façon à favoriser le développement des relations économiques extérieures, à condition que les autres parties progressent de même sur cette voie mutuellement avantageuse. En même temps, en cas de mesures discriminatoires, de la part de certains États, à l'égard de notre pays au niveau du commerce, les tarifs et les instruments non tarifaires seront utilisés comme mesures de rétorsion.

La réalisation d'un accord de coopération de l'URSS avec la CEE revêt également une grande importance. L'URSS aborde ces pourparlers avec une vision très large, en s'orientant selon la ligne politique de la « maison européenne commune ». Le projet d'accord avec la Communauté européenne proposé par notre pays comprend non seulement des questions de commerce extérieur, en particulier le principe de la clause de la nation la plus favorisée et les accords non tarifaires, mais également des questions de coopération concernant l'industrie, la recherche, la technique, les investissements, l'échange d'informations, les opérations financières, les règlements sur la concurrence, la procédure des consultations, les expositions, la réglementation du travail des hommes d'affaires, etc. On se propose de créer une commission mixte URSS-CEE pour veiller à l'exécution de l'accord et rechercher de nouveaux secteurs de coopération.

On sait qu'un accord de principe est déjà acquis depuis peu sur la coopération entre la CEE et le Comecon. Les pourparlers bilatéraux CEE-URSS se déroulent également avec succès.

La question de l'établissement d'une interaction entre l'URSS d'une part, le FMI et la Banque mondiale d'autre part, est une question de principe. Je pense que ce processus se développera progressivement ; on pourrait l'engager en activant la coopération, tout d'abord au niveau des recherches, des rencontres, d'experts sur les problèmes présentant un intérêt commun. Par la suite, à mesure que les conditions seront réunies, ces relations peuvent devenir plus étroites, jusqu'à l'adhésion de l'URSS à ces organismes.

Le rouble peut devenir convertible sur le marché mondial si l'activité économique extérieure de l'URSS et des autres pays socialistes n'est soumise à aucune limitation ni discrimination artificielle, si la sécurité économique de tous les États est assurée. C'est dans ce dessein que l'URSS a élaboré une conception de cette garantie de la sécurité économique au niveau international, qui a été présentée à l'examen de l'ONU. Les propositions soviétiques prévoyaient de libérer les rapports économiques internationaux de tout ce qui les complique, de créer un climat favorable dans lequel chaque pays pourra trouver un avantage optimal à participer à la division internationale du travail et courir un minimum de risque. L'URSS se prononce pour l'établissement dans le monde d'un ordre économique prévoyant la solution des problèmes globaux complexes qui se posent à l'humanité. Nous voyons la possibilité d'établir la sécurité économique internationale en engageant des pourparlers auxquels participeraient tous les États intéressés, sans prétendre à obtenir des avantages quelconques pour eux-mêmes, et en tenant compte de l'apport positif possible de chaque pays. Selon nous, la sécurité économique internationale est partie intégrante du système global de sécurité internationale, qui touche également aux domaines militaire, politique et humanitaire.

Alors que nous nous fixons la tâche de rendre le rouble convertible, la question de l'évolution en perspective du système monétaire international, où notre rouble doit occuper sa place le temps venu, revêt une importance de principe. Comme on le sait, l'accord de Bretton Woods sur la réglementation des cours des monnaies qui proclamait le dollar comme étalon international, avec une valeur or fixe, devint pratiquement caduc après l'instauration du libre cours de l'or, et par conséquent la disparition de la valeur or stable du dollar. Le monde est entré dans un système de cours flottants, et, bien que la part des États-Unis sur le marché mondial – et, d'une manière plus générale, dans l'économie mondiale – se soit considérablement réduite et alors qu'elle continuera, sans doute, à diminuer, le dollar demeure jusqu'à présent la monnaie dominante, même si son rôle s'affaiblit d'année en année.

Citons à ce propos quelques données statistiques. La part des États-Unis dans le PNB des pays capitalistes développés est passée, on le sait, de 53 % en 1960 à moins de 40 % à l'heure actuelle, et celle de l'Europe occidentale, dans le même temps, de 35 % à près de 40 %. De sorte que le PNB de la Communauté européenne est presque égal à celui des États-Unis. La part du Japon dans le PNB des pays capitalistes développés s'est élevée de 5 % en 1960 à environ 17 % aujourd'hui. Comme on le voit, elle est encore de deux fois et demie à trois fois inférieure à celles de l'Europe occidentale et des États-Unis.

La place des États-Unis dans le commerce des pays capitalistes a également reculé. Depuis 1960, par exemple, la part des États-Unis dans les exportations est tombée de 24 à 15 %, alors que celle de l'Europe occidentale passait de 56 à 60 %, et celle du Japon de 5 à 15 %. De sorte que récemment, le Japon a dépassé les États-Unis pour le volume du commerce extérieur. L'affaiblissement du rôle du dollar est également lié à l'augmentation de la dette extérieure des États-Unis. Il suffit de dire qu'en 1987 la balance des paiements des États-Unis enregistrait un déficit de 156 milliards de dollars, alors que le Japon dégageait un solde positif de 36 milliards de dollars, et l'Allemagne fédérale de 86 milliards de dollars. Le rôle du dollar comme monnaie de réserve mondiale s'est également affaibli, parce que le cours du dollar, après que les États-Unis eurent refusé, de 1971 à 1973, de soutenir le cours de l'or au niveau de 1944 à 35 dollars l'once, a été très instable. En dix ans, de 1970 à 1980, il a baissé d'un quart, augmentant de nouveau considérablement de 1980 à 1985 – au total, de plus d'une fois et demie –, pour, à partir de mars 1985, recommencer à tomber. Actuellement, il oscille aux environs du niveau de 1980. Il aurait pu baisser beaucoup plus si les banques des pays développés ne l'avaient maintenu artificiellement à ce niveau, afin de soutenir la rentabilité de leurs activités économiques extérieures. Mais il ne faudrait pas pour autant sous-estimer l'énorme puissance économique des États-Unis. Ils produisent tout de même environ 40 % du PNB global des pays capitalistes développés et concentrent plus de la moitié du potentiel scientifique et technique de ces pays. Derrière le dollar se trouvent non seulement la puissance du pays qui l'a engendré, mais aussi sa propre histoire en tant que monnaie dominante du monde capitaliste pendant une longue période. Et, bien que sa part dans les réserves monétaires diminue sans cesse, elle demeure tout de même prédominante : de 77 %, en 1976, elle était encore de 67 % en 1986, celle du Deutsche Mark et du yen réunis passant, pour cette même période, de 11 à 22 %. Mais il n'y aura pas, à mon avis, de retour à une devise mondiale unique qui serait le dollar.

Je pense que peu à peu se formeront d'importantes zones monétaires et que, à l'intérieur de ces zones, l'intensité des liens commerciaux sera beaucoup plus grande qu'en dehors de celles-ci. On abolira à l'intérieur les barrières douanières et autres, et les capitaux, les marchandises et la main-d'œuvre y circuleront plus librement. En même temps, chacune de ces zones se protégera contre le flux des marchandises et des capitaux extérieurs, mais il est possible que, progressivement, elles deviennent plus libérales à cet égard. On peut énumérer les zones suivantes : premièrement, la zone américaine, dont la principale monnaie est le dollar ; deuxièmement, la Communauté européenne, où les principales devises sont l'écu et le Deutsche Mark ; troisièmement, le Comecon, où la principale devise est le rouble ; quatrièmement, la région Asie-Pacifique, où la principale devise est le yen.

Si l'on prend l'état actuel du commerce mondial, chacune de ces entités régionales exporte et importe des marchandises dans des pays tiers pour une somme de 200 à 300 milliards de dollars. Entre ces zones existent des accords, et dans l'avenir elles mettront sans doute au point une attitude commune envers les cours des devises, en vue d'établir une certaine stabilité.

Selon quelle procédure peut-on imaginer la marche du rouble vers la convertibilité ? Je pense que, après la réforme des prix et le rapprochement du niveau et du rapport des prix internes de la pratique mondiale, on pourra instaurer la convertibilité interne du rouble, avec la possibilité de l'échanger contre d'autres monnaies. On peut accorder, pour commencer, cette possibilité aux entreprises et aux organisations en fonction du cours réel établi dans le pays. Bien entendu, pour se décider à une telle mesure, il faut affirmer nos relations économiques extérieures, avoir une balance des paiements favorable, des sources stables de recettes à l'exportation ; tout cela est, selon moi, réalisable.

Aujourd'hui, comme on le sait, il existe des taux de change différents. Il s'agit non seulement de les remplacer par un taux unique, mais de garantir un libre change du rouble en devises en fonction de ce taux. Et le rouble, à ce moment-là, aura une valeur réelle, on pourra acheter en roubles les principaux moyens de production nécessaires, etc. En même temps, les entreprises et organisations qui auront besoin de devises pourront en acheter contre des roubles. Le cours de notre monnaie et des autres devises doit être établi et défini de façon que la demande et l'offre s'équilibrent sur ce marché.

On peut aborder de deux façons la formation de ce marché interne des devises : soit on pratique un taux de change stable fixé par l'État, soit on a un cours flottant du rouble et des autres devises, compte tenu de l'offre et de la demande. Dans le dernier cas, il convient de créer une Bourse des changes. Je pense que, pour une économie planifiée, il faut préférer la première voie, d'autant que l'État dispose d'importantes réserves en devises, puisque le commerce des principaux combustibles et matières premières (et cela représente une partie importante des devises convertibles et des devises des pays socialistes) est effectué par les organisations de commerce extérieur d'État et que la quasi-totalité de ces devises constitue le fonds de devises centralisé de l'État. L'État peut utiliser ce fonds pour réguler et soutenir l'offre et la demande sur le marché des devises au cours instauré par lui. Quand les conditions économiques auront sensiblement changé, il pourra modifier lui-même ce cours, s'il le juge nécessaire. Une telle pratique a été, rappelons-le, expérimentée en Hongrie et s'est révélée, à mon avis, très efficace.

La deuxième voie a été adoptée, en particulier, par la Pologne, qui se prépare à instaurer une Bourse des changes.

Dans l'arrêté du Conseil des ministres *Du développement ultérieur de l'activité économique extérieure...*, de décembre 1988, on prévoit l'établissement, à partir du 1er janvier 1991, d'un nouveau cours des devises devant être utilisé dans les opérations économiques extérieures.

Avant cela, il est prévu d'augmenter de 100 %, à dater du 1er janvier 1990, le cours des valeurs convertibles par rapport au rouble. Si, par exemple, selon le cours officiel soviétique, 1 dollar équivaut à 0,6 rouble, à partir de 1990, il sera changé contre 1,2 rouble. Les cours des autres devises seront modifiés en conséquence.

Afin de développer l'esprit d'initiative socialiste, les entreprises, coopératives et autres organisations auront la possibilité de vendre et d'acheter des devises en échange de roubles lors de ventes aux enchères organisées par la Banque du commerce extérieur de l'URSS (Vneshekonombank). Je pense que de telles ventes ne constituent qu'une mesure transitoire, avant d'aboutir à un cours unique interne des devises, réglementé par l'État.

En ce qui concerne la seconde voie, la création d'une Bourse des devises, c'est également, en principe, une possibilité. Cela existe en Chine, et l'on peut y changer des yuans externes contre des yuans internes. Les organes d'État ont ainsi le moyen, dans une certaine mesure, d'agir sur la dynamique des cours et sur la Bourse.

Pour ce qui est de l'URSS, le processus de convertibilité du rouble s'étendra au marché international socialiste, et ce sera le premier pas vers la convertibilité externe.

Le mécanisme de l'intégration économique socialiste et de l'activité du Comecon a besoin – l'URSS et les autres pays socialistes en sont convaincus – d'une sérieuse restructuration. Il doit se produire un rapprochement du système de formation des prix et de la convertibilité mutuelle des devises nationales. Sur cette base, le marché uni des pays membres du Comecon se réduira peu à peu et se transformera avec le temps en zone de libre échange et peut-être d'union douanière entre les États concernés. De sorte que la convertibilité du rouble en priorité sur les marchés socialistes semble une chose réelle.

Tout cela permettra, à plus long terme, de rendre le rouble convertible sur le marché mondial. On aurait, bien sûr, envie de rapprocher cette date ; cela, cependant, ne dépend pas seulement de l'URSS, mais aussi des autres pays et des organisations économiques internationales. En tout cas, la convertibilité interne du rouble et des devises étrangères se répercutera sur l'activité des sociétés à capital mixte ; de même que la convertibilité du rouble sur les marchés des pays socialistes permettra de surmonter en grande partie les limitations qui affectent encore, actuellement, notre activité économique extérieure. Le fait est que, pour le moment, nos échanges commerciaux avec certains pays revêtent plutôt un caractère de leasing et que, en corollaire, les avantages que pourraient nous procurer nos relations commerciales multi-latérales sont sous-exploités. Encore plus que d'un marché interne équilibré, c'est d'une couverture en devises que nous avons besoin. A l'aide du taux unique de convertibilité interne, on pourra inclure la couverture en devises dans le bilan global et se débarrasser de cette limitation, aussi bien pour les entreprises étrangères que pour les entreprises mixtes.

De sorte que la convertibilité du rouble, même interne, sera dans les premiers temps un puissant stimulant pour le développement de nos relations économiques extérieures.

L'importance pour un État de la mise en place de la convertibilité de sa monnaie nationale est inestimable. Un éminent homme politique de la Russie d'avant la Révolution, le comte de Witt, qui fut pendant des années Premier ministre et s'occupa beaucoup des problèmes financiers, écrivait dans ses Mémoires : « Le prestige d'un État ne se mesure pas au nombre de ses soldats ni à la puissance de feu de ses canons, mais à la stabilité de sa monnaie. » La convertibilité est la reconnaissance internationale d'une monnaie nationale.

Annexe

TOUR D'HORIZON STATISTIQUE
DE TROIS ANNÉES DE PERESTROÏKA

Le but principal de la restructuration de notre économie est de résoudre les problèmes sociaux urgents, d'améliorer le niveau de vie du peuple soviétique, de donner une qualité nouvelle au mode de vie socialiste. A la différence des autres pays du monde, qui sont loin en avant en ce qui concerne le niveau de vie et vivent souvent au-dessus de leurs moyens, l'URSS se trouve dans une situation unique, où le niveau de vie de la population est faible en regard de l'énorme potentiel économique du pays, du niveau de développement de la science et de la technique. L'hypertrophie des dépenses productives, des normes d'accumulation, les pertes énormes et les possibilités non utilisées sont les traits caractéristiques de notre économie. C'est pourquoi l'estimation des résultats de notre gestion doit se faire en premier lieu d'un point de vue social.

Depuis le début du XIIᵉ quinquennat, nous sommes parvenus à ce que les allocations budgétaires au secteur social ne soient plus soumises au principe résiduel et que priorité y soit donnée. Si auparavant, les investissements productifs augmentaient plus vite que les investissements dans ce secteur, celui-ci bénéficie, dans le cadre de la perestroïka, d'une nouvelle répartition des ressources. En 1986-1987, les investissements productifs ont augmenté de 10 % et les investissements non productifs, de 18 %.

Cela a permis de briser la tendance à la stagnation dans la *construction de logements et d'infrastructures de services.* De 1960 à 1984, la construction de maisons d'habitation n'a pas augmenté, et s'agissant du nombre de mètres carrés construits par habitant, la baisse a même atteint 30 %. Ce n'est qu'après le plénum du Comité central d'avril 1985 que le volume de la construction de logements, y compris par habitant, a commencé à augmenter. En 1987, on a enregistré un progrès d'environ 15 % sur 1985, et, l'année suivante, on a construit à peu près autant. Le parc a vu sa qualité quelque peu améliorée, bien qu'il ne se soit pas produit, là, de changements fondamentaux dans la période écoulée. De même que pour le logement, on est parvenu à sortir de la stagnation en ce qui concerne la construction d'établissements préscolaires, d'écoles, d'établissements dans les secteurs de la santé et de la culture.

On a considérablement augmenté les allocations budgétaires au secteur social, et principalement à la santé et à l'éducation ; les traitements des enseignants et des personnels de santé ont été revalorisés de 30 à 40 %. Avec d'autres mesures, cela a mené à une certaine amélioration de la qualité de l'enseignement et de la santé.

Les indicateurs de la *santé de la population* se sont, on le sait, détériorés de 1960 à 1984. La mortalité était passée de 7,1 à 10,8 ‰ ; l'espérance moyenne de vie avait diminué, passant de 70 à 67,7 ans. Des tendances négatives que l'on voit de nouveau s'inverser : la mortalité était de 9,9 ‰ en 1987, et la durée moyenne de vie, remontée à presque 70 ans. Cette amélioration des indicateurs de la santé de la population est directement liée à la réduction de la consommation d'alcool. La mortalité des personnes en âge de travailler a diminué de 20 % par rapport à 1984, et celle des hommes de cet âge, à la suite d'accidents, de 37 %. Il faut noter que cette amélioration n'a été constatée qu'en 1985 et 1986, alors que s'est produite une baisse de la consommation des boissons alcoolisées provenant à la fois de la réduction des ventes dans le commerce d'État et de la diminution de la consommation d'alcool clandestin (ce dont on peut juger par la réduction de 2 kilos par an de la consommation de sucre au cours de ces deux années). A la suite d'erreurs commises dans la lutte contre l'alcoolisme que l'on a déjà mentionnées, la mortalité de la population a de nouveau augmenté en 1987 (passant de 9,8 à 9,9 ‰) et la durée moyenne de vie ne s'est pas accrue en 1987.

Malgré les succès indubitables dans le développement de la construction de logements et d'infrastructures sociales, une certaine amélioration dans le domaine de l'enseignement et de la santé, les besoins de la population dans ces domaines sont loin d'être satisfaits, et nous continuons d'enregistrer un retard catastrophique par rapport aux pays développés. Un habitant de l'URSS disposait en moyenne, en 1987, de 15,2 mètres carrés de surface habitable, ce qui est de deux à trois fois inférieur aux indicateurs moyens des pays capitalistes développés. En outre, la plus grande partie des logements appartenant aux citoyens (qui constituent 40 % du parc), et le dixième des logements du secteur d'État ne disposent ni de l'eau courante, ni du tout-à-l'égout, ni du chauffage central, sans même parler du gaz, de l'eau chaude et du téléphone (28 % seulement des familles en ville et 9 % à la campagne disposent de ce dernier).

Le retard est également énorme en ce qui concerne les indicateurs de santé. La mortalité infantile, en particulier, dépasse, en URSS, 25 ‰, contre 6 à 10 ‰ dans les pays développés. La durée moyenne de vie chez nous n'atteint pas encore les 70 ans, alors qu'elle est de 74 à 78 ans dans ces pays. Ce qui a été réalisé par la perestroïka en trois ans dans le secteur social n'est donc, on s'en rend compte, qu'un timide début, et il est indispensable que nous poursuivions dans ce sens.

En ce qui concerne la *consommation de biens et de services,* les résultats sont plus que modestes. Celle-ci a augmenté de 5,7 % en 1986, de 3,3 %

en 1987 et de 7 % en 1988. Au cours des deux premières années du quinquennat, le volume du commerce de détail (vente des boissons alcoolisées non comprise) s'est accru de 10,5 % et, en 1988, de 7,1 % ; celui des services payants, de 19,2 % en 1986-1987, et de 17 % en 1988. Les deux premières années, les revenus réels par tête, selon les calculs du Comité d'État aux statistiques, ont augmenté de 4,6 % et, en 1988, de 3,5 %.

Lorsque l'on examine tous ces indicateurs calculés en prix constants, il faut considérer que l'URSS connaît une inflation cachée, y compris en ce qui concerne le marché de la consommation. La statistique existante, qui s'oriente sur une liste de prix, ne tient pas compte des augmentations réalisées à la suite d'un changement d'assortiment, de l'« évaporation » des marchandises bon marché et de l'augmentation de la part des marchandises plus chères. Selon des calculs, cette inflation cachée atteindrait de 3 à 4 % par an. Compte tenu de ces correctifs, la croissance réelle de la consommation de biens et de services se serait montée à environ 2 % en 1986, restant stable en 1987 et augmentant un peu plus en 1988.

Pour ce qui est de la *consommation de produits alimentaires,* on enregistre une légère amélioration en ce qui concerne la viande (+ 2 %), le lait (+ 5 %), les œufs (+ 4 %), l'huile (+ 3 %). En même temps, on ne constate pas d'augmentation de la consommation de poisson, et celle de fruits et de légumes a diminué par rapport à 1986, celle de pain a également légèrement baissé alors que celle de pommes de terre a augmenté par compensation, ce qui montre qu'il ne s'est pas produit de changements qualitatifs dans l'alimentation de la population.

La demande de cette dernière en viande, en produits laitiers, en fruits et en légumes a été mal satisfaite par le commerce d'État.

La faiblesse de l'amélioration dans l'approvisionnement alimentaire de la population est liée à l'insuffisance du développement de l'agriculture. Le volume de la production de ce secteur n'a augmenté qu'en 1986 (+ 5 % par rapport à 1985) ; en 1987, il a pratiquement stagné. Le volume de la production de l'industrie alimentaire s'est accru également de 5 % en 1986, et de 4 % en 1987. En 1988, la production agricole n'a progressé que de 0,7 %.

Lorsqu'on analyse l'influence des indicateurs agricoles sur l'approvisionnement alimentaire de la population, il faut également considérer qu'en 1986-1987 l'URSS a réduit ses achats de céréales, de viande et de produits laitiers à l'étranger.

Pour l'ensemble de la consommation des produits alimentaires, l'Union soviétique fait partie des quinze premiers pays du monde, alors que, pour les conditions de logement, la lutte contre la mortalité infantile, le développement du secteur des services et l'approvisionnement en biens de consommation durable et de nombreux autres indicateurs, nous figurons à peine parmi les cinquante de tête. Mais malgré ce niveau assez élevé de consommation alimentaire de la population, l'organisation de l'approvisionnement est si mauvaise que l'on enregistre une importante insatisfaction de la demande, d'énormes différences régionales, un manque de choix, et certaines denrées sont de mauvaise qualité. Il en résulte qu'à côté des efforts à faire pour accélérer le développement de l'agriculture et de l'industrie alimentaire – ce qui est nécessaire non seulement pour parvenir à un meilleur approvisionnement, mais aussi pour réduire le plus possible les importations en denrées ordinaires –, nous devons nous attacher à réorganiser tout le secteur alimentaire. Il s'agit de rétablir des prix convenables, de disposer d'un large éventail de produits de qualité et d'améliorer en profondeur la restauration, les transports, le stockage et la vente des biens alimentaires. Des dizaines de pays qui possèdent des ressources moins importantes que les nôtres pour nourrir leur population en usent de manière plus rationnelle, leurs magasins sont pleins de marchandises variées et la population dispose d'un large choix dans toutes les régions.

En ce qui concerne l'*approvisionnement en biens de consommation industriels,* les progrès réalisés au cours des premières années du XIIᵉ quinquennat ont été tout à fait insuffisants. En 1986-1987, le volume de la production de biens de consommation (secteur B de l'industrie) a augmenté de 7,8 % – 3 % seulement pour l'industrie textile, et 1 % pour le prêt-à-porter. En 1988, les taux d'accroissement de la production des biens de consommation ont été de 5,1 % – 4,3 % pour l'industrie textile. En ce qui concerne cette dernière, le principal problème n'est pas la quantité, mais le choix et la qualité. Nous occupons depuis longtemps le premier rang mondial pour la production globale par habitant de tissus et de chaussures. Mais la demande n'est pas satisfaite, car l'assortiment et la qualité des marchandises produites ne correspondent pas à ce que souhaite la population. Cela concerne également dans une large mesure la production des biens de consommation courants, tels que les téléviseurs, les réfrigérateurs, les lave-linge, divers appareils électriques, et si leur production est dans l'ensemble suffisante, la qualité et l'assortiment ne correspondent pas non plus à la demande.

Ces dernières années, la production de *nouveaux biens d'usage durable* augmente rapidement dans le monde : il s'agit des magnétoscopes, des ordinateurs personnels, des climatiseurs, etc. Dans ce domaine, notre production est de plusieurs dizaines de fois inférieure à ce qu'elle devrait être, et il faut que nous fassions là des efforts particuliers, y compris avec la participation du capital étranger, pour redresser la situation. La même chose vaut également, et dans une plus grande mesure encore, pour l'industrie automobile. Selon les normes d'Europe occidentale, nous devrions produire environ 10 millions de voitures par an, et nous n'en produisons que 1,3 million. Dans les pays développés, celles-ci représentent de 10 à 15 % des dépenses de la population, et en URSS, 1 %. Pour assurer à l'avenir un équilibre entre l'offre et la demande, il conviendrait de développer sur une grande échelle (là aussi, avec participation du capital étranger) la production d'automobiles de tourisme, en créant plusieurs modèles d'un prix accessible.

En raison de l'accroissement sensible de la construction de logements, le développement de l'industrie du meuble se révèle insuffisant et en quantité et en qualité. La vente de meubles, même en tenant compte d'importations considérables en 1986-1987, n'a augmenté que de 10 %, et, en 1988, de 8 % alors qu'on construisait chaque année 15 % de logements en plus.

Dans l'ensemble, notre retard est beaucoup plus grand pour la production de biens de consommation non alimentaires que pour les biens alimentaires. Le retard est davantage encore lié à l'assortiment et à la qualité des marchandises. Les causes sont à rechercher dans le fait que les entreprises qui produisent ces biens accusent un grand retard au niveau technique et qu'elles ne se sont pas assez développées. Jusqu'à ces derniers temps, on leur attribuait trop peu d'investissements et de ressources en devises pour qu'elles puissent assurer leur modernisation. Lorsque les normes économiques sont établies, on prévoit un prélèvement budgétaire beaucoup trop lourd sur le profit de ces entreprises, qui ne disposent plus, ainsi, des sommes nécessaires pour développer leur production, améliorer leurs équipements et leurs infrastructures sociales. On a pris conscience de ces lacunes, et on est décidé à y remédier par des mesures appropriées. Il serait souhaitable, par ailleurs, que l'on complète ces mesures, qui seront prises de manière centralisée, en renforçant aussi la stimulation.

Le taux de croissance du *secteur des services* a doublé par rapport au quinquennat précédent. Cependant, d'une façon générale, ce secteur a encore trop peu progressé, et la demande reste, là aussi, insatisfaite. Pour arriver à un niveau de développement correct dans ce domaine, il faudrait pouvoir maintenir, au cours des prochaines années, des taux de croissance de l'ordre de 10 à 20 %.

Comme on le constate, nous n'avons pas encore obtenu de changements sensibles en ce qui concerne la production des biens de consommation. De nombreuses marchandises ne correspondent pas à ce qu'attend la population, et les files d'attente ne diminuent pas. *L'écart entre l'offre et la demande* ne se réduit pas. Au cours des deux premières années du quinquennat, la masse salariale a augmenté de 7 %, la rémunération du travail des kolkhoziens de 9 %, les paiements de transfert de 10,5 %. Pour tous les indicateurs concernant les rémunérations, les objectifs du Plan ont été dépassés ; mais la production des biens de consommation, le chiffre d'affaires du commerce de détail et des services restent en deçà, et l'écart dépasse donc ce qui était prévu par le XIIe Plan.

La réduction des achats de boissons alcoolisées dans le commerce d'État a également influé sur le déséquilibre des revenus et des dépenses de la population. On a déjà vu qu'après la seconde augmentation de prix, à nos yeux injustifiée, et les tentatives de réduire par des méthodes administratives la consommation de boissons alcoolisées, la baisse de ces achats dans le commerce d'État a été compensée par une croissance énorme de la fabrication clandestine d'alcool. En conséquence, l'État a perdu environ 8 milliards de roubles par an de chiffre d'affaires, mais il n'en est résulté aucun avantage. Au contraire, il y a eu pénurie de sucre, et le mécontentement a augmenté.

Les modifications dans le commerce extérieur de l'URSS ont également eu une influence négative sur le déséquilibre de l'offre et de la demande et sur la production de biens de consommation. L'importation de biens de consommation industriels, y compris d'articles textiles, a été réduite de plus de 10 %, alors que nos exportations, dans ce secteur, ont quelque peu augmenté. La suppression précipitée des coupons du Vnechposyltorg[1] a également créé une surcharge supplémentaire pour le commerce de détail.

N'ayant pas la possibilité de dépenser l'argent qu'elle avait gagné, la population a procédé à *une accumulation de moyens monétaires* dans des proportions jamais atteintes. Si, en moyenne, les dépôts dans les Caisses d'épargne avait augmenté de 13 milliards de roubles par an lors du quinquennat précédent, l'augmentation a été de 22 milliards en 1986, de 24, en 1987, et de 13, en 1988. Les bas de laine se sont également fortement gonflés, ce qui a provoqué une mise en marche de la planche à billets. La demande différée de la population a pris une tournure inquiétante : les gens ont en main, ou sur leurs comptes courants, assez d'argent pour acheter rapidement toutes les marchandises de qualité mises sur le marché, aussi les disproportions entre la demande solvable et sa couverture matérielle se sont-elles aggravées. A notre avis, faire en sorte que ces déséquilibres disparaissent et que le marché soit normalement approvisionné en biens et en services constitue, à l'heure actuelle, notre tâche la plus urgente pour résoudre le problème social.

Il ne serait pas juste de considérer le niveau de vie uniquement du point de vue des indices moyens de consommation de tel ou tel bien matériel. *La satisfaction des besoins de la société,* la possibilité pour les consommateurs de choisir lors de l'acquisition des biens matériels est très importante. Les pénuries sur le marché de la consommation, qui nous sont propres, privent pour beaucoup le consommateur de sa possibilité de choix, et s'accompagnent, en outre, d'un énorme gaspillage en temps passé dans les files d'attente et à la recherche des marchandises souhaitées. Ne trouvant pas ce dont ils manquent, les gens achètent autre chose, mais leurs besoins ne sont pas pour autant satisfaits. Par ailleurs, l'existence de pénuries repousse le seuil de sensibilisation, si bien que, lorsqu'une certaine amélioration intervient dans les conditions de vie, elle n'est pas forcément

---

1. Voir note p. 16.

perçue comme telle, s'inscrivant dans un contexte globalement négatif. Ce qui explique que la majorité des familles soviétiques, même si certains aspects de leur vie se sont améliorés, n'en ressentent pas de satisfaction. Elles ne voient pas ce qu'apporte réellement la perestroïka, puisque existent toujours les listes d'attente pour obtenir un logement, les pénuries en produits alimentaires et biens de consommation industriels, et que le secteur des services ne suffit toujours pas. Dans ces conditions d'insatisfaction, où les petits progrès ne sont pas ressentis, toute légère détérioration dans la couverture des besoins entraîne de vives réactions. Les gens réagissent mal, par exemple, à l'augmentation incontrôlée des prix liée à l'introduction des labels N et D [1], à l'écart croissant des prix entre le marché kolkhozien et le commerce d'État (en juin 1988, les prix du bœuf au marché étaient de 2,5 fois et ceux du mouton de 2,9 fois plus élevés que dans le commerce d'État, ceux des pommes de terre de 3,6 fois, ceux des légumes de 3,5 fois, ceux des pommes de 2,5 fois, etc.). En raison de l'affaiblissement du contrôle du niveau des prix, mais aussi de celui des prélèvements, on assiste à un processus spontané d'augmentation de toutes sortes de taxes, par exemple sur les automobiles, sur telle ou telle édition en souscription, etc. Les gens sont particulièrement agacés dans ce contexte par les prix élevés que pratiquent certaines coopératives. On ne voit poindre aucune politique de la part de l'État pour résoudre ces problèmes.

Si l'on examine le développement social conduit en trois ans, on peut conclure que des choses positives ont été réalisées dans ce secteur, mais qu'aucun progrès n'a été enregistré quant à la satisfaction des besoins, croissants, de la population, puisque l'écart entre l'offre et la demande s'est même élargi, et que la majorité des gens ne ressentent pas d'amélioration dans leurs conditions de vie. Tout cela exige donc que l'on élabore et mette en œuvre d'importantes mesures afin d'accélérer notre avancée dans ce domaine.

On enregistre néanmoins des progrès en ce qui concerne le développement et l'efficacité du secteur productif.

Le développement économique dans son ensemble s'est quelque peu accéléré : la croissance absolue de la production de l'industrie et de l'agriculture a augmenté d'un tiers par rapport à la période précédente, et la mise en service du capital fixe a plus que doublé. En outre, la part des facteurs intensifs dans cette évolution a quelque peu augmenté.

L'accélération de la croissance de la rentabilité de la production est due en premier lieu à *l'augmentation des rythmes de croissance de la productivité du travail*. La croissance moyenne annuelle de celle-ci dans l'industrie a été, entre 1986 et 1988, de 4,5 %, pour 3,1 % au cours du XIe quinquennat ; dans les exploitations agricoles collectives, de 5 % pour 1,5 % ; dans le bâtiment, de 6,1 % pour 1,6 %. Dans toutes les branches

---

1. Nouveauté, et articles à la mode *(NDT)*.

citées, les objectifs du Plan en ce qui concerne la productivité ont été dépassés. Cela a permis, pour la première fois, que toute la croissance de la production soit due à l'augmentation de la productivité, en particulier dans l'industrie. C'est pourquoi, pour la première fois également, l'ensemble de la main-d'œuvre supplémentaire arrivée sur le marché du travail en 1986 et 1987 a été dirigée vers le secteur des services. La productivité du travail a donc progressé plus rapidement que la rémunération de celui-ci, en 1986 en 1987, alors qu'au cours du XIᵉ quinquennat, dans l'agriculture, le bâtiment et les transports ferroviaires, le salaire moyen augmentait plus vite que la productivité. Ce rapport s'est également amélioré dans l'industrie. Cela explique en grande partie que les coûts aient aussi sensiblement baissé : au cours des deux premières années de la perestroïka, ils ont été 2,6 fois moindres dans l'industrie – et même 4 fois dans le bâtiment – par rapport au quinquennat précédent.

En 1988, par contre, les taux d'accroissement de la productivité du travail ont un peu progressé (4,7 % pour l'ensemble de l'économie nationale), l'augmentation du salaire moyen a été plus importante (7 %).

Des changements positifs ont été réalisés dans *l'utilisation du capital fixe productif :* la baisse de rentabilité du capital a été 2,5 fois moindre dans l'industrie et 2 fois moindre dans l'agriculture par rapport au XIᵉ quinquennat. Cependant, malgré cette amélioration, la diminution moyenne annuelle, en 1986-1987, a été de 1,3 % dans l'industrie et de 2 % dans l'agriculture. Les réserves d'amélioration sont loin d'avoir été toutes utilisées : de nombreuses entreprises ne fonctionnent pas à plein rendement, les plans de modernisation ne sont pas respectés, la construction de près de 30 % des installations prioritaires inscrites dans le Plan n'a pas été achevée.

L'utilisation des ressources matérielles s'est quelque peu accélérée. Si auparavant l'ampleur des chantiers inachevés et des équipements non installés augmentait systématiquement, en 1986-1987, elle s'est un peu réduite. Pour la première fois depuis les années 70, la croissance du volume de la production a dépassé l'augmentation des réserves, alors qu'auparavant, ces dernières augmentaient deux fois plus vite.

Le seul indicateur d'efficacité où l'on n'enregistre aucun progrès est *l'économie en ressources, combustibles, matières premières et matériaux.* En 1986-1987, les besoins supplémentaires en combustibles et en énergie électrique ont été satisfaits pour environ 57 % grâce à l'augmentation du volume de leur production. Ce taux est de 45 % pour le laminage de métaux ferreux. Cependant, selon les objectifs fixés par le Plan quinquennal, il était prévu de satisfaire de 65 à 70 % de la croissance des besoins en ressources grâce à l'abaissement des dépenses matérielles. Les affaires vont mal en ce qui concerne la réduction de la consommation d'énergie et de métal : elle n'est respectivement que de 1 % et de 1,4 %, chiffres inférieurs à ceux de la période précédente. La consommation de métaux dans l'ensemble de l'économie n'a diminué en 1986-1987 que de 0,1 % en moyenne annuelle, pour 0,5 % au cours des années du XIe quinquennat. Pis encore : en 1987, la dépense en matériaux n'a pas diminué du tout ; mais, en 1988, elle a été réduite de 1,5 %.

La non-exécution des objectifs en ce qui concerne une meilleure utilisation des ressources a rendu nécessaire d'accélérer le *développement des industries d'extraction ;* pour 1 % d'augmentation de la production de matières premières, le volume des produits de l'industrie de transformation a augmenté de 1,3 % en 1986-1987, soit 2 fois moins qu'au cours du XIe quinquennat. Cela a demandé une réorientation considérable des investissements vers les industries du secteur primaire. En partie grâce à ces investissements, mais surtout grâce à des mesures d'organisation, on est parvenu à mieux assurer le développement du secteur producteur de combustibles et d'autres matières premières, et à réduire les déséquilibres qui s'étaient accentués au cours du XIe quinquennat précédent en ce qui concerne la couverture des besoins de notre économie nationale en combustibles, en énergie électrique, en matières premières et en matériaux.

Une réalisation incontestable des deux premières années du XIIe quinquennat est d'avoir surmonté la chute de la production de pétrole enregistrée à la fin du précédent, et même d'avoir réussi à l'augmenter : 624 millions de tonnes, en 1988, pour 595, en 1985. On est également parvenu à vaincre la stagnation dans l'industrie houillère, et, depuis 1985, la production de charbon a progressé (772 millions de tonnes en 1988, pour 726, en 1985). La production de laminés, qui stagnait également, s'est élevée de 106 à 118 millions de tonnes, avec un développement parallèle de la production de tubes d'acier. On a réussi également à freiner la baisse de la production de bois d'œuvre, celle-ci étant passée de 281 millions de mètres cubes en 1985, à 297, en 1987.

La part des investissements dans le complexe énergétique, qui était de 12,9 % par an pendant le XIe quinquennat, se montait à 14,2 %, en 1987. Pour garantir la croissance prioritaire des investissements dans les branches extractives, il a fallu les réduire dans l'industrie chimique et dans la construction, et freiner leur progression dans les constructions mécaniques. En 1986-1987, ils ne s'étaient accrus que de 19 % dans ce dernier secteur, ce qui est inférieur aux objectifs du Plan. On injecte actuellement dans le complexe énergétique des investissements supérieurs de 50 % à ceux dont bénéficient les constructions mécaniques, et 3 fois supérieurs à ceux affectés plus particulièrement à la production de machines et d'équipements destinés à diverses branches de l'économie nationale. En conséquence, les objectifs de modernisation ne peuvent être atteints, et la production d'équipements augmente beaucoup plus lentement que prévu. Le développement hypertrophié de la fourniture en matières premières alourdit toute la structure de notre économie, la rendant obsolète, et constitue un véritable boulet pour son évolution.

Les *indicateurs témoignant de pertes croissantes* montrent que nous devons encore mieux exploiter nos capacités afin d'augmenter l'efficacité de l'économie nationale soviétique.

Les dépenses non productives et les pertes incluses dans les coûts de production ou dans d'autres lignes de dépenses ont augmenté de 30 % par rapport à 1985, et se montent à 22 milliards de roubles. Dont environ un tiers pour les pertes en temps de travail (15-20 % de pertes à l'intérieur d'une journée de travail ; 6-7 % de pertes par journées entières et 3-5 % de pertes diverses). L'économie nationale perd annuellement environ 45 milliards de roubles en raison de la charge incomplète des machines. Les pertes directes en ressources matérielles sous forme de déchets (chaque année, les déchets du secteur des constructions mécaniques se montent à 11 millions de tonnes de métaux, et le coefficient d'utilisation des métaux ferreux est de 0,72 %, pour 0,85 % aux États-Unis) sont également fort importants. Les pertes de bétail sont elles aussi considérables, représentant environ 1 million de tonnes de viande par an. Sur l'ensemble des pertes selon les estimations de l'Institut d'économie de l'Académie des sciences, 40 % sont enregistrées à la production, 20 % au cours du transport et du stockage, et 40 % chez le consommateur. En deux ans, nous n'avons fait pratiquement aucun progrès dans ce domaine.

L'indicateur global de l'efficacité du développement économique est la *qualité de la production*. Sans doute, grâce au contrôle d'État de la qualité et à d'autres mesures, s'est-elle quelque peu améliorée. Si l'on en juge par la compétitivité, pour la première fois, en 1986-1987, la part des machines et des équipements dans nos exportations a augmenté, alors qu'au cours des quinze années précédentes elle avait assez sensiblement diminué. Le coefficient de renouvellement de la production des constructions mécaniques s'est élevé. Si en 1985 on a retiré de la production 3,1 % des produits des constructions mécaniques, en 1987, ce chiffre était de 9 %. L'accroissement de la production dans ce secteur est dû, pour 30 %, à l'augmentation de la part faite aux produits de haute technicité.

Les indicateurs de renouvellement de la production des constructions mécaniques témoignent des progrès réalisés dans *l'accélération du progrès scientifique et technique*. Mais ces progrès ne font que s'amorcer. Les nouveaux produits, plus rentables, de cette branche ne sont pas encore parvenus au consommateur, et, par conséquent, n'ont pas encore eu de répercussions sur la rentabilité de l'ensemble de l'économie. On note que les nouvelles technologies sont toujours appliquées sans aucune politique d'ensemble au niveau des entreprises et des divers secteurs. Nous ne disposons toujours pas d'unions de recherche et de production, ni de complexes scientifiques et techniques intersectoriels, qui faciliteraient l'introduction des systèmes technologiques adaptés et cohérents dans les différentes branches. Chaque gestionnaire continue de se procurer ses équipements et ses machines, sans avoir la possibilité de s'adresser à des spécialistes qui le conseilleraient dans son choix.

En outre, les conditions pour une amélioration fondamentale de la qualité ne sont pas réunies tant qu'existent les pénuries, le diktat du producteur sur le consommateur, et tant que prévaut la répartition centralisée de la production. Le mécanisme économique ne fonctionne pas encore de façon à favoriser la fabrication de produits de qualité.

La réorientation de la production soviétique vers la satisfaction, en priorité, des besoins de la société est la tâche principale qui s'impose. Il ne suffit pas pour cela d'instaurer de façon plus ou moins formelle dans les entreprises l'autonomie comptable intégrale, l'autofinancement et l'autogestion. Il faut encore donner à celles-ci le choix de leur production, et, pour cela, il convient de réduire au minimum les commandes d'État, qui, pour le moment, jouent le rôle de l'ancien plan directif. Il faut également remplacer la répartition centralisée des ressources par le commerce de gros et instaurer un système rationnel de prix, qui tienne compte non seulement des coûts et de la rentabilité des produits mais qui fasse que les entreprises aient intérêt à produire ce dont toute la société a besoin. Pour instaurer le commerce de gros et les nouveaux prix, nous devons parvenir à un meilleur équilibre financier de notre économie. Pour le moment, la situation dans ce domaine n'est pas du tout satisfaisante. En 1986-1987, les recettes budgétaires provenant de l'impôt sur le chiffre d'affaires et des prélèvements sur le profit ont baissé, et les dépenses budgétaires se sont au contraire accrues. Cette situation s'est accentuée en 1988 et en 1989. En conséquence, le déficit budgétaire s'est considérablement creusé. C'est là la principale cause des phénomènes inflationnistes et de l'écart croissant entre la circulation des marchandises et le flux monétaire. Cela a renforcé le caractère déficitaire de notre économie nationale, étant donné que la demande solvable des entreprises a dépassé de beaucoup les possibilités matérielles de la satisfaire. En conséquence, les fonds de stimulation ne peuvent pas remplir leur fonction. Tout cela entrave la réalisation de la réforme économique et exige que l'on prenne des mesures d'urgence – soit que l'on élabore et mette en œuvre des programmes spécifiques à l'échelle nationale en vue d'assainir les finances et l'économie de notre pays, condition sine qua non pour que le nouveau système de gestion puisse être instauré. Il faut stimuler la rentabilité des entreprises, qui doivent, pour aller dans ce sens, en premier lieu réduire leurs coûts de production et en améliorer la qualité ; clarifier la situation de chaque entreprise peu rentable ou déficitaire ; faire en sorte que les entreprises soient assurées de disposer de plus de valeurs d'exploitation propres ; résoudre la question de l'important endettement des kolkhozes, des sovkhozes et de nombreuses entreprises.

En 1988, alors qu'une grande partie des entreprises avaient adopté les nouvelles conditions de gestion, le profit global a augmenté de 7,8 %, et de 10,8 % dans les entreprises fonctionnant selon le nouveau système, alors qu'en 1987 sa croissance n'atteignait que 5 %, pour l'ensemble de l'économie nationale. Il est souhaitable d'utiliser cette situation financière améliorée pour mettre en pratique tout un train de mesures en faveur de l'équilibre financier.

Comme on le voit, le développement économique du pays présente dans la première moitié du XIIe quinquennat des aspects contradictoires : on constate certaines avancées, mais elles sont moins liées à des modifications structurelles positives dans le développement de l'économie qu'à l'amélioration des indicateurs globaux de croissance en ce qui concerne la production traditionnelle. La véritable perestroïka de l'économie nationale, visant à mieux répondre aux besoins de la société, avance très lentement. Le développement de notre économie n'a pas encore réellement changé de nature. L'amélioration de nombreux indicateurs est due, principalement, à des facteurs d'organisation ponctuels. L'accélération ne dispose pas encore de ces bases solides que doivent être le progrès technique et le nouveau système de gestion.

Lors des précédentes réformes économiques (décisions du plénum de septembre 1953 sur l'agriculture, réforme dans l'agriculture et l'industrie de 1965), on avait enregistré des progrès plus importants au niveau des taux d'accroissement, et, notamment, en ce qui concerne les indicateurs de croissance de la rentabilité. La lenteur des changements que l'on constate à l'heure actuelle est liée au fait que les principales mesures de la réforme économique (réforme des prix et mise en place du commerce de gros) sont encore à venir, et à l'erreur qui a consisté à maintenir le diktat administratif sur les entreprises ayant adopté les nouvelles conditions de gestion par le biais des commandes d'État et des normes économiques. Dans la majorité des cas, le nouveau mécanisme n'a pas touché directement les véritables producteurs, ouvriers et ingénieurs du bas de l'échelle, et peu de choses ont changé sur le plan de la stimulation et de l'organisation du travail. Les mesures prises pour restructurer notre gestion ont été, pour le moment, des demi-mesures – et, par conséquent, on a également obtenu des demi-résultats. Et c'est seulement là où ont été opérés de réels changements dans le mécanisme économique, en particulier là où l'on a adopté le second modèle d'autonomie comptable (pour le moment, il n'y a qu'un millier d'entreprises en tout dans ce cas), que l'effet obtenu a été plus important : les taux de croissance de la productivité du travail ont alors doublé ou même triplé, les dépenses matérielles ont considérablement diminué, la rentabilité du capital a augmenté.

L'examen du bilan socio-économique du pays pour la première moitié de ce quinquennat montre qu'il est indispensable de prendre des mesures plus radicales, plus globales si nous voulons transformer notre système économique. Nous avons perdu du temps ; maintenant, il faut le rattraper. Il demeure encore possible de respecter et même de dépasser les objectifs du XIIe Plan, surtout en ce qui concerne la solution des problèmes sociaux qu'affronte l'Union soviétique.

Table des matières

ACHEVÉ D'IMPRIMER
LE 12 DÉCEMBRE 1989
SUR LES PRESSES DE
L'IMPRIMERIE HÉRISSEY
À ÉVREUX (EURE)
POUR LES ÉDITIONS
ROBERT LAFFONT

Imprimé en France
N° d'édition : 32250
N° d'impression : 49692
Dépôt légal : janvier 1990